1963

PASCAL'S APOLOGY

PASCAL'S APOLOGY FOR RELIGION

EXTRACTED
FROM
THE *PENSÉES*

BY

H. F. STEWART, D.D.

CAMBRIDGE
AT THE UNIVERSITY PRESS
1948

Printed in Great Britain at the University Press, Cambridge
(Brooke Crutchley, University Printer)
and published by the Cambridge University Press
(Cambridge, and Bentley House, London)
Agents for U.S.A., Canada, and India: Macmillan

First Edition 1942
Reprinted 1948

CONTENTS

PREFACE

Of making editions of Pascal's *Pensées* there is no end, and an excuse must be found for adding to their number. I crave indulgence therefore while I set forth the reason for this present enterprise.

The *Pensées* have been nowadays most generally and most profitably studied in M. Léon Brunschvicg's compact volume, the "Brunschvicg Minor"—so called to distinguish it from the same editor's three magnificent volumes in the series of the *Grands écrivains de la France*. It is now in its *n*th edition, crowned by the French Academy, classical in every sense of the term, with sound text, illuminating commentary, exhaustive notices, full concordance, accompanied by all Pascal's literary *Opuscules*, the Life by his sister, etc.—a volume convenient in form and moderate in price, in a word an invaluable *outil de travail*.

I have only one quarrel with it, and that is over the arrangement of the Thoughts. To justify my objection to this, a brief historical and bibliographical survey is required.

The last five years of Pascal's short life were largely devoted,[1] so far as his wretched health allowed, to the preparation of a defence of his Faith against the attacks, or rather the poisonous indifference, of the unbeliever—an apology which turns, as apologies are apt to do, into a homology, a confession of the writer's own belief, carrying the war into the camp of the enemy, be he active or passive.

To his confessor, M. Beurrier, curé of the parish where he died, Pascal declared, a few weeks before the end, that he had renounced all other engagements in order to think of his own salvation and to fight vigorously against the free-thinkers and the ungodly, who then abounded in Paris; that he had already collected material for this purpose in the shape of various thoughts and arguments,

1 I do not forget that his greatest mathematical achievement, the solution of the Cycloid problem, falls within this period (1659); but it was in the nature of a πάρεργον.

written in few words, at different times, unsystematically, just as they occurred to him, hoping to make a book in which they would be set out in proper order, clearly and strongly; that he hoped this book would be useful and blessed by God, considering the purity of his intention, which was to bring back wandering sheep to the fold and so spread the Kingdom of Jesus Christ, and promote the glory of God and the salvation of men's souls.[1]

The final form which Pascal intended for his book was still vague when death took him (19 August 1662); but he had already drawn out the general lines and disclosed them to his Port-Royal friends in an *entretien* with which he regaled them one day in 1657 or 1658, or 1659.[2]

Of this lecture a detailed account has been preserved in the *Discours sur les Pensées* by Filleau de la Chaise (or by Philippe Guibaud Dubois, or by Filleau and Dubois in collaboration, or by Filleau alone under the pseudonym of Dubois) and in the authorized Preface to the *Pensées* from the pen of Étienne Périer.[3]

One would have thought that the first editors of the fragments, which they published in 1669–70 under the title, *Pensées de M. Pascal sur la religion et sur quelques autres sujets*, would have tried, with that lecture of 1658 vivid in their memory, to see whether there were not sufficient traces of it in the material, the confused material before them, to warrant a reconstruction of their friend's eloquent utterance. But this they deliberately declined to do. They could not face the task. They preferred to produce a volume of general and innocuous edification. They could not indeed avoid the influence of the lecture, as is indicated by their grouping of his fragments under relevant headings and by the expression of a hope

1 Cf. E. Jovy, *Pascal inédit*, t. II, p. 489 (Vitry-le-François, 1911).

2 "Il y a environ dix ou douze ans", says his nephew, Étienne Perier, in 1670. Of these dates 1658 seems far the most likely, 1657 being too close to the burning business of the *Provincial Letters* which came to a conclusion in May of that year, and 1659 being a period of exasperated ill health.

3 *Vide* Appendix. Since Mme Périer categorically attributes the *Discours* to Filleau de la Chaise (and she ought to know, for it was she who suppressed it in favour of the Preface by her son), I am disposed to regard Filleau as the sole author, in spite of the arguments of M. V. Giraud in his edition of the *Discours* (*Chefs-d'œuvre méconnus*, Bossard, 1922).

that the intelligent reader would find a way out of the maze by himself.[1] But the book which came from their hands, beautiful as in many ways it could not fail to be, lacks the final beauty of Pascal's intention and matchless style.

It is perhaps unfair to charge them with disloyalty towards the dead man, although (as Victor Cousin was eager to point out in his famous Report to the Academy in 1842) their handling of this his legacy was arbitrary, and in many respects a distortion of his true mind; they acted according to their lights. But they cannot be acquitted of pusillanimity. They were frightened by the boldness of thought and expression which they found in these outpourings of that fiery spirit, and by his often unguarded statement of belief, dear to them and to him, but dangerous to publish at the moment. They were baffled by the hopeless disorder of the papers which he had covered with his scribbling. Hear their confession! "L'on mit un très grand soin...de recueillir tous les écrits qu'il avait faits sur cette matière [the Apology]. On les trouva tous ensemble enfilés en diverses liasses, mais sans aucun ordre et sans aucune suite....Et tout cela était si imparfait et si mal écrit qu'on a eu toutes les peines du monde à le déchiffrer." Even when they had deciphered and copied them out fair[2] (a most praiseworthy action), they were not greatly advanced. The disorder remained, a disorder which for some time seemed to forbid all idea of publication. But more courageous counsels, and the strong will of Mme Périer, prevailed. The work, i.e. the Apology, had been widely canvassed and was impatiently awaited; so it was decided to give it to the world. But in what form? The first notion was to print the fragments just as they were, in their native disorder. But this method, possible and plausible after two hundred years' reflection,[3] was soon and rightly dismissed. It would have strangled the book at birth.

1 "L'on crut que ceux qui les liraient seraient assez équitables pour faire le discernement d'un dessein ébauché d'avec une pièce achevée, et pour juger de l'ouvrage par l'échantillon, quelque imparfait qu'il fût." Préface.

2 In fact two copies were made, both of which are now in the B.N.

3 E.g. the edition of G. Michaut (1896), presenting the fragments in the haphazard order of the album concocted by a conscientious but not too

An alternative was to follow the plan from the lecture, as Pascal's hearers remembered it, complete broken phrases, gloss obscurities, and work up the raw material into an intelligible and coherent narrative. They began upon this, but gave way before the difficulty of entering into the mind of the writer and the danger of producing a spurious offspring.

The course finally adopted was to pick out those fragments which were clear and complete, and arrange them according to subjects under appropriate headings. This was done, and the selection, if not ready by 1666 when the Privilege to publish was obtained, was under weigh. But the time was not ripe. Port Royal was still in disgrace, and the mere name of the author of the *Provinciales* would be enough to ban the book. Not until the Peace of Clement IX (1668) was it deemed safe to take advantage of the Privilege granted two years before. When at length the little volume appeared, in January 1670, it took the town by storm, and it held the field for a hundred years. Nay, for more. Reprint followed reprint all through the eighteenth century, and the nineteenth century was well advanced before Pascal's plan received serious attention. I pass over the "philosophic" edition of Condorcet (1776) which, Voltaire aiding, cut out the "superstitious", i.e. the Christian element; also the edition of the Abbé Bossut (1779) which restored it, because Condorcet and Bossut paid even less heed than the Port Royalists to the Plan. Then in 1835 the Abbé Frantin made a gallant effort at reconstruction. But he neglected the manuscript and all previous authority except the edition of Port Royal, and in the laconic phrase of a subsequent editor, "il y échoua".[1] Nine years later, in 1844, Prosper Faugère, stimulated by Victor Cousin's report, produced two volumes in which the Apology was set apart from other matter. This was a very great improvement. Faugère did well to follow Étienne Périer. He would, in my opinion, have done better to take account of Filleau de la Chaise's *Discours*, instead of dismissing it as an "œuvre médiocre". Apart from this, Faugère's scholarship

intelligent book-binder, and now known as the Autograph MS (Bibl. Nat. fonds français 9202), controlled by the two copies (*ib.* 9203 and 12449).

1 Frantin reissued his edition, corrected and improved, in 1853.

was at fault; he suffered from incurable inaccuracy, and his edition for all its merits could not be described as definitive.

In 1851 E. Havet enriched the Thoughts with a penetrating and deeply learned commentary and introduction; but for their arrangement he was content to follow the arbitrary and unsatisfactory order of Bossut.

In 1874 the Chanoine Victor Rocher issued the *Pensées de Pascal d'après le texte authentique et le seul vrai plan de l'auteur*. This I have not seen, but the summary of its contents given in Maire's bibliography[1] inclines me in its favour, in spite of a rather flamboyant "boniment", and the implication that once again Étienne Périer has ousted Filleau de la Chaise.

In 1877 Auguste Molinier the palaeographer produced a very beautiful and scholarly edition, founded on a close study of the MS, and noteworthy, among other points, for its adherence to Pascal's orthography.[2] For his classification he follows in the main the indications of Étienne Périer; but like all his predecessors he neglects the *Discours* of Filleau de la Chaise. His two volumes, beautifully printed, have the defects of their merits, that is to say they are an *édition de luxe*, and consequently beyond the reach of the impecunious student.

In 1897 M. Léon Brunschvicg, Member of the Institute, to-day the most eminent of living "Pascalisants", at that time professor of philosophy in the Rouen lycée, tried a new approach, frankly surrendering the Plan and confessing that his method was not that of Pascal. I have already spoken in praise of the edition he produced, the "Brunschvicg Minor", and if I offer criticism, it is because of his own confession. "Faisant table rase de tout document extérieur, de tout travail antérieur, écartant toute idée préconçue sur ce qu'aurait pu être l'*Apologie* de Pascal" he groups the fragments according to their "signification intrinsèque", or as he says in his major edition, seeking "de quelle façon ils se rapprochaient les uns des autres par l'identité de leur continu, de

1 *Essai bibliographique des "Pensées" de Pascal* (*Archives de philosophie*, vol. I, cahier IV, 1924).

2 I wish I had the courage to follow my own instinct and Molinier's example, but the practical character of this edition forbids it.

quelle façon ils se liaient entre eux pour offrir une continuité logique".

The danger here is of an association of pieces which have only a superficial resemblance and of a separation of pieces which ought to be taken together. Thus, fragments which have an obvious relation to each other fall to be classed under different headings and have to be connected by cross-reference. E.g. no. 61 (section II) and 283 (section IV); no. 323 (section V) and 483 (section VII) and so on.

In a word M. Brunschvicg's method seems to me, as it does also to M. Strowski (*Pascal et son temps*, t. III, p. 319), to run counter to Pascal's method. Pascal trusted for his demonstration of the truth of religion not so much to logical proof and connected argument, as to an accumulation of probabilities, each of which taken apart might well seem to be inadequate, but which taken together acquire by their mass the force of certainty. It is the method of Newman's *Grammar of Assent*.

In practice the classification adopted by M. Brunschvicg renders his book, despite its high value as commentary, extremely difficult for both teacher and pupil, and threatens to reduce Pascal to the position of a maxim-monger, which is rightly deprecated by M. Brunschvicg himself.

As teacher I am dissatisfied and I have felt compelled to seek another way. Accordingly when in 1921 I was honoured by an invitation from Strasbourg to lecture there on Pascal, I chose as subject the possibility of a new classification founded on Pascal's own lecture in 1658 as reported not only by his nephew, but especially by Filleau de la Chaise. My lecture was printed in the *French Quarterly Review* for September 1921 under the title "Vers une nouvelle édition de l'*Apologie* de Pascal". In it I appealed for the help of other students. I am bound to say that my appeal did not bear fruit, although a qualified note of commendation was sounded by M. Victor Giraud when he edited the *Discours* of Filleau de la Chaise for the series *Chefs-d'œuvre méconnus* (1922). M. Giraud, however, misconstrued my intention. I never thought, and I do not think, that the plan of the Apology can be reconstituted in every detail; but only in its general lines. I thought, and

I still think, that illustration of the main points of the Apology can be found in the scraps of paper on which Pascal scribbled the thoughts that flashed through his brain as well as in the carefully written pages which he headed "A.P.R.", "A.P.R. pour demain" (i.e. "à Port Royal"). A few years after my lecture M. J. Chevalier of Grenoble, moved by the same general considerations, gave practical expression to the notion with which I was dallying, and in 1925 he published through Galba an arrangement of the *Pensées*[1] according to the hints supplied by the *Discours*. It was a notable achievement, the work of an acute and powerful intelligence, full of the spirit of Pascal, and in many of the *suturae* which link together the fragments echoing the very style of the Master, so that it is difficult to tell where Pascal ends and Chevalier begins. But I feel that the editor has sometimes suffered his dialectic to get the better of his critical judgement, with the result that Thoughts, if not alien to the Apology, at least outside it, are included within it.

Since then at least four further arrangements of the *Pensées* have been put forth, by M. G. Massis (À la cité des livres, 1929) following the main lines of Pascal's lecture; by M. F. Strowski in vol. iii of his "édition définitive" of all Pascal (Librairie Ollendorff 1923); by the Abbé J. Dedieu (Librairie l'École, 1937) using a system of his own, and by M. Z. Tourneur (Éditions de Cluny, 1938), who pins his faith to the First Copy, which he holds to represent Pascal's own order.

These all supply invaluable help to the student, especially the Abbé Dedieu by his penetrating introductions and commentary, and M. Tourneur by his deciphering of the MS, his correction of previous editors' mistakes, and the very ingenious typographical device which enables one to see exactly how Pascal worked. I have profited by each and all, and in particular I have gratefully

1 This has quite recently (1937) been reissued by *N.R.F.* in one volume, comprising also Pascal's *Écrits sur la Grâce*, a most welcome combination. I candidly confess that if the unhappy conditions of the day did not forbid the import of books from France, I should have been content to use in class this volume. At the same time I am not sorry for the chance of airing my own views.

and willingly adopted the majority of M. Tourneur's readings, controlling them by the Facsimile issued by M. Brunschvicg (Hachette, 1905), since it is, alas, impossible to consult the autograph MS, the ultimate authority.

The reader will find in the Appendix a "pièce justificative" where the relevant passages of Étienne Périer's Preface and of Filleau de la Chaise's *Discours* are set out in parallel; but as a guide to my arrangement, and a confirmation of the headings[1] to groups of thoughts, I think it well to summarize here Pascal's lecture as it can be disentangled from Filleau's somewhat verbose account.

Pascal's object was to awaken men to the call of the heart, prepare the way for knowledge of God, belief in Him, and desire for Him. For this purpose are needed, not metaphysical and ontological arguments, but a statement of facts, moral and historical, an appeal to intuitive feeling and practical experience. His Apology falls into two main parts: man's misery apart from God, his happiness with God. Before man can aspire to know God, he must know himself, a lesson which previous moralists have failed to teach, and which must be learnt by experience and experiment. Pascal, the man of science, the great experimenter, takes as subject a free-thinker, a "libertin", one who has never thought about God or his own destiny, who lives for present pleasure, lapped in indifference as to the future. Pascal makes him look into the glass, or rather he paints a picture of man so true to fact that the free-thinker must recognize himself therein. It is not a pleasing picture.

Confronted with Nature, the sum of things, man is out of place, disproportionate. Confronted with himself, he is mean and miserable, a mass of feebleness, corruption and darkness, a prey to the deceits of imagination, empty, restless, proud, selfish. Never, says Filleau, have those who most despise man, laid such stress upon his worthlessness. When the free-thinker is thoroughly alarmed by what he sees, Pascal shows him another picture which displays traces of real greatness—man's gift of thought, awareness

1 These headings are in English because if I had left them in French, as in my *French Quarterly* article, there might be danger that the careless reader would take them to be Pascal's words.

of his misery, desire for good, desire for truth. The result is a hopeless mixture of incompatible elements.

The free-thinker cannot but admit the general accuracy of the descriptions. He is now roused from his torpor. Pascal presses upon him the imperative need of further enquiry. He must not remain in, or return to, his indifference and godlessness.

But where to find light and peace? With the philosophers? They are all at sixes and sevens. Truth is not with them. Blind guides, they cannot convey light. Has God then left Himself altogether without witness? Try the religions of the world. Not one of them provides the rest which he needs. He would rather die than sink into the degradation to which they invite him.

Then Pascal quietly points him to a people, the Jews, whose history and religion are in every way remarkable, a people of most ancient lineage, nay a family rather than a nation, springing from one authentic ancestor, too numerous to be deceived without some one member discovering the cheat. Their story is contained in a wonderful book, which by its coherence and unity compels belief. Furthermore, it holds the answer to the questions, which the libertine will not find elsewhere. It tells the story, not only of the Jews, but of humanity—man made in the image of God, as like to Him as the finite can be to the infinite.

The libertine is moved, but he hesitates. The contrast between what was and what is, gives him pause. The likeness has vanished; or else, if God is like that, He is not worthy of worship.

Pascal shows how the likeness was lost through man's first disobedience, and how God withdrew Himself from sight; how the Fall and its sinister consequences are the burden of the Bible, the only book which paints man as he was and as he is; the only one which speaks in worthy terms of God, teaches the duty of love for Him and of the submission of our will to His, resolves the riddle of existence, explains the present bondage of the Soul, promises a cure for our ills, and a Redeemer from our sin and misery.

The free-thinker is prepared to yield to the accumulation of evidence, and to see therein the hand of God. But one consideration holds him back—the unreasonableness and injustice of the doctrine.

Reason! cries Pascal. Be thankful that in a matter of such moment you are not at the mercy of human reason which so often fails you in judging trifles. And as for justice and injustice, our notions of them are purely human, born of custom, local and temporal practice, no measure of the eternal Justice of Almighty God.

We believers, we Christians, have facts which provide us with authentic and infallible proofs of the truth of our belief. Let us examine them.

Pascal proceeds to establish the authority of the two testaments upon which the Christian religion stands.

He begins with the character and work of Moses, who gave the Jews their law, a law which, while teaching present duty, was figurative, conveying spiritual truth; the only law in the world which is worthy of God and of real use to man, a perpetual instrument for the control of his corrupt passions.

This law remains unto this day, fulfilled by Jesus Christ, and the people to whom it was first given remain, although in disgrace and distress, and they cherish the book which contains it and which is full of denunciation of their disobedience. Yet, while there are carnally-minded Jews, as there are carnally-minded Christians whose affections are set on things of earth, there were spiritually-minded Jews as there are spiritually-minded Christians, and the religion of these is one and the same, none other than the Love of God.

The mere history of the Jews is in itself a witness to Christ; but the main witness is Prophecy. Inspired seers foretold the fortunes and misfortunes of the race, the Captivity, the Return, the Dispersion, the vocation of the Gentiles; and they spoke so clearly of Jesus Christ, with such exact detail, that they are His historians as much as the Evangelists themselves. The Book which contains all this is no doubt obscure to those whose hearts are not prepared; but its obscurity is purposeful; God being resolved to give light only to those who deserve it, and to leave the hard of heart in darkness. Scripture is figurative throughout; it has a double meaning, and Pascal spent himself, and transported his hearers, in fetching out the spiritual sense. He passed to the New Testament and to Jesus Who is the fulfilment of prophecy and type, the universal Redeemer. Even if there were no prophecies and no miracles to support His claim to our allegiance, the paradox of His Person and the beauty of His life and teaching, declare His divinity and the truth about God.

Proofs of this only reach the mind through the heart. You may know geometry by the exercise of reason; you cannot know God save through Jesus Christ, who speaks to the heart. It is to compel the appeal to the heart that God veiled Himself, and so blended light and darkness that the heart is needed for the discernment of the truth. His design is to save and condemn through His Son, i.e. according as man's heart receives or rejects Him. That design explains the paradox of Jesus' life, born in lowliness, but a prince, first in the Order of Charity.

The morality which Jesus taught and practised is far better than the best. Socrates and Epictetus pale before Him; all human morality is but a faint shadow of Charity, the lovely virtue which shines forth in the life of the Lord. His disciples alone stand near to Him in the order of universal justice, measuring all things by the infallible canon of the righteous judgement of God.

God alone can have inspired this ideal; His Son alone realized it. Why do men not believe Him? Because they *will* not, because they refuse to obey the dictates of the heart.

And what about the disciples who recorded the acts and words of Christ? Were they cheated, or cheats? Neither one nor the other. It is impossible that the whole world should have been led astray by them. Men only tell lies from self-interest or in order to gain glory. Consider the apostles and evangelists—simple folk who tell, calmly, without exaggeration, the heroic life of their Master, without concealment of His moments of weakness or their own, without invective against His foes and theirs. Consider the history of the Church, the vehicle of the new religion, the company of faithful believers, willing to seal their faith with their blood, a history so rich in miracles, saints, and martyrs that one cannot but see in it the work of God.

The obstacles to belief are really few. There is the prejudice which bids us refuse everything save that which the mind can grasp without difficulty. And there are the passions which lead us captive. These obstacles must be surmounted, primarily by recognizing that there are many things which we accept, though we do not understand them, because we judge the cause by the effect and because we listen to the whisper of intuition, of the heart. Why not use the heart in this grave matter of religion as you already do in things of everyday life?

With regard to the passions, conquer them, and seek to enter the Kingdom like a little child. Keep the middle way, submit your will to God's, content with your state of life and the measure of light which God has vouchsafed to you, asking for no particular miracle, thinking only of God, waiting with patience and simplicity the outpouring of His Grace through which alone cometh Salvation.

Such in broadest outline was the Apology of Pascal as I find it in the pages of the *Discours*, and for which I seek support amid the chaos of the *Pensées*. I am quite aware of the subjective character of my attempt and that I may well have misplaced some Thoughts and excluded others which deserve admission. The lovêr of Pascal will miss many familiar and beautiful passages which I regard as too intimate, nay too sacred, to find a place in a work whose main purpose was polemical. Such are the Memorial, the "Mystère de Jésus", the confession of Pascal's charity and assertion of his innocency, his meditation on the waters of Babylon, and so on.

These I hope to present in a second volume, together with notes for the *Provinciales*, for the *Art de persuader*, for the *Discours sur la condition des grands*, for the battle over the miracle of the Holy Thorn, and what may be called Pascal's *ars rhetorica*. My object in this volume is to present in a reasonably coherent form material which, even in its broken state and despite the obvious desuetude of some of its arguments, is a very present help for all who seek to champion the Christian Faith.[1]

1 For illustration of Pascal's modernity cf. M. Arnold's *Literature and Dogma*, which, though Pascal is not referred to, constantly echoes the argument and the very expressions of the Apology.

Passages within square brackets are obvious omissions and those which are cancelled in the Autograph MS, either because Pascal was displeased with them or had incorporated them. I have not thought it necessary to print all such, but only those which seem to have a special interest. Besides references to quotations (the Psalms are in the order of the Vulgate) and thoughts afterwards more fully developed I have added a very few foot-notes on unusual or difficult expressions, and doubtful readings. The initials appended to these last represent H(avet), B(runschvicg) and T(ourneur) who together with Dedieu and Strowski are the authorities to whom I am most indebted, and whom no serious student of Pascal can afford to neglect. The numerals following each fragment are those of the Brunschvicg editions.

I had projected, and indeed begun, an appendix containing Pascal's borrowings from Montaigne. But it threatened to grow so long that I dare not, in the present paper famine, attempt to finish it; while even references in foot-notes would unduly swell my pages. So the student must either consult another edition (and all the classical editions are rich in this respect) or rest content with the assurance that 25 per cent of the *Pensées* derive more or less directly from the *Essais*, especially where Justice, Laws and Customs are concerned.

Perhaps by the time my second volume is ready for press, the crisis may have passed and a chance given to carry out my intention.

H. F. S.

1942

CONJECTURAL SYLLABUS OF PASCAL'S LECTURE "*DE VERA RELIGIONE*"

INTRODUCTORY

The author's aim: to awaken the careless to the call of the heart and enable the godless to learn to know God and to love Him.

Means to the end: not the common geometrical, metaphysical and ontological arguments, but moral and historical proofs, appeal to intuitive feeling and practical experience.

PLAN OF THE TREATISE

TWO PARTS

What shall be the order?

FIRST PART: MAN WITHOUT GOD

Preface: Need of self-knowledge.
Insufficiency of former moralists to shew the way.

A. Preparation for the Quest

Portrait of Man

I. HIS PITIABLE STATE.

(α) In relation to the Universe.

(β) In himself: feebleness, inconstancy, corruption, malignity.

The causes.

(i) The deceits of imagination.

(ii) Vanity.

(iii) Ennui.

(iv) Pride.

(v) Self-love.

(vi) Blindness.

II. MAN'S GREATNESS.

(i) Thought.

(ii) Desire for the true good.

(iii) Awareness of his misery.

(iv) Love of truth.

(v) Love of glory.

Conclusion

Man is a mass of incompatible and contradictory elements:
"Medio tutissimus ibis".

The free-thinker admits the general truth of the description: but he is bewildered and hesitates.

B. Urgent need of the Quest

You must *seek: you cannot remain lapped in indifference.*

The Wager

SECOND PART: MAN WITH GOD

Preface: No light where Jesus is not.
No happiness nor justice where faith fails.

I. THE SEARCH FOR THE LIGHT.

(α) The Philosophers.

(β) The religions of the world.
Despair. Death would be better than the degradation of paganism.

(γ) Pascal bids the free-thinker consider the Jews.

(i) Their singularity.

(ii) Their sincerity and zeal.

(iii) Their Book.

The free-thinker interrupts, shocked by the difference between what was and what is, between the ideal and the real.

Pascal replies: the Fall ruined man's likeness to God. God withdrew and hid Himself.

Closer study of the Bible

The only book that has

(i) perfectly depicted man;

(ii) spoken in worthy terms of God;

(iii) taught love of Him and submission to His will;

(iv) conveyed the idea of a true religion;

(v) solved the anomalies of human society;

(vi) explained the enslavement of the soul to wrong influences;

(vii) promised sound remedies for our woes;

(viii) announced a Liberator from our bondage.

Conclusion. The free-thinker, ready to yield, objects the unreasonableness and injustice of the doctrine of the Fall and the punishment of man.

Pascal replies Reason is impotent.

Here is no question of justice between man and man, but of God's dealings with us His creatures; no question of human and therefore fallible arguments, but of proofs which carry conviction, of facts.

II. THE DEMONSTRATION.

The Two Testaments

(i) The Old Testament.

The Law and the Law-giver.

The Law is figurative, the only code worthy of God, the only one contrary to man's natural inclinations and enduring.

Spiritual Jews and spiritual Christians have one and the same religion.

Carnal Jews and carnal Christians.

The History of the Jews bears witness to the Christ.

Prophecy, the main witness to Christ. Prophets, divinely inspired, foretell the Captivity, the Return, the Advent of Christ, His Life in detail, His rejection by the Jews, the ingathering of the Gentiles.

Type and Allegory

God gives light to the elect, and leaves the rest in darkness

(ii) The New Testament.

Jesus Christ.

The centre of all.

(α) He fulfils type and prophecy.

(β) The Redeemer.

(γ) The paradox of His Person.

(i) His Life.

(ii) His Teaching.

(δ) Mediator between God and man.

(ε) His true disciples alone are in the Order of Justice and measure all things by that infallible canon.

The Apostles and the Church

The Apostles, historians and witnesses.

Neither knaves nor dupes.

Their style.

The Church: its past history and present state.

Members of Christ's Body.

Conclusion of the Whole Matter

All this is the work of God to which it is impossible to offer resistance.

Use the heart in this as in other things.

Lay aside prejudice; repent, quell the passions.

Accept your condition.

Be content with a spark of light.

Do not ask for a miracle.

Think only of God: love Him alone.

Keep the mean.

Submit the will and mind.

Wait patiently for the gift of Grace.

"DE VERA RELIGIONE"

Introductory

The author's aim: to awaken the careless to the call of the heart and enable the godless to learn to know God and to love Him

1 La conduite de Dieu, qui dispose toutes choses avec douceur, est de mettre la religion dans l'esprit par les raisons et dans le cœur par la grâce. Mais de la vouloir mettre dans l'esprit et dans le cœur par la force et par les menaces, ce n'est pas y mettre la religion mais la terreur, *terrorem potius quam religionem.*[1] [185]

2 Ordre.

Les hommes ont mépris pour la religion; ils en ont haine, et peur qu'elle soit vraie. Pour guérir cela il faut commencer par montrer que la religion n'est point contraire à la raison—vénérable—en donner respect; la rendre ensuite aimable; faire souhaiter aux bons qu'elle fût vraie; et puis montrer qu'elle est vraie. Vénérable, parce qu'elle a bien connu l'homme. Aimable, parce qu'elle promet le vrai bien. [187]

3 Commencer par plaindre les incrédules: ils sont assez malheureux par leur condition. Il ne faudrait injurier qu'au cas que cela servît; mais cela leur nuit. [189]

4 Plaindre les athées qui cherchent, car ne sont-ils assez malheureux? Invectiver contre ceux qui en font vanité. [190]

5 Il n'y a que trois sortes de personnes: les uns qui servent Dieu l'ayant trouvé; les autres qui s'emploient à le chercher, ne l'ayant pas trouvé; les autres qui vivent sans le chercher ni l'avoir trouvé. Les premiers sont raisonnables et heureux, les derniers sont fous et malheureux; ceux du milieu sont malheureux et raisonnables. [257]

1 *Nisi terrerentur et non docerentur, improba quasi dominatio videretur.* Aug. *Ep.* 48 ou 49, 4to, *Contra mendacium, ad Consentium.* [186]

6 Il faut en tout dialogue et discours qu'on puisse dire à ceux qui s'en offensent: "De quoi vous plaignez-vous?" [188]

7 Et celui-là se moquera de l'autre? Qui se doit moquer? Et cependant celui-ci ne se moque-t-il pas de l'autre, mais en a pitié. [191]

8 Je blâme également et ceux qui prennent parti de louer l'homme, et ceux qui le prennent de le blâmer, et ceux qui le prennent de se divertir; et je ne puis approuver que ceux qui cherchent en gémissant. [421]

Means to the end: not the common geometrical, metaphysical and ontological arguments, but moral, historical proofs, the appeal to intuitive feeling and practical experience.

9 Préface.

Les preuves de Dieu métaphysiques sont si éloignées du raisonnement des hommes et si impliquées qu'elles frappent peu; et quand cela servirait à quelques-uns, cela ne servirait que pendant l'instant qu'ils voient cette démonstration; mais une heure après ils craignent de s'être trompés.

Quod curiositate cognoverunt superbia amiserunt.[1]

C'est ce que produit la connaissance de Dieu qui se tire sans Jésus-Christ, qui est de communiquer sans médiateur avec le Dieu qu'on a connu sans médiateur. Au lieu que ceux qui ont connu Dieu par médiateur connaissent leur misère. [543]

10 Qu'il y a loin de la connaissance de Dieu à l'aimer! [280]

11 ...Ils blasphèment ce qu'ils ignorent. La religion chrétienne consiste en deux points; il importe également aux hommes de les connaître, et il est également dangereux de les ignorer; et il est également de la miséricorde de Dieu d'avoir donné des marques des deux.

Et cependant ils prennent sujet de conclure qu'un de ces points n'est pas, de ce qui leur devrait faire conclure l'autre. Les sages qui ont dit qu'il n'y a qu'un Dieu ont été persécutés, les Juifs haïs,

1 Cf. Aug. *Sermo* CXLI: *Quod curiositate invenerunt superbia perdiderunt.* Is Pascal quoting from memory?

les chrétiens encore plus. Ils ont vu par lumière naturelle que, s'il y a une véritable religion sur la terre, la conduite de toutes choses doit y tendre comme à son centre.

Toute la conduite des choses doit avoir pour objet l'établissement et la grandeur de la religion. Les hommes doivent avoir en eux-mêmes des sentiments conformes à ce qu'elle nous enseigne. Et enfin elle doit être tellement l'objet et le centre où toutes choses tendent, que qui en saura les principes puisse rendre raison et de toute la nature de l'homme en particulier, et de toute la conduite du monde en général.

Et sur ce fondement, ils prennent lieu de blasphémer la religion chrétienne, parce qu'ils la connaissent mal. Ils s'imaginent qu'elle consiste simplement en l'adoration d'un Dieu considéré comme grand et puissant et éternel; ce qui est proprement le déisme, presque aussi éloigné de la religion chrétienne que l'athéisme, qui y est tout à fait contraire. Et de là ils concluent que cette religion n'est pas véritable, parce qu'ils ne voient pas que toutes choses concourent à l'établissement de ce point: que Dieu ne se manifeste pas aux hommes avec toute l'évidence qu'il pourrait faire.

Mais qu'ils en concluent ce qu'ils voudront contre le déisme, ils n'en concluront rien contre la religion chrétienne, qui consiste proprement au mystère du Rédempteur, qui, unissant en lui les deux natures, humaine et divine, a retiré les hommes de la corruption du péché pour les réconcilier à Dieu en sa personne divine.

Elle enseigne donc ensemble aux hommes ces deux vérités: et qu'il y a un Dieu, dont les hommes sont capables, et qu'il y a une corruption dans la nature, qui les en rend indignes. Il importe également aux hommes de connaître l'un et l'autre de ces points; et il est également dangereux à l'homme de connaître Dieu sans connaître sa misère, et de connaître sa misère sans connaître le Rédempteur qui l'en peut guérir. Une seule de ces connaissances fait, ou la superbe des philosophes, qui ont connu Dieu et non leur misère, ou le désespoir des athées, qui connaissent leur misère sans Rédempteur.

Et ainsi, comme il est également de la nécessité de l'homme de connaître ces deux points, il est aussi également de la miséricorde de Dieu de nous les avoir fait connaître. La religion chrétienne le fait, c'est en cela qu'elle consiste.

Qu'on examine l'ordre du monde sur cela, et qu'on voie si toutes choses ne tendent pas à l'établissement des deux chefs de cette religion: Jésus-Christ est l'objet de tout, et le centre où tout tend. Qui le connaît, connaît la raison de toutes choses.

Ceux qui s'égarent ne s'égarent que manque de voir une de ces deux choses. On peut donc bien connaître Dieu sans sa misère, et sa misère sans Dieu; mais on ne peut connaître Jésus-Christ sans connaître tout ensemble et Dieu et sa misère.

Et c'est pourquoi je n'entreprendrai pas ici de prouver par des raisons naturelles, ou l'existence de Dieu, ou la Trinité, ou l'immortalité de l'âme, ni aucune des choses de cette nature; non seulement parce que je ne me sentirais pas assez fort pour trouver dans la nature de quoi convaincre des athées endurcis, mais encore parce que cette connaissance, sans Jésus-Christ, est inutile et stérile. Quand un homme serait persuadé que les proportions des nombres sont des vérités immatérielles, éternelles, et dépendantes d'une première vérité en qui elles subsistent, et qu'on appelle Dieu, je ne le trouverais pas beaucoup avancé pour son salut.

Le Dieu des Chrétiens ne consiste pas en un Dieu simplement auteur des vérités géométriques et de l'ordre des éléments; c'est la part des païens et des épicuriens. Il ne consiste pas seulement en un Dieu qui exerce sa providence sur la vie et sur les biens des hommes, pour donner une heureuse suite d'années à ceux qui l'adorent; c'est la portion des Juifs. Mais le Dieu d'Abraham, le Dieu d'Isaac, le Dieu de Jacob, le Dieu des Chrétiens, est un Dieu d'amour et de consolation, c'est un Dieu qui remplit l'âme et le cœur de ceux qu'il possède, c'est un Dieu qui leur fait sentir intérieurement leur misère, et sa miséricorde infinie; qui s'unit au fond de leur âme; qui la remplit d'humilité, de joie, de confiance, d'amour; qui les rend incapables d'autre fin que de lui-même.

Tous ceux qui cherchent Dieu hors de Jésus-Christ, et qui s'arrêtent dans la nature, ou ils ne trouvent aucune lumière qui les satisfasse, ou ils arrivent à se former un moyen de connaître Dieu et de le servir sans médiateur; et par là ils tombent, ou dans l'athéisme ou dans le déisme, qui sont deux choses que la religion chrétienne abhorre presque également.

Sans Jésus-Christ le monde ne subsisterait pas; car il faudrait, ou qu'il fût détruit, ou qu'il fût comme un enfer.

Si le monde subsistait pour instruire l'homme de Dieu, sa divinité y reluirait de toutes parts d'une manière incontestable; mais, comme il ne subsiste que par Jésus-Christ et pour Jésus-Christ, et pour instruire les hommes et de leur corruption et de leur rédemption, tout y éclate des preuves de ces deux vérités.

Ce qui y paraît ne marque ni une exclusion totale, ni une présence manifeste de divinité, mais la présence d'un Dieu qui se cache. Tout porte ce caractère.

Le seul qui connaît la nature ne la connaîtra-t-il que pour être misérable? le seul qui la connaît sera-t-il le seul malheureux?

Il ne faut [*pas*] qu'il ne voie rien du tout; il ne faut pas aussi qu'il en voie assez pour croire qu'il le possède; mais qu'il en voie assez pour connaître qu'il l'a perdu; car, pour connaître qu'on a perdu, il faut voir et ne voir pas; et c'est précisément l'état où est la nature.

Quelque parti qu'il prenne, je ne l'y laisserai point en repos.[1]

[556]

12 C'est une chose admirable que jamais auteur canonique ne s'est servi de la nature pour prouver Dieu. Tous tendent à le faire croire. David, Salomon etc. jamais n'ont dit: "Il n'y a point de vide, donc il y a un Dieu." Il fallait qu'ils fussent plus habiles que les plus habiles gens qui sont venus depuis qui s'en sont tous servis. Cela est très considérable. [243]

13 "Eh quoi! ne dites-vous pas vous-même que le ciel et les oiseaux prouvent Dieu?" Non. "Et votre religion ne le dit-elle pas?" Non.[2] Car, encore que cela est vrai en un sens pour quelques

1 Je ne souffrirai point qu'il se repose en lui ni en l'autre, afin qu'étant sans assiette et sans repos.... [419]
S'il se vante, je l'abaisse; s'il s'abaisse, je le vante, et le contredis toujours, jusqu'à ce qu'il comprenne qu'il est un monstre incompréhensible. [420]

2 Pascal does not deny that the heavens declare the Glory of God (Ps. xviii) but only that they do not prove His existence.

âmes à qui Dieu donne cette lumière, néanmoins cela est faux à l'égard de la plupart. [244]

14 Si c'est une marque de faiblesse de prouver Dieu par la nature, n'en méprisez point l'Écriture: si c'est une marque de force d'avoir connu ces contrariétés, estimez-en l'Écriture. [428]

15 Deux choses instruisent l'homme de toute sa nature: l'instinct et l'expérience. [396]

16 On se persuade mieux, pour l'ordinaire, par les raisons qu'on a soi-même trouvées que par celles qui sont venues dans l'esprit des autres. [10]

17 Tout notre raisonnement se réduit à céder au sentiment. Mais la fantaisie est semblable et contraire au sentiment, de sorte qu'on ne peut distinguer entre ces contraires. L'un dit que mon sentiment est fantaisie, l'autre que sa fantaisie est sentiment. Il faudrait avoir une règle. La raison s'offre, mais elle est ployable à tous sens; et ainsi il n'y en a point. [274]

18 Il y a deux manières de persuader les vérités de notre religion: l'une par la force de la raison, l'autre par l'autorité de celui qui parle.

On ne se sert pas de la dernière, mais de la première. On ne dit pas: "Il faut croire cela; car l'Écriture, qui le dit, est divine"; mais on dit qu'il le faut croire par telle et telle raison, qui sont de faibles arguments, la raison étant flexible à tout. [561]

19 Ceux qui sont accoutumés à juger par le sentiment ne comprennent rien aux choses de raisonnement, car ils veulent d'abord pénétrer d'une vue et ne sont point accoutumés à chercher les principes. Et les autres, au contraire, qui sont accoutumés à raisonner par principes, ne comprennent rien aux choses de sentiment, y cherchant des principes et ne pouvant voir d'une vue. [3]

20 Ceux qui jugent d'un ouvrage sans règle[1] sont, à l'égard des autres, comme ceux qui ont une montre à l'égard des autres. L'un dit: "Il y a deux heures"; l'autre dit: "Il n'y a que trois quarts d'heure." Je regarde ma montre, et je dis à l'un: "Vous vous ennuyez"; et à l'autre: "Le temps ne vous dure guère";

1 "sans règle", i.e. by intuition.

car il y a une heure et demie, et je me moque de ceux qui disent que le temps me dure à moi, et que j'en juge par fantaisie: ils ne savent pas que je juge par ma montre. [5]

21 Géométrie, finesse.

La vraie éloquence se moque de l'éloquence, la vraie morale se moque de la morale; c'est-à-dire que la morale du jugement se moque de la morale de l'esprit—qui[1] est sans règles.

Car le jugement est celui à qui appartient le sentiment, comme les sciences appartiennent à l'esprit. La finesse est la part du jugement, la géométrie est celle de l'esprit.

Se moquer de la philosophie, c'est vraiment philosopher. [4]

Plan of the Treatise

TWO PARTS

22 *Première partie:* Misère de l'homme sans Dieu.

Seconde partie: Félicité de l'homme avec Dieu.

Autrement:

Première partie: Que la nature est corrompue, par la nature même.

Seconde partie: Qu'il y a un Réparateur, par l'Écriture. [60]

What shall be the order?

23 L'ordre; contre l'objection que l'Écriture n'a pas d'ordre.

Le cœur a son ordre; l'esprit a le sien, qui est par principe et démonstration; le cœur en a un autre. On ne prouve pas qu'on doit être aimé en exposant d'ordre les causes de l'amour; cela serait ridicule.

Jésus-Christ, Saint Paul ont l'ordre de la charité, non de l'esprit, car ils voulaient échauffer, non instruire. Saint Augustin de même. Cet ordre consiste principalement à la digression sur chaque point qu'on rapporte à la fin, pour la montrer toujours. [283]

1 "qui" refers to "morale du jugement".

24 Ordre.

Pourquoi entreprendrai-je plutôt à diviser ma morale en quatre qu'en six? Pourquoi établirai-je plutôt la vertu en quatre, en deux, en un? Pourquoi en *abstine et sustine* plutôt qu'en *suivre nature*, ou faire ses affaires particulières *sans injustice*, comme Platon, ou autre choses? "Mais voilà, direz-vous, tout renfermé en un mot." "Oui, mais cela est inutile, si on ne l'explique; et quand on vient à l'expliquer, dès qu'on ouvre ce principe qui contient tous les autres, ils en sortent en la première confusion que vous vouliez éviter. Ainsi, quand ils sont tous renfermés en un, ils y sont cachés et inutiles, comme en un coffre, et ne paraissent jamais qu'en leur confusion naturelle. La nature les a tous établis sans renfermer l'un en l'autre." [20]

25 La nature a mis toutes ses vérités chacune en soi-même; notre art les renferme les unes dans les autres, mais cela n'est pas naturel; chacune tient sa place. [21]

26 Pyrrhonisme.[1]

J'écrirai ici mes pensées sans ordre, et non pas peut-être dans une confusion sans dessein: c'est le véritable ordre, et qui marquera toujours mon objet par le désordre même. Je ferais trop d'honneur à mon sujet, si je le traitais avec ordre, puisque je veux montrer qu'il en est incapable. [373]

27 Ordre.

J'aurais bien pris ce discours d'ordre comme celui-ci: pour montrer la vanité de toutes sortes de conditions, montrer la vanité des vies communes, et puis la vanité des vies philosophiques pyrrhoniennes, stoïques; mais l'ordre n'y serait pas gardé. Je sais un peu ce que c'est, et combien peu de gens l'entendent. Nulle science humaine ne l'a pas gardé: Saint Thomas ne l'a pas gardé. La mathématique le garde, mais elle est inutile en sa profondeur. [61]

28 La nature s'imite:[2] une graine, jetée en bonne terre, produit; un principe, jeté dans un bon esprit, produit; les nombres imitent l'espace, qui sont de nature si différente.

1 P.=scepticism, from Pyrrho of Elis (365–275 B.C.).

2 [Nature diversifie et imite, artifice imite et diversifie.] [120]

Tout est fait et conduit par un même maître: la racine; les branches, les fruits; les principes, les conséquences. [119]

29 Talent principal qui règle tous les autres. [118]

30 La nature recommence toujours les mêmes choses, les ans, les jours, les heures; les espaces, de même, et les nombres sont bout à bout à la suite l'un de l'autre. Ainsi se fait une espèce d'infini et d'éternel. Ce n'est pas qu'il y ait rien de tout cela qui soit infini et éternel, mais ces êtres terminés se multiplient infiniment. Ainsi il n'y a, ce me semble, que le nombre qui les multiplie qui soit infini.[1] [121]

31 En sachant la passion dominante de chacun, on est sûr de lui plaire; et néanmoins chacun a ses fantaisies, contraires à son propre bien, dans l'idée même qu'il a du bien. Et c'est une bizarrerie qui met hors de gamme. [106]

32 Qu'il est difficile de proposer une chose au jugement d'un autre, sans corrompre son jugement par la manière de la lui proposer! Si on dit: "Je le trouve beau; je le trouve obscur", ou autre chose semblable, on entraîne l'imagination à ce jugement, ou on l'irrite au contraire. Il vaut mieux ne rien dire; et alors il juge selon ce qu'il est, c'est-à-dire selon ce qu'il est alors, et selon que les autres circonstances dont on n'est pas auteur y auront mis. Mais au moins on n'y aura rien mis; si ce n'est que ce silence n'y fasse aussi son effet, selon le tour et l'interprétation qu'il sera en humeur de lui donner, ou selon qu'il le conjecturera des mouvements et air du visage, ou du ton de voix, selon qu'il sera physionomiste: tant il est difficile de ne point démonter un jugement de son assiette naturelle, ou plutôt, tant il en a peu de ferme et stable! [105]

33 Je me suis mal trouvé de ces compliments: "Je vous ai bien donné de la peine; je crains de vous ennuyer; je crains que cela soit trop long." Ou on entraîne, ou on irrite. [57]

1 Perhaps this is rather a note for the tract *De l'esprit géométrique*.

First part

MAN WITHOUT GOD

Preface

Need of self-knowledge

34 Il faut se connaître soi-même: quand cela ne servirait pas à trouver le vrai, cela au moins sert à régler sa vie, et il n'y a rien de plus juste. [66]

35 Si on se connaissait, Dieu guérirait et pardonnerait. *Ne convertantur et sanem eos, et dimittantur eis peccata.*[1] [779]

36 Nous nous connaissons si peu que plusieurs pensent aller mourir quand ils se portent bien; et plusieurs pensent se porter bien quand ils sont proches de mourir, ne sentant pas la fièvre prochaine, ou l'abcès prêt à se former. [175]

Insufficiency of former moralists to shew the way

37 Préface de la première partie.

Parler de ceux qui ont traité de la connaissance de soi-même; des divisions de Charron qui attristent et ennuient; de la confusion de Montaigne; qu'il avait bien senti le défaut d'une droite méthode; qu'il l'évitait en sautant de sujet en sujet; qu'il cherchait le bon air.[2]

Le sot projet qu'il a de se peindre! Et cela non pas en passant et contre ses maximes, comme il arrive à tout le monde de faillir; mais par ses propres maximes, et par un dessein premier et principal. Car de dire des sottises par hasard et par faiblesse, c'est un mal ordinaire; mais d'en dire par dessein, c'est ce qui n'est pas supportable, et d'en dire de telles que celles-ci.... [62]

38 Ce que Montaigne[3] a de bon ne peut être acquis que difficilement.

1 Is. vi, 10; Mark iv, 12.

2 "le bon air" = politeness, "good form".

3 The reader may miss, at this point, the fragment [63] Les défauts de Montaigne sont grands, etc. But it seems to me that this is really a note for Pascal's *Entretien avec M. de Saci sur Épictète et Montaigne* and therefore out of place here.

Ce qu'il a de mauvais, j'entends hors les mœurs, peut être corrigé en un moment, si on l'eût averti qu'il faisait trop d'histoires, et qu'il parlait trop de soi. [65]

39 Ce n'est pas dans Montaigne, mais dans moi que je trouve tout ce que j'y vois. [64]

40 J'avais passé longtemps dans l'étude des sciences abstraites; et le peu de communication qu'on en peut avoir m'en avait dégoûté. Quand j'ai commencé l'étude de l'homme, j'ai vu que ces sciences abstraites ne sont pas propres à l'homme, et que je m'égarais plus de ma condition en y pénétrant que les autres en les ignorant. J'ai pardonné aux autres d'y peu savoir. Mais j'ai cru trouver au moins bien des campagnons en l'étude de l'homme, et que c'est la vraie étude qui lui est propre. J'ai été trompé; il y en a encore moins qui l'étudient que la géométrie. Ce n'est que manque de savoir étudier cela qu'on cherche le reste; mais n'est-ce pas que ce n'est pas encore là la science que l'homme doit avoir, et qu'il lui est meilleur de s'ignorer pour être heureux? [144]

A. Preparation for the quest

Portrait of Man

I. HIS PITIABLE STATE

(α) *In relation to the Universe*

41 Disproportion de l'homme.

[Voilà où nous mènent les connaissances naturelles. Si celles-là sont véritables, il n'y a point de vérité dans l'homme, et, si elles le sont il y trouve un grand sujet d'humiliation, forcé à s'abaisser d'une ou d'autre manière. Et puisqu'il ne peut subsister sans les croire, je souhaite, avant que d'entrer dans de plus grandes recherches de la Nature, qu'il la considère une fois sérieusement et à loisir, qu'il se regarde aussi soi-même, et connaissant quelle proportion il y a...]

Que l'homme contemple donc la Nature entière dans sa haute et pleine majesté, qu'il éloigne sa vue des objets bas qui l'environnent. Qu'il regarde cette éclatante lumière mise comme une lampe éternelle pour éclairer l'univers; que la terre lui paraisse comme un point au prix du vaste tour que cet astre décrit, et qu'il s'étonne de ce que ce vaste tour lui-même n'est qu'une pointe très délicate à l'égard de celui que ces astres qui roulent dans le firmament embrassent.

Mais si notre vue s'arrête là, que l'imagination passe outre; elle se lassera plutôt de concevoir que la Nature de fournir. Tout ce monde visible n'est qu'un trait imperceptible dans l'ample sein de la Nature. Nulle idée n'en approche; nous avons beau enfler nos conceptions au-delà des espaces imaginables, nous n'enfantons que des atomes au prix de la réalité des choses. C'est une sphère infinie, dont le centre est partout, la circonférence nulle part. Enfin c'est le plus grand caractère sensible de la toute-puissance de Dieu, que notre imagination se perde dans cette pensée.

Que l'homme étant revenu à soi considère ce qu'il est au prix de ce qui est, qu'il se regarde comme égaré dans ce canton détourné de la Nature, et que de ce petit cachot où il se trouve logé, j'entends l'univers, il apprenne à estimer la terre, les royaumes, les villes et soi-même son juste prix. Qu'est ce que l'homme dans l'Infini?

Mais pour lui présenter un autre prodige aussi étonnant, qu'il recherche, dans ce qu'il connaît, les choses les plus délicates; qu'un ciron lui offre, dans la petitesse de son corps, des parties incomparablement plus petites, des jambes avec des jointures, des veines dans ces jambes, du sang dans ces veines, des humeurs dans ce sang, des gouttes dans ces humeurs, des vapeurs dans ces gouttes—que, divisant encore ces dernières choses, il épuise ses forces en ces conceptions, et que le dernier objet où il peut arriver soit maintenant celui de notre discours. Il pensera peut-être que c'est là l'extrême petitesse de la Nature. Je veux lui en montrer l'infinie grandeur. Je veux lui faire voir là-dedans un abîme nouveau. Je veux lui peindre non seulement l'univers visible, mais l'immensité qu'on peut concevoir de la Nature dans l'enceinte de ce raccourci d'atome. Qu'il y voie une infinité d'univers dont chacun a son firmament, ses planètes, sa terre, en la même proportion que le monde visible—dans cette terre des animaux, et enfin des cirons, dans lesquels il retrouvera ce que les premiers ont donné, et trouvant encore dans les autres la même chose sans fin et sans repos, qu'il se perde dans ces merveilles, aussi étonnantes dans leur petitesse que les autres par leur étendue. Car qui n'admirera que notre corps, qui tantôt n'était pas perceptible dans l'univers, imperceptible lui-même dans le sein du tout, soit à présent un colosse, mais plutôt un monde, ou plutôt un tout, à l'égard du néant, où l'on ne peut arriver?

Qui se considérera de la sorte s'effrayera de soi-même; et se considérant soutenu, dans la masse que la Nature lui a donnée entre ces deux abîmes de l'infini et du néant, il tremblera dans la vue de ces merveilles, et je crois que, sa curiosité se changeant en admiration, il sera plus disposé à les contempler en silence qu'à les rechercher avec présomption.

Car enfin qu'est ce que l'homme dans la Nature? Un néant à l'égard de l'infini, un tout à l'égard du néant, un milieu entre rien et tout. Infiniment éloigné de comprendre les extrêmes, la fin des choses et leur principe sont pour lui invinciblement cachés dans un secret impénétrable, également incapable de voir le néant d'où il est tiré, et l'infini où il est englouti.

Que fera-t-il donc, sinon d'apercevoir quelque apparence du milieu des choses, dans un désespoir éternel de connaître ni leur principe ni leur fin? Toutes choses sont sorties du néant et portées jusqu'à l'infini. Qui suivra ces étonnantes démarches? L'auteur de ces merveilles les comprend; tout autre ne le peut faire.

Manque d'avoir contemplé ces infinis, les hommes se sont portés témérairement à la recherche de la Nature, comme s'ils avaient quelque proportion avec elle. C'est une chose étrange qu'ils ont voulu comprendre les principes des choses et de là arriver jusqu'à connaître tout, par une présomption aussi infinie que leur objet. Car il est sans doute qu'on ne peut former ce dessein sans une présomption ou sans une capacité infinie, comme la Nature.

Quand on est instruit, on comprend que la Nature ayant gravé son image et celle de son auteur dans toutes choses, elles tiennent presque toutes de sa double infinité. C'est ainsi que nous voyons que toutes les sciences sont infinies en l'étendue de leurs recherches.

Car qui doute que la géométrie par exemple a une infinité d'infinités de propositions à exposer? Elles sont aussi infinies dans la multitude et la délicatesse de leurs principes. Car qui ne voit que ceux qu'on propose pour les derniers ne se soutiennent pas d'eux-mêmes, et qu'ils sont appuyés sur d'autres, qui, en ayant d'autres pour appui, ne souffrent jamais de dernier?

Mais nous faisons des derniers qui paraissent à la raison comme on fait dans les choses matérielles, où nous appelons un point invisible celui au delà duquel nos sens n'aperçoivent plus rien, quoique divisible infiniment et par sa nature.

De ces deux infinis de sciences, celui de grandeur est bien plus sensible, et c'est pourquoi il est arrivé à peu de personnes de prétendre à traiter toutes choses. "Je vais parler de tout", disait Démocrite.

Mais l'infinité en petitesse est bien moins visible; les philosophes ont bien plutôt prétendu d'y arriver, et c'est là où tous ont achoppé. C'est ce qui a donné lieu à ces titres si ordinaires, *Des principes des choses*, *Des principes de la philosophie*, et aux semblables, aussi fastueux en effet, quoique moins en apparence, que cet autre qui crève les yeux, *De omni scibili.*[1]

On se croit naturellement bien plus capable d'arriver au centre des choses que d'embrasser leur circonférence, car l'étendue visible du monde nous surpasse visiblement; mais comme c'est nous qui surpassons les petites choses, nous nous croyons plus capables de les posséder; et cependant il ne faut pas moins de capacité pour aller jusqu'au néant que jusqu'au tout; il la faut infinie pour l'un et l'autre, et il me semble que qui aurait compris les derniers principes des choses pourrait aussi arriver jusqu'à connaître l'infini. L'un dépend de l'autre, et l'un conduit à l'autre. Ces extrémités se touchent et se réunissent à force de s'être éloignées, et se retrouvent en Dieu, et en Dieu seulement.

Connaissons donc notre portée. Nous sommes quelque chose, et

1 Pico della Mirandola announced under this title one of nine hundred theses which he intended to defend at Rome in 1486.

ne sommes pas tout; ce que nous avons d'être nous dérobe la connaissance des premiers principes, qui naissent du néant; et le peu que nous avons d'être nous cache la vue de l'Infini.

Notre intelligence tient dans l'ordre des choses intelligibles le même rang que notre corps dans l'étendue de la nature. Bornés en tout genre, cet état qui tient le milieu entre deux extrêmes se trouve en toutes nos puissances.[1] Nos sens n'aperçoivent rien d'extrême, trop de bruit nous assourdit, trop de lumière éblouit, trop de distance et trop de proximité empêche la vue, trop de longueur et trop de brièveté de discours l'obscurcit, trop de vérité nous étonne (j'en sais qui ne peuvent comprendre que qui de zéro ôte 4 reste zéro), les premiers principes ont trop d'évidence pour nous, trop de plaisir incommode, trop de consonances déplaisent dans la musique; et trop de bienfaits irritent, nous voulons avoir de quoi surpayer la dette: *Beneficia eo usque læta sunt dum videntur exsolvi posse; ubi multum antevenere, pro gratia odium redditur.*[2] Nous ne sentons ni l'extrême chaud ni l'extrême froid. Les qualités excessives nous sont ennemies, et non pas sensibles; nous ne les sentons plus, nous les souffrons.[3]

Trop de jeunesse et trop de vieillesse empêchent l'esprit, trop et trop peu d'instruction;[4] enfin les choses extrêmes sont pour nous comme si elles n'étaient point, et nous ne sommes point à leur égard: elles nous échappent, ou nous à elles. Voilà notre état véritable; c'est ce qui nous rend incapables de savoir certainement et d'ignorer absolument. Nous voguons sur un milieu vaste, toujours incertains et flottants, poussés d'un bout vers l'autre.

1 *Deux infinis, milieu.* Quand on lit trop vite ou trop doucement, on n'entend pas. [69]
Trop et trop peu de vin: ne lui en donnez pas; il ne peut trouver la vérité; donnez-lui en trop, de même. [71]

2 Tacitus, *Ann.* IV, xviii.

3 [Nature ne p. ... La nature nous a si bien mis au milieu que si nous changeons un côté de la balance nous changeons aussi l'autre: je fesons, zoa trekei. Cela me fait croire qu'il y a des ressorts dans notre tête qui sont tellement disposés que qui touche l'un touche aussi le contraire.] [70]

4 La nourriture du corps est peu à peu. Plénitude de nourriture et peu de substance. [356]

Quelque terme que nous pensions nous attacher et nous affermir, il branle et nous quitte; et si nous le suivons, il échappe à nos prises, nous glisse et fuit d'une fuite éternelle. Rien ne s'arrête pour nous. C'est l'état qui nous est naturelle, et toutefois le plus contraire à notre inclination; nous brûlons du désir de trouver une assiette ferme, et une dernière base constante pour y édifier une tour qui s'élève à l'infini; mais tout notre fondement craque, et la terre s'ouvre jusqu'aux abîmes. Ne cherchons donc point d'assurance et de fermeté. Notre raison est toujours déçue par l'inconstance des apparences; rien ne peut fixer le fini entre les deux infinis qui l'enferment et le fuient.

Cela étant bien compris, je crois qu'on se tiendra en repos, chacun dans l'état où la nature l'a placé. Ce milieu qui nous est échu en partage étant toujours distant des extrêmes, qu'importe qu'un autre ait un peu plus d'intelligence des choses? S'il en a, il les prend un peu de plus haut. N'est-il pas toujours infiniment éloigné du bout, et la durée de notre vie n'est-elle pas également infime de l'éternité, pour durer dix ans davantage? Dans la vue de ces infinis tous les finis sont égaux; et je ne vois pas pourquoi asseoir son imagination plutôt sur un que sur l'autre. La seule comparaison que nous faisons de nous au fini nous fait peine.

Si l'homme s'étudiait le premier, il verrait combien il est incapable de passer outre. Comment se pourrait-il qu'une partie connût le tout? Mais il aspirera peut-être à connaître au moins les parties avec lesquelles il a de la proportion. Mais les parties du monde ont toutes un tel rapport et un tel enchaînement l'une avec l'autre, que je crois impossible de connaître l'une sans l'autre et sans le tout.

L'homme, par exemple, a rapport à tout ce qu'il connaît. Il a besoin de lieu pour le contenir, de temps pour durer, de mouvement pour vivre, d'éléments pour le composer, de chaleur et d'aliments pour [*se*] nourrir, d'air pour respirer; il voit la lumière, il sent les corps; enfin tout tombe sous son alliance. Il faut donc pour connaître l'homme, savoir d'où vient qu'il a besoin d'air pour subsister; et pour connaître l'air, savoir par où il a ce rapport à la vie de l'homme, etc. La flamme ne subsiste point sans l'air; donc, pour connaître l'un, il faut connaître l'autre. Donc toutes choses étant causées et causantes, aidées et aidantes, médiatement et immédiatement, et toutes s'entretenant par un lien naturel et insensible qui lie les plus éloignées et les plus différentes, je tiens impossible de connaître les parties sans connaître le tout, non plus que de connaître le tout sans connaître particulièrement les parties.

[L'éternité des choses en elle-même ou en Dieu doit encore étonner notre petite durée. L'immobilité fixe et constante de la nature, comparaison au changement continuel qui se passe en nous, doit faire le même effet.]

Et ce qui achève notre impuissance à connaître les choses, est qu'elles sont simples elles-mêmes et que nous sommes composés de deux natures opposées et de divers genres, d'âme et de corps. Car il est impossible que la partie qui raisonne en nous soit autre que spirituelle; et quand on prétendrait que nous serions simplement corporels, cela nous exclurait bien davantage de la connaissance des choses, n'y ayant rien de si inconcevable que de dire que la matière se connaît soi-même; il ne nous est pas possible de connaître comment elle se connaîtrait.

Et ainsi si nous [*sommes*] simplement matériels, nous ne pouvons rien du tout connaître, et si nous sommes composés d'esprit et de matière, nous ne pouvons connaître parfaitement les choses simples, spirituelles ou corporelles.

De là vient que presque tous les philosophes confondent les idées des choses, et parlent des choses corporelles spirituellement et des spirituelles corporellement. Car ils disent hardiment que les corps tendent en bas, qu'ils aspirent à leur centre, qu'ils fuient leur destruction, qu'ils craignent le vide, qu'elle a des inclinations, des sympathies, des antipathies, qui sont toutes choses qui n'appartiennent qu'aux esprits. Et en parlant des esprits, ils les considèrent comme en un lieu, et leur attribuent le mouvement d'une place à une autre, qui sont choses qui n'appartiennent qu'aux corps.

Au lieu de recevoir les idées de ces choses pures, nous les teignons de nos qualités, et empreignons [*de*] notre être composé toutes les choses simples que nous contemplons.

Qui ne croirait, à nous voir composer toutes choses d'esprit et de corps, que ce mélange-là nous serait très compréhensible?

C'est néanmoins la chose qu'on comprend le moins. L'homme est à lui-même le plus prodigieux objet de la nature; car il ne peut concevoir ce que c'est que corps, et encore moins ce que c'est qu'esprit, et moins qu'aucune chose comme un corps peut être uni avec un esprit. C'est là le comble de ses difficultés, et cependant c'est son propre être: *Modus quo corporibus adhaerent spiritus comprehendi ab hominibus non potest, et hoc tamen homo est.*[1] Enfin pour consommer la preuve de notre faiblesse, je finirai par ces deux considérations.... [72]

42 Combien les lunettes nous ont-elles découvert d'êtres qui n'étaient point pour nos philosophes d'auparavant! On entreprenait franchement l'Écriture sainte sur le grand nombre des étoiles, en disant: "Il n'y en a que mille vingt-deux, nous le savons."

Il y a des herbes sur la terre; nous les voyons.—De la lune on ne les verrait pas.—Et sur ces herbes des poils; et dans ces poils de petits animaux: mais après cela, plus rien.—O présomptueux!—Les mixtes sont composés d'éléments; et les éléments, non.—O présomptueux! voici un trait délicat.—Il ne faut pas dire qu'il y a ce qu'on ne voit pas.—Il faut donc dire comme les autres, mais ne pas penser comme eux. [266]

43 La dernière démarche de la raison est de reconnaître qu'il y a une infinité de choses qui la surpassent; elle n'est que faible, si elle ne va jusqu'à connaître cela.

Que si les choses naturelles la surpassent, que dira-t-on des surnaturelles? [267]

(β) *In himself: feebleness, inconstancy, corruption*

44 Description de l'homme: dépendance, désir d'indépendance, besoin. [126]

45 Condition de l'homme: inconstance, ennui, inquiétude. [127]

46 Ce qui m'étonne le plus est de voir que tout le monde n'est pas étonné de sa faiblesse. On agit sérieusement, et chacun suit sa

1 Aug. *De civ. Dei*, XXI, 10.

condition, non pas parce qu'il est bon en effet de la suivre puisque la mode en est; mais comme si chacun savait certainement où est la raison et la justice. On se trouve déçu à toute heure; et, par une plaisante humilité, on croit que c'est sa faute, et non pas celle de l'art, qu'on se vante toujours d'avoir. Mais il est bon qu'il y ait tant de ces gens-là au monde, qui ne soient pas pyrrhoniens, pour la gloire du pyrrhonisme, afin de montrer que l'homme est bien capable des plus extravagantes opinions, puisqu'il est capable de croire qu'il n'est pas dans cette faiblesse naturelle et inévitable, et de croire qu'il est, au contraire, dans la sagesse naturelle. [374]

47 Faiblesse.

Toutes les occupations des hommes sont à avoir du bien; et ils ne sauraient avoir de titre pour montrer qu'ils le possèdent par justice, car ils n'ont que la fantaisie des hommes, ni force pour le posséder sûrement. Il en est de même de la science, car la maladie l'ôte. Nous sommes incapables et de vrai et de bien. [436]

48 Quand on se porte bien, on admire comment on pourrait faire si on était malade; quand on l'est, on prend médecine gaîment: le mal y résout. On n'a plus les passions et les désirs de divertissements et de promenades que la santé donnait, et qui sont incompatibles avec les nécessités de la maladie. La nature donne alors des passions et des désirs conformes à l'état présent. Il n'y a que les craintes que nous nous donnons nous-mêmes et non pas la nature, qui nous troublent, parce qu'elles joignent à l'état où nous sommes les passions de l'état où nous ne sommes pas.

La nature nous rendant toujours malheureux en tous états, nos désirs nous figurent un état heureux, parce qu'ils joignent à l'état où nous sommes les plaisirs de l'état où nous ne sommes pas; et, quand nous arriverions à ces plaisirs, nous ne serions pas heureux pour cela, parce que nous aurions d'autres désirs conformes à ce nouvel état.

Il faut particulariser cette proposition générale.... [109]

49 Le sentiment de la fausseté des plaisirs présents, et l'ignorance de la vanité des plaisirs absents causent l'inconstance. [110]

50 Inconstance.

On croit toucher des orgues ordinaires, en touchant l'homme. Ce sont des orgues, à la vérité, mais bizarres, changeantes, variables [dont les tuyaux ne se suivent pas par degrés conjoints]. Ceux qui ne savent toucher que les ordinaires ne feraient pas d'accords sur celles-là, il faut savoir où sont les[1] [111]

51 Inconstance.

Les choses ont diverses qualités, et l'âme diverses inclinations; car rien n'est simple de ce qui s'offre à l'âme, et l'âme ne s'offre jamais simple à aucun sujet. De là vient qu'on pleure et qu'on rit d'une même chose. [112]

52 Inconstance et bizarrerie.

Ne vivre que de son travail, et régner sur le plus puissant État du monde, sont choses très opposées. Elles sont unies dans la personne du Grand Seigneur des Turcs. [113]

53 La diversité est si ample, que tous les tons de voix, tous les marchers, toussers, mouchers, éternuers....On distingue des fruits les raisins, et entre eux tous les muscats, et puis Condrieu, et puis Desargues,[2] et puis cette ente. Est-ce tout? en a-t-elle jamais produit deux grappes pareilles? et une grappe a-t-elle deux grains pareils? etc.

Je n'ai jamais jugé d'une même chose exactement de même. Je ne puis juger d'un ouvrage en le faisant; il faut que je fasse comme les peintres, et que je m'en éloigne; mais non pas trop. De combien donc? Devinez. [114]

54 Diversité.

La théologie est une science, mais en même temps combien est-ce de sciences! Un homme est un suppôt;[3] mais si on l'anatomise, sera-ce la tête, le cœur, l'estomac, les veines, chaque veine, chaque portion de veine, le sang, chaque humeur du sang?

1 Pascal did not finish. Add either "touches" = keys, or better, "marches" = pedals.

2 Desargues, Pascal's master in mathematics, possessed a vineyard at Condrieu, near Vienne.

3 *Suppositum*, i.e. an individual substance.

Une ville, une campagne, de loin est une ville et une campagne; mais, à mesure qu'on s'approche, ce sont des maisons, des arbres, des tuiles, des feuilles, des herbes, des fourmis, des jambes de fourmis, à l'infini. Tout cela s'enveloppe sous le nom de campagne. [115]

55 Pensées.

Tout est un, tout est divers. Que de natures en celle de l'homme! que de vacations! Et par quel hasard! Chacun prend d'ordinaire ce qu'il a ouï estimer! Talon bien tourné. [116]

56 Talon de soulier.

"Oh! que cela est bien tourné! que voilà un habile ouvrier! que ce soldat est hardi!" Voilà la source de nos inclinations, et du choix des conditions. "Que celui-là boit bien! que celui-là boit peu!" Voilà ce qui fait les gens sobres et ivrognes, soldats, poltrons, etc. [117]

57 La chose la plus importante à toute la vie, est le choix du métier: le hasard en dispose. La coutume fait les maçons, soldats, couvreurs.[1] "C'est un excellent couvreur", dit-on; et, en parlant des soldats: "Ils sont bien fous", dit-on; et les autres au contraire: "Il n'y a rien de grand que la guerre: le reste des hommes sont des coquins." A force d'ouïr louer en l'enfance ces métiers, et mépriser tous les autres, on choisit; car naturellement on aime la vertu, et on hait la folie; ces mots nous émeuvent: on ne pèche qu'en l'application. Tant est grande la force de la coutume, que, de ceux que la nature n'a faits qu'hommes, on fait toutes les conditions des hommes; car des pays sont tous de maçons, d'autres tous de soldats, etc. Sans doute que la nature n'est pas si uniforme. C'est la coutume qui fait donc cela, car elle contraint la nature; et quelquefois la nature la surmonte, et retient l'homme dans son instinct, malgré toute coutume, bonne ou mauvaise. [97]

58 Métiers.

La douceur de la gloire est si grande, qu'à quelque objet qu'on l'attache, même à la mort, on l'aime. [158]

1 [Hommes naturellement couvreurs et de toutes vacations, hormis en chambre.] [138]

59 Nous ne nous tenons jamais au temps présent. Nous anticipons l'avenir comme trop lent à venir, comme pour hâter son cours; ou nous rappelons le passé, pour l'arrêter comme trop prompt: si imprudents, que nous errons dans les temps qui ne sont pas nôtres, et ne pensons point au seul qui nous appartient; et si vains, que nous songeons à ceux qui ne sont plus rien, et échappons sans réflexion le seul qui subsiste. C'est que le présent, d'ordinaire, nous blesse. Nous le cachons à notre vue, parce qu'il nous afflige; et s'il nous est agréable, nous regrettons de le voir échapper. Nous tâchons de le soutenir par l'avenir, et pensons à disposer les choses qui ne sont pas en notre puissance, pour un temps où nous n'avons aucune assurance d'arriver.

Que chacun examine ses pensées, il les trouvera toutes occupées au passé et à l'avenir. Nous ne pensons presque point au présent; et, si nous y pensons, ce n'est que pour en prendre la lumière pour disposer de l'avenir. Le présent n'est jamais notre fin: le passé et le présent sont nos moyens: le seul avenir est notre fin. Ainsi nous ne vivons jamais, mais nous espérons de vivre; et, nous disposant toujours à être heureux, il est inévitable que nous ne le soyons jamais. [172]

60 Ils disent que les éclipses présagent malheur, parce que les malheurs sont ordinaires, de sorte qu'il arrive si souvent du mal, qu'ils devinent souvent; au lieu que s'ils disaient qu'elles présagent bonheur, ils mentiraient souvent. Ils ne donnent le bonheur qu'à des rencontres du ciel rares; ainsi ils manquent peu souvent à deviner. [173]

Corruption; malignity

61 Épigrammes de Martial.[1]

L'homme aime la malignité; mais ce n'est pas contre les borgnes ou les malheureux, mais contre les heureux superbes.[2] On se trompe autrement.

1 Martial, as contained in *Epigrammatum Delectus*, an anthology published by the Port Royalists in 1659.

2 Prince à un roi plaît, parce qu'il diminue sa qualité. [42]

Car la concupiscence est la source de tous nos mouvements, et l'humanité.

Il faut plaire à ceux qui ont les sentiments humains et tendres.

Celle des deux borgnes ne vaut rien, car elle ne les console pas, et ne fait que donner une pointe à la gloire de l'auteur. Tout ce qui n'est que pour l'auteur ne vaut rien. *Ambitiosa recidet ornamenta.*[1] [41]

62 Je mets que, si tous les hommes savaient ce qu'ils disent les uns des autres, il n'y aurait pas quatre amis dans le monde. Cela paraît par les querelles que causent les rapports indiscrets qu'on en fait quelquefois. [Je dis bien plus, tous les hommes seraient....] [101]

63 Voulez-vous qu'on croie du bien de vous? n'en dites pas. [44]

64 Diseur de bons mots. Mauvais caractère. [46]

65 On aime à voir l'erreur, la passion de Cléobuline,[2] parce qu'elle ne la connaît pas. Elle déplairait, si elle n'était pas trompée. [13]

66 La tyrannie consiste au désir de domination, universel et hors de son ordre.

Diverses chambres, de forts, de beaux, de bons esprits, de pieux, dont chacun règne chez soi, non ailleurs; et quelquefois ils se rencontrent, et le fort et le beau se battent, sottement, à qui sera le maître l'un de l'autre; car leur maîtrise est de divers genre. Ils ne s'entendent pas, et leur faute est de vouloir régner partout. Rien ne le peut, non pas même la force: elle ne fait rien au royaume des savants; elle n'est maîtresse que des actions extérieures.

La tyrannie est de vouloir avoir par une voie ce qu'on ne peut avoir que par une autre. On rend différents devoirs aux différents mérites: devoir d'amour à l'agrément; devoir de crainte à la force; devoir de créance à la science.

On doit rendre ces devoirs-là, on est injuste de les refuser, et injuste d'en demander d'autres....Ainsi ces discours sont faux et tyranniques: "Je suis beau, donc on doit me craindre. Je suis fort, donc on doit m'aimer. Je suis...." Et c'est de même être faux et tyrannique de dire: "Il n'est pas fort, donc je ne l'estimerai pas; il n'est pas habile, donc je ne le craindrai pas." [332]

1 Hor. *A.P.* 447. On this fragment *vide* H. 1, p. 86.
2 Ex. of Schadenfreude. "Cléobuline"=heroine of *le Grand Cyrus.*

67 Ordre.

Après la corruption, dire: "Il est juste que tous ceux qui sont en cet état le connaissent; et ceux qui s'y plaisent, et ceux qui s'y déplaisent; mais il n'est pas juste que tous voient la rédemption."

[449]

(i) *The deceits of imagination*

68 L'homme n'est qu'un sujet plein d'erreur, naturelle et ineffaçable sans la grâce. Rien ne lui montre la vérité. Tout l'abuse; ces deux principes de vérités, la raison et les sens, outre qu'ils manquent chacun de sincérité, s'abusent réciproquement l'un l'autre. Les sens abusent la raison par de fausses apparences; et cette même piperie qu'ils apportent à la raison, ils la reçoivent d'elle à leur tour; elle s'en revanche. Les passions de l'âme troublent les sens, et leur font des impressions fausses. Ils mentent et se trompent à l'envi.

Mais outre ces erreurs qui viennent par accident et par le manque d'intelligence, avec ses facultés hétérogènes....

(Il faut commencer par là le chapitre des puissances trompeuses.)

[83]

69 Imagination.

C'est cette partie dominante[1] dans l'homme, cette maîtresse d'erreur et de fausseté, et d'autant plus fourbe qu'elle ne l'est pas toujours; car elle serait règle infaillible de vérité, si elle l'était infaillible du mensonge. Mais, étant le plus souvent fausse, elle ne donne aucune marque de sa qualité, marquant du même caractère le vrai et le faux.

Je ne parle pas des fous, je parle des plus sages; et c'est parmi eux que l'imagination a le grand don de persuader les hommes. La raison a beau crier, elle ne peut mettre le prix aux choses.

Cette superbe puissance, ennemie de la raison, qui se plaît à la contrôler et à la dominer, pour montrer combien elle peut en toutes choses, a établi dans l'homme une seconde nature. Elle a ses heureux, ses malheureux,[2] ses sains, ses malades, ses riches, ses

1 Editors read "décevante", T. restores the MS reading.
2 *Quasi quidquam infelicius sit homine cui sua figmenta dominantur* (Plin.). [87]

pauvres; elle fait croire, douter, nier la raison; elle suspend les sens, elle les fait sentir; elle a ses fous et ses sages: et rien ne nous dépite davantage que de voir qu'elle remplit ses hôtes d'une satisfaction bien autrement pleine et entière que la raison. Les habiles par imagination se plaisent tout autrement à eux-mêmes que les prudents ne se peuvent raisonablement plaire. Ils regardent les gens avec empire; ils disputent avec hardiesse et confiance; les autres, avec crainte et défiance: et cette gaîté de visage leur donne souvent l'avantage dans l'opinion des écoutants, tant les sages imaginaires ont de faveur auprès des juges de même nature. Elle ne peut rendre sages les fous; mais elle les rend heureux, à l'envi de la raison qui ne peut rendre ses amis que misérables, l'une les couvrant de gloire, l'autre de honte.

Qui dispense la réputation? qui donne le respect et la vénération aux personnes, aux ouvrages, aux lois, aux grands, sinon cette faculté imaginante? Toutes les richesses de la terre [*sont*] insuffisantes sans son consentement!

Ne diriez-vous pas que ce magistrat, dont la vieillesse vénérable impose le respect à tout un peuple, se gouverne par une raison pure et sublime, et qu'il juge des choses dans leur nature sans s'arrêter à ces vaines circonstances qui ne blessent que l'imagination des faibles? Voyez-le entrer dans un sermon où il apporte un zèle tout dévot, renforçant la solidité de sa raison par l'ardeur de sa charité. Le voilà prêt à l'ouïr avec un respect exemplaire. Que le prédicateur vienne à paraître, si la nature lui a donné une voix enrouée et un tour de visage bizarre, que son barbier l'ait mal rasé, si le hasard l'a encore barbouillé de surcroît, quelque grandes vérités qu'il annonce, je parie la perte de la gravité de notre sénateur.

Le plus grand philosophe du monde, sur une planche plus large qu'il ne faut, s'il y a au-dessous un précipice, quoique sa raison le convainque de sa sûreté, son imagination préviendra. Plusieurs n'en sauraient soutenir la pensée sans pâlir et suer.

Je ne veux pas rapporter tous ses effets; qui ne sait que la vue de chats, de rats, l'écrasement d'un charbon, etc., emportent la raison hors des gonds? Le ton de voix impose aux plus sages, et change un discours et un poème de force.

L'affection ou la haine change la justice de face. Et combien un avocat bien payé par avance trouve-t-il plus juste la cause qu'il plaide! Combien son geste hardi la fait-il paraître meilleure aux juges, dupés par cette apparence. Plaisante raison qu'un vent manie, et à tout sens!

Je rapporterais presque toutes les actions des hommes qui ne branlent presque que par ses secousses. Car la raison a été obligée de céder, et la plus sage prend pour ses principes ceux que l'imagination des hommes a témérairement introduits en chaque lieu.

Nos magistrats ont bien connu ce mystère. Leurs robes rouges, leurs hermines, dont ils s'emmaillotent en chats-fourrés, les palais où ils jugent, les fleurs de lis, tout cet appareil auguste était fort nécessaire; et si les médecins n'avaient des soutanes et des mules, et que les docteurs n'eussent des bonnets carrés et des robes trop amples de quatre parties, jamais ils n'auraient dupé le monde qui ne peut résister à cette montre si authentique. S'ils avaient la véritable justice et si les médecins avaient le vrai art de guérir, ils n'auraient que faire de bonnets carrés; la majesté de ces sciences serait assez vénérable d'elle-même. Mais n'ayant que des sciences imaginaires, il faut qu'ils prennent ces vains instruments qui frappent l'imagination à laquelle ils ont affaire; et par là, en effet, ils s'attirent le respect. Les seuls gens de guerre ne se sont pas déguisés de la sorte, parce qu'en effet leur part est plus essentielle, ils s'établissent par la force, les autres par grimace.

C'est ainsi que nos rois n'ont pas recherché ces déguisements. Ils ne sont pas masqués d'habits extraordinaires pour paraître tels; mais ils se sont accompagnés de gardes, de hallebardes. Ces trognes[1] armées qui n'ont de mains et de force que pour eux, les trompettes et les tambours qui marchent au-devant, et ces légions qui les environnent, font trembler les plus fermes. Ils n'ont pas l'habit seulement; ils ont la force. Il faudrait avoir une raison bien épurée pour regarder comme un autre homme le Grand Seigneur environné, dans son superbe sérail, de quarante mille janissaires.

1 T. and B. read "troupes", I prefer "trognes" = red-faced rascals.

Nous ne pouvons pas seulement voir un avocat en soutane et le bonnet en tête, sans une opinion avantageuse de sa suffisance.

L'imagination dispose de tout; elle fait la beauté, la justice, et le bonheur, qui est le tout du monde. Je voudrais de bon cœur voir le livre italien, dont je ne connais que le titre, qui vaut à lui seul bien des livres: *Della opinione regina del mondo.*[1] J'y souscris sans le connaître, sauf le mal, s'il y en a.

Voilà à peu près les effets de cette faculté trompeuse, qui semble nous être donnée exprès pour nous induire à une erreur nécessaire. Nous en avons bien d'autres principes.

Les impressions anciennes ne sont pas seules capables de nous abuser; les charmes de la nouveauté ont le même pouvoir. De là viennent toutes les disputes des hommes, qui se reprochent ou de suivre leurs fausses impressions de l'enfance, ou de courir témérairement après les nouvelles. Qui tient le juste milieu? Qu'il paraisse, et qu'il le prouve! Il n'y a principe, quelque naturel qu'il puisse être, même depuis l'enfance, qu'on ne fasse passer pour une fausse impression, soit de l'instruction, soit des sens.

"Parce, dit-on, que vous avez cru dès l'enfance qu'un coffre était vide lorsque vous n'y voyez rien, vous avez cru le vide possible. C'est une illusion de vos sens, fortifiée par la coutume, qu'il faut que la science corrige." Et les autres disent: "Parce qu'on vous a dit dans l'École qu'il n'y a point de vide, on a corrompu votre sens commun, qui le comprenait si nettement avant cette mauvaise impression, qu'il faut corriger en recourant à votre première nature." Qui a donc trompé? les sens ou l'instruction?

Nous avons un autre principe d'erreur, les maladies. Elles nous gâtent le jugement et le sens; et si les grandes l'altèrent sensiblement, je ne doute point que les petites n'y fassent impression à leur proportion.

Notre propre intérêt est encore un merveilleux instrument pour nous crever les yeux agréablement. Il n'est pas permis au plus équitable homme du monde d'être juge en sa cause; j'en sais qui, pour ne pas tomber dans cet amour-propre, ont été les plus injustes du monde à contrebiais: le moyen sûr de perdre une affaire

1 *Della opinione regina....* Probably *L' opinione tiranna negli affari del mondo* by one Carlo Flosi; date uncertain.

toute juste était de la leur faire recommander par leurs proches parents. La justice et la vérité sont deux pointes si subtiles que nos instruments sont trop mousses pour y toucher exactement. S'ils y arrivent, ils en écachent la pointe, et appuyent tout autour, plus sur le faux que sur le vrai. [82]

70 Nous ne nous contentons pas de la vie que nous avons en nous et en notre propre être: nous voulons vivre dans l'idée des autres d'une vie imaginaire, et nous nous efforçons pour cela de paraître. Nous travaillons incessamment à embellir et conserver notre être imaginaire, et négligeons le véritable. Et si nous avons ou la tranquillité, ou la générosité, ou la fidélité, nous nous empressons de le faire savoir, afin d'attacher ces vertus-là à notre autre être, et les détacherions plutôt de nous pour les joindre à l'autre; et nous serions volontiers poltrons pour en acquérir la réputation d'être vaillants. Grande marque du néant de notre propre être, de n'être pas satisfait de l'un sans l'autre, et d'échanger souvent l'un pour l'autre! Car qui ne mourrait pour conserver son honneur, celui-là serait infâme. [147]

71 L'esprit croit naturellement, et la volonté aime naturellement; de sorte que, faute de vrais objets, il faut qu'ils s'attachent aux faux. [81]

72 D'où vient qu'un boiteux ne nous irrite pas, et un esprit boiteux nous irrite? A cause qu'un boiteux reconnaît que nous allons droit, et qu'un esprit boiteux dit que c'est nous qui boitons; sans cela nous en aurions pitié et non colère.

Épictète demande bien plus fortement: "Pourquoi ne nous fâchons-nous pas si on dit que nous avons mal à la tête, et que nous nous fâchons de ce qu'on dit que nous raisonnons mal, ou que nous choisissons mal." Ce qui cause cela est que nous sommes bien certains que nous n'avons pas mal à la tête, et que nous ne sommes pas boiteux; mais nous ne sommes pas si assurés que nous choisissons le vrai. De sorte que, n'en ayant d'assurance qu'à cause que nous le voyons de toute notre vue, quand un autre voit de toute sa vue le contraire, cela nous met en suspens et nous étonne, et encore plus quand mille autres se moquent de notre choix; car il faut préférer nos lumières à celles de tant d'autres, et cela est hardi et difficile. Il n'y a jamais cette contradiction dans les sens touchant un boiteux.[1] [80]

73 Les enfants qui s'effrayent du visage qu'ils ont barbouillé. Ce sont des enfants; mais le moyen que ce qui est si faible, étant enfant, soit bien fort étant plus âgé! On ne fait que changer de fantaisie. Tout ce qui se perfectionne par progrès périt aussi par progrès. Tout ce qui a été faible ne peut jamais être absolument fort. On a beau dire, *il est crû*, *il est changé*; il est aussi le même. [88]

74 Changer de figure à cause de notre faiblesse. [669]

75 Si nous rêvions toutes les nuits la même chose, elle nous affecterait autant que les objets que nous voyons tous les jours. Et si un artisan était sûr de rêver toutes les nuits, douze heures durant, qu'il est roi, je crois qu'il serait presque aussi heureux qu'un roi qui rêverait toutes les nuits, douze heures durant, qu'il serait artisan. Si nous rêvions toutes les nuits que nous sommes poursuivis par des ennemis, et agités par ces fantômes pénibles, et qu'on passât tous les jours en diverses occupations, comme quand on fait voyage, on souffrirait presque autant que si cela était véritable, et on appréhenderait le dormir, comme on appréhende le réveil quand on craint d'entrer dans de tels malheurs en effet. Et en effet il ferait à peu près les mêmes maux que la réalité.

Mais parce que les songes sont tous différents, et que l'un même se diversifie, ce qu'on y voit affecte bien moins que ce qu'on voit en veillant, à cause de la continuité, qui n'est pourtant pas si continue et égale qu'elle ne change aussi, mais moins brusquement, si ce n'est rarement, comme quand on voyage; et alors on dit: "Il me semble que je rêve"; car la vie est un songe un peu moins inconstant. [386]

76 Le temps guérit les douleurs et les querelles, parce qu'on change; on n'est pas la même personne. Ni l'offensant ni l'offensé, ne sont

1 [Ma fantaisie me fait haïr un coasseur, et un qui souffle en mangeant. La fantaisie a grand poids. Que profiterons-nous de là? Que nous suivrons ce poids à cause qu'il est naturel? Non. Mais que nous y resisterons....] [86]

plus eux-mêmes. C'est comme un peuple qu'on a irrité, et qu'on reverrait après deux générations. Ce sont encore les Français, mais non les mêmes. [122]

77 Il n'aime plus cette personne qu'il aimait il y a dix ans. Je crois bien: elle n'est plus la même, ni lui non plus. Il était jeune, et elle aussi, elle est tout autre. Il l'aimerait peut-être encore, telle qu'elle était alors. [123]

78 Non seulement nous regardons les choses par d'autres côtés, mais avec d'autres yeux; nous n'avons garde de les trouver pareilles. [124]

79 Les choses qui nous tiennent le plus, comme de cacher son peu de bien, ce n'est souvent presque rien. C'est un néant que notre imagination grossit en montagne. Un autre tour d'imagination nous le fait découvrir sans peine. [85]

80 L'imagination grossit les petits objets jusqu'à en remplir notre âme par une estimation fantastique; et, par une insolence téméraire, elle amoindrit les grands jusqu'à sa mesure, comme en parlant de Dieu.[1] [84]

81 Les hommes prennent souvent leur imagination pour leur cœur; et ils croient être convertis dès qu'ils pensent à se convertir. [275]

(ii) *Vanity*

82 Vanité.

Qu'une chose aussi visible qu'est la vanité du monde soit si peu connue que ce soit une chose étrange et surprenante de dire que c'est une sottise de chercher les grandeurs, cela est admirable. [161]

83 Combien de royaumes nous ignorent! [207]

84 Qui voudra connaître à plein la vanité de l'homme n'a qu'à considérer les causes et les effets de l'amour. La cause en est *un je ne*

1 La sensibilité de l'homme aux petites choses et l'insensibilité pour les grandes choses marque d'un étrange renversement. [198]
D'être insensible à mépriser les choses intéressantes et devenir insensible au point qui nous intéresse le plus. [197]
Quid fiet hominibus qui minima contemnunt, maiora non credunt. [193]

sais quoi (Corneille), et les effets en sont effroyables. Ce *je ne sais quoi*, si peu de chose qu'on ne peut le reconnaître, remue toute la terre, les princes, les armes, le monde entier. Le nez de Cléopâtre: s'il eût été plus court, toute la face de la terre aurait changé.[1] [162]

85 Qui ne voit pas la vanité du monde est bien vain lui-même. Aussi qui ne la voit, excepté de jeunes gens qui sont tous dans le bruit, dans le divertissement, et dans la pensée de l'avenir? Mais, ôtez leur divertissement, vous les verrez se sécher d'ennui; ils sentent alors leur néant sans le connaître: car c'est bien être malheureux que d'être dans une tristesse insupportable, aussitôt qu'on est réduit à se considérer, et à n'en être point diverti. [164]

86 Nous sommes si malheureux que nous ne pouvons prendre plaisir à une chose qu'à condition de nous fâcher si elle réussit mal; ce que mille choses peuvent faire, et font, à toute heure. [*Qui*] aurait trouvé le secret de se réjouir du bien sans se fâcher du mal contraire, aurait trouvé le point; c'est le mouvement perpétuel. [181]

87 Les grands et les petits ont mêmes accidents, et mêmes fâcheries, et mêmes passions; mais l'un est au haut de la roue, et l'autre près du centre, et ainsi moins agité par les mêmes mouvements. [180]

88 Cromwell allait ravager toute la chrétienté: la famille royale était perdue, et la sienne à jamais puissante, sans un petit grain de sable qui se mit dans son uretère. Rome même allait trembler sous lui; mais ce petit gravier s'étant mis là, il est mort, sa famille abaissée, tout en paix, et le roi rétabli. [176]

89 [Trois têtes.[2]] Qui aurait eu l'amitié du roi d'Angleterre, du roi de Pologne et de la reine de Suède, aurait-il cru manquer de retraite et d'asile au monde? [177]

90 Quand Auguste eut appris qu'entre les enfants qu'Hérode avait fait mourir, au-dessous de l'âge de deux ans, était son propre fils, il dit qu'il était meilleur d'être le pourceau d'Hérode, que son fils. Macrobe, livre II, *Sat.* chap. IV.[3] [179]

1 *Vanité.* La cause et les effets de l'amour: Cléopâtre. [163]
2 Editors read "hôtes". MS reading restored by T.
3 Macrobe: des innocents tués par Hérode. [178]

91 Ceux qui, dans de fâcheuses affaires, ont toujours bonne espérance, et se réjouissent des aventures heureuses, s'ils ne s'affligent également des mauvaises, sont suspects d'être bien aises de la perte de l'affaire; et sont ravis de trouver ces prétextes d'espérance pour montrer qu'ils s'y intéressent, et couvrir par la joie qu'ils feignent d'en concevoir celle qu'ils ont de voir l'affaire perdue. [182]

92 Peu de chose nous console parce que peu de chose nous afflige. [136]

93 L'esprit de ce souverain juge du monde n'est pas si indépendant qu'il ne soit sujet à être troublé par le premier tintamarre qui se fait autour de lui. Il ne faut pas le bruit d'un canon pour empêcher ses pensées: il ne faut que le bruit d'une girouette ou d'une poulie. Ne vous étonnez pas s'il ne raisonne pas bien à présent; une mouche bourdonne à ses oreilles; c'en est assez pour le rendre incapable de bon conseil. Si vous voulez qu'il puisse trouver la vérité, chassez cet animal qui tient sa raison en échec et trouble cette puissante intelligence qui gouverne les villes et les royaumes. Le plaisant dieu que voilà! *O ridicolosissimo eroe!*[1] [366]

94 La puissance des mouches: elles gagnent des batailles, empêchent notre âme d'agir, mangent notre corps. [367]

95 Les hommes sont si nécessairement fous que ce serait être fou par un autre tour de folie de n'être pas fou. [414]

96 Vanité des sciences.[2]

La science des choses extérieures ne me consolera pas de l'ignorance de la morale, au temps d'affliction. Mais la science des mœurs me consolera toujours de l'ignorance des sciences extérieures. [67]

97 On n'apprend pas aux hommes à être honnêtes hommes et on leur apprend tout le reste; et ils ne se piquent jamais tant de savoir

1 Cf. Hermant, *Mémoires*, III, 251.

2 Une lettre *de la folie de la science humaine et de la philosophie*. Cette lettre avant *le divertissement. Felix qui potuit*... (Virg. *Georg*. 2, 490); *nihil admirari* (Hor. *Ep*. I, 6, I). 280 sortes de souverains biens dans Montaigne. [74]

rien du reste comme d'être honnêtes hommes. Ils ne se piquent de savoir que la seule chose qu'ils n'apprennent point. [68]

98 Quelle vanité que la peinture, qui attire l'admiration par la ressemblance[1] des choses dont on n'admire point les originaux! [134]

99 Lorsqu'on ne sait pas la vérité d'une chose, il est bon qu'il y ait une erreur commune qui fixe l'esprit des hommes, comme par exemple la lune, à qui on attribue le changement des saisons, le progrès des maladies, etc.; car la maladie principale de l'homme est la curiosité inquiète des choses qu'il ne peut savoir; et il ne lui est pas si mauvais d'être dans l'erreur que dans cette curiosité inutile. [18]

(iii) *Ennui*

00 Ennui.

Rien n'est si insupportable à l'homme que d'être dans un plein repos, sans passions, sans affaire, sans divertissement, sans application. Il sent alors son néant, son abandon, son insuffisance, sa dépendance, son impuissance, son vide. Incontinent il sortira du fond de son âme l'ennui, la noirceur, la tristesse, le chagrin, le dépit, le désespoir. [131]

01 Notre nature est dans le mouvement; le repos entier est la mort. [129]

02 Agitation.

Quand un soldat se plaint de la peine qu'il a, ou un laboureur, etc. qu'on les mette sans rien faire. [130]

03 L'ennui qu'on a de quitter les occupations où l'on s'est attaché. Un homme vit avec plaisir en son ménage: qu'il voie une femme qui lui plaise, qu'il joue cinq ou six jours avec plaisir; le voilà misérable s'il retourne à sa première occupation. Rien n'est plus ordinaire que cela. [128]

04 Sans examiner toutes les occupations particulières, il suffit de les comprendre sous le divertissement. [137]

1 Deux visages semblables dont aucun fait rire en particulier, font rire ensemble par leur ressemblance. [133]

105 Divertissement.

Quand je m'y suis mis quelquefois, à considérer les diverses agitations des hommes, et les périls et les peines où ils s'exposent, dans la cour, dans la guerre, d'où naissent tant de querelles, de passions, d'entreprises hardies et souvent mauvaises, etc., j'ai dit souvent que tout le malheur des hommes vient d'une seule chose, qui est de ne savoir pas demeurer en repos, dans une chambre. Un homme qui a assez de bien pour vivre, s'il savait demeurer chez soi avec plaisir, n'en sortirait pas pour aller sur la mer ou au siège d'une place. On n'achète [*pas*] une charge à l'armée si cher que parce qu'on trouverait insupportable de ne bouger d'une ville; et on ne recherche les conversations et les divertissements des jeux que parce qu'on ne peut demeurer chez soi avec plaisir.

Mais quand j'ai pensé de plus près, et qu'après avoir trouvé la cause de tous nos malheurs, j'ai voulu en découvrir la raison, j'ai trouvé qu'il y en a une bien effective, qui consiste dans le malheur naturel de notre condition faible et mortelle, et si misérable que rien ne peut nous consoler, lorsque nous y pensons de près.

Quelque condition qu'on se figure, où l'on assemble tous les biens qui peuvent nous appartenir, la royauté est le plus beau poste du monde, et cependant qu'on s'en imagine accompagné de toutes les satisfactions qui peuvent le toucher. S'il est sans divertissement, et qu'on le laisse considérer et faire réflexion sur ce qu'il est, cette félicité languissante ne le soutiendra point, il tombera par nécessité dans les vues qui le menacent, des révoltes qui peuvent arriver, et enfin de la mort et des maladies qui sont inévitables; de sorte que, s'il est sans ce qu'on appelle divertissement, le voilà malheureux, et plus malheureux que le moindre de ses sujets, qui joue et se divertit.

De là vient que le jeu et la conversation des femmes, la guerre, les grands emplois, sont si recherchés. Ce n'est pas qu'il y ait en effet du bonheur, ni qu'on s'imagine que la vraie béatitude soit d'avoir l'argent qu'on peut gagner au jeu, ou dans le lièvre qu'on court:[1] on n'en voudrait pas s'il était offert. Ce n'est pas cet usage

1 Les hommes s'occupent à suivre une balle et un lièvre; c'est le plaisir même des rois. [141]

mol et paisible, et qui nous laisse penser à notre malheureuse condition, qu'on recherche, ni les dangers de la guerre, ni la peine des emplois, mais c'est le tracas qui nous détourne d'y penser et nous divertit.

(Raisons pourquoi on aime mieux la chasse que la prise.[1])

De là vient que les hommes aiment tant le bruit et le remuement; de là vient que la prison est un supplice si horrible; de là vient que le plaisir de la solitude est une chose incompréhensible. Et c'est enfin le plus grand sujet de félicité de la condition des rois, de [*ce*] qu'on essaie sans cesse à les divertir et à leur procurer toutes sortes de plaisirs.

(Le roi est environné de gens qui ne pensent qu'à divertir le roi, et l'empêcher de penser à lui. Car il est malheureux, tout roi qu'il est, s'il y pense.[2])

Voilà tout ce que les hommes ont pu inventer pour se rendre heureux. Et ceux qui font sur cela les philosophes, et qui croient que le monde est bien peu raisonnable de passer tout le jour à courir après un lièvre qu'ils ne voudraient pas avoir acheté, ne connaissent guère notre nature. Ce lièvre ne nous garantirait pas de la vue de la mort et des misères qui nous en détournent, mais la chasse qui nous en détourne nous en garantit.

Le conseil qu'on donnait à Pyrrhus, de prendre le repos qu'il allait chercher par tant de fatigues, recevait bien des difficultés.

[Dire à un homme qu'il vive en repos, c'est lui dire qu'il vive heureux; c'est lui conseiller d'avoir une condition tout heureuse et laquelle il puisse considérer à loisir, sans y trouver sujet d'affliction. Ce n'est donc pas entendre la nature.

Aussi les hommes qui sentent naturellement leur condition n'évitent rien tant que le repos; il n'y a rien qu'ils ne fassent pour chercher le trouble. Ce n'est pas qu'ils n'aient un instinct qui leur fait connaître la vraie béatitude....(La vanité, le plaisir de le montrer aux autres.[3])

Ainsi on se prend mal pour les blâmer; leur faute n'est pas en ce qu'ils cherchent le tumulte, s'ils ne le cherchaient que comme un divertissement; mais le mal est qu'ils le recherchent comme si la possession des choses qu'ils recherchent les devait rendre véritable-

1 In margin. 2 In margin. 3 In margin.

ment heureux, et c'est en quoi on a raison d'accuser leur recherche de vanité; de sorte qu'en tout cela et ceux qui blâment et ceux qui sont blâmés n'entendent la véritable nature de l'homme.]

Et ainsi, quand on leur reproche que ce qu'ils recherchent avec tant d'ardeur ne saurait les satisfaire, s'ils répondaient, comme ils devraient le faire, s'ils y pensaient bien, qu'ils ne recherchent en cela qu'une occupation violente et impétueuse qui les détourne de penser à soi, et que c'est pour cela qu'ils se proposent un objet attirant qui les charme et les attire avec ardeur, ils laisseraient leurs adversaires sans repartie. Mais ils ne répondent pas cela, parce qu'ils ne se connaissent pas eux-mêmes. Ils ne savent pas que ce n'est que la chasse, et non pas la prise, qu'ils recherchent.

(La danse: il faut bien penser où l'on mettra ses pieds.—Le gentilhomme croit sincèrement que la chasse est un plaisir grand et un plaisir royal; mais le piqueur n'est pas de ce sentiment-là.)[1]

Ils s'imaginent que, s'ils avaient obtenu cette charge, ils se reposeraient ensuite avec plaisir, et ne sentent pas la nature insatiable de leur cupidité. Ils croient chercher sincèrement le repos, et ne cherchent en effet que l'agitation.

Ils ont un instinct secret qui les porte à chercher le divertissement et l'occupation au dehors, qui vient du ressentiment de leurs misères continuelles; et ils ont un autre instinct secret, qui reste de la grandeur de notre première nature, qui leur fait connaître que le bonheur n'est en effet que dans le repos, et non pas dans le tumulte; et de ces deux instincts contraires, il se forme en eux un projet confus, qui se cache à leur vue dans le fond de leur âme, qui les porte à tendre au repos par l'agitation, et à se figurer toujours que la satisfaction qu'ils n'ont point leur arrivera, si, en surmontant quelques difficultés qu'ils envisagent, ils peuvent s'ouvrir par là la porte au repos.

Ainsi s'écoule toute la vie. On cherche le repos en combattant quelques obstacles; et si on les a surmontés, le repos devient insupportable par l'ennui qu'il engendre; il en faut sortir et mendier le tumulte; car, ou l'on pense aux misères qu'on a ou à celles qui nous menacent. Et quand on se verrait même assez à l'abri de toutes parts, l'ennui, de son autorité privée, ne laisserait

1 In margin.

pas de sortir au fond du cœur, où il a des racines naturelles, et de remplir l'esprit de son venin.

Ainsi l'homme est si malheureux, qu'il s'ennuierait même sans aucune cause d'ennui, par l'état propre de sa complexion; et il est si vain, qu'étant plein de mille causes essentielles d'ennui, la moindre chose, comme un billard et une balle qu'il pousse, suffisent pour le divertir.

Mais, direz-vous, quel objet a-t-il en tout cela? Celui de se vanter demain entre ses amis de ce qu'il a mieux joué qu'un autre. Ainsi les autres suent dans leur cabinet pour montrer aux savants qu'ils ont résolu une question d'algèbre qu'on n'aurait pu trouver jusques ici; et tant d'autres s'exposent aux derniers périls pour se vanter ensuite d'une place qu'ils auront prise, aussi sottement, à mon gré; et enfin les autres se tuent pour remarquer toutes ces choses, non pas pour en devenir plus sages, mais seulement pour montrer qu'ils les savent, et ceux-là sont les plus sots de la bande, puisqu'ils le sont avec connaissance, au lieu qu'on peut penser des autres qu'ils ne le seraient plus, s'ils avaient cette connaissance.

Tel homme passe sa vie sans ennui, en jouant tous les jours peu de chose. Donnez-lui tous les matins l'argent qu'il peut gagner chaque jour, à la charge qu'il ne joue point: vous le rendez malheureux. On dira peut-être que c'est qu'il recherche l'amusement du jeu, et non pas le gain. Faites-le donc jouer pour rien, il ne s'y échauffera pas et s'y ennuiera. Ce n'est donc pas l'amusement seul qu'il recherche: un amusement languissant et sans passion l'ennuiera. Il faut qu'il s'y échauffe et qu'il se pipe lui-même, en s'imaginant qu'il serait heureux de gagner ce qu'il ne voudrait pas qu'on lui donnât à condition de ne point jouer, afin qu'il se forme un sujet de passion, et qu'il excite sur cela son désir, sa colère, sa crainte, pour ce faux objet qu'il s'est formé, comme les enfants qui s'effrayent du visage qu'ils ont barbouillé.

D'où vient que cet homme, qui a perdu depuis peu de mois son fils unique, et qui, accablé de procès et de querelles, était ce matin si troublé, n'y pense plus maintenant? Ne vous en étonnez point: il est tout occupé à voir par où passera ce sanglier que ses chiens poursuivent avec tant d'ardeur depuis six heures. Il n'en faut pas davantage. L'homme, quelque plein de tristesse qu'il soit, si on peut gagner sur lui de le faire entrer en quelque divertissement, le voilà heureux pendant ce temps-là; et l'homme, quelque heureux qu'il soit, s'il n'est diverti et occupé par quelque passion ou quelque amusement qui empêche l'ennui de se répandre, sera bientôt chagrin et malheureux. Sans divertissement il n'y a point de joie; avec le divertissement il n'y a point de tristesse. Et c'est aussi ce qui forme le bonheur des personnes de grande condition, qu'ils ont un nombre de personnes qui les divertissent, et qu'ils ont le pouvoir de se maintenir en cet état.

Prenez-y garde. Qu'est-ce autre chose d'être surintendant, chancelier, premier président, sinon d'être en une condition où l'on a dès le matin un grand nombre de gens qui viennent de tous côtés pour ne leur laisser pas une heure en la journée où ils puissent penser à eux-mêmes? Et quand ils sont dans la disgrâce et qu'on les renvoie à leur maison des champs, où ils ne manquent ni de biens, ni de domestiques pour les assister dans leurs besoins, ils ne laissent pas d'être misérables et abandonnés, parce que personne ne les empêche de songer à eux. [139]

106 [Cet homme si affligé de la mort de sa femme et de son fils unique, qui a cette grande querelle qui le tourmente, d'où vient qu'à ce moment il n'est pas triste, et qu'on le voit si exempt de toutes ces pensées pénibles et inquiétantes? Il ne faut pas s'en étonner; on vient de lui servir une balle, et il faut qu'il la rejette à son compagnon, il est occupé à la prendre à la chute du toit, pour gagner une chasse; comment voulez-vous qu'il pense à ses affaires, ayant cette autre affaire à manier? Voilà un soin digne d'occuper cette grande âme, et de lui ôter toute autre pensée de l'esprit. Cet homme, né pour connaître l'univers, pour juger de toutes choses, pour régir tout un État, le voilà occupé et tout rempli du soin de prendre un lièvre. Et s'il ne s'abaisse pas à cela, et veuille toujours être tendu, il n'en sera que plus sot, parce qu'il voudra s'élever au-dessus de l'humanité, et il n'est qu'un homme, au bout du compte, c'est-à-dire capable de peu et de beaucoup, de tout et de rien: il n'est ni ange ni bête, mais homme.] [140]

107 César était trop vieil, ce me semble, pour aller s'amuser à conquérir le monde. Cet amusement était bon à Auguste ou à

Alexandre; c'étaient des jeunes gens qu'il est difficile d'arrêter. Mais César devait être plus mûr. [132]

08 Nonobstant ces misères il veut être heureux et ne veut qu'être heureux, et ne peut se vouloir pas l'être; mais comment s'y prendra-t-il? Il faudrait, pour bien faire qu'il se rendît immortel; mais, ne le pouvant, il s'est avisé de s'empêcher d'y penser. [169]

09 Divertissement.

La dignité royale n'est-elle pas assez grande d'elle-même pour celui qui la possède, pour le rendre heureux par la seule vue de ce qu'il est? Faudra-t-il le divertir de cette pensée, comme les gens du commun? Je vois bien que c'est rendre un homme heureux, de le divertir de la vue de ses misères domestiques pour remplir toutes ses pensées du soin de bien danser. Mais en sera-t-il de même d'un roi, et sera-t-il plus heureux en s'attachant à ces vains amusements qu'à la vue de sa grandeur? Et quel objet plus satisfaisant pourrait-on donner à son esprit? Ne serait-ce donc pas faire tort à sa joie, d'occuper son âme à penser à ajuster ses pas à la cadence d'un air, ou à placer adroitement une barre,[1] au lieu de le laisser jouir en repos de la contemplation de la gloire majestueuse qui l'environne? Qu'on en fasse l'épreuve: qu'on laisse un roi tout seul, sans aucune satisfaction des sens, sans aucun soin dans l'esprit, sans compagnies, penser à lui tout à loisir; et l'on verra qu'un roi sans divertissement est un homme plein de misères. Aussi on évite cela soigneusement, et il ne manque jamais d'y avoir auprès des personnes des rois un grand nombre de gens qui veillent à faire succéder le divertissement à leurs affaires, et qui observent tout le temps de leur loisir pour leur fournir des plaisirs et des jeux, en sorte qu'il n'y ait point de vide; c'est-à-dire qu'ils sont environnés de personnes qui ont un soin merveilleux de prendre garde que le roi ne soit seul et en état de penser à soi, sachant bien qu'il sera misérable, tout roi qu'il est, s'il y pense.

Je ne parle point en tout cela des rois chrétiens comme chrétiens, mais seulement comme rois. [142]

1 The MS reading of this *dictated* fragment is "barre", and some editors correct to "balle". This is attractive, but B. and T. both remark that there was a "jeu de barres".

110

Divertissement.

On charge les hommes, dès l'enfance, du soin de leur honneur, de leur bien, de leurs amis, et encore du bien et de l'honneur de leurs amis. On les accable d'affaires, de l'apprentissage des langues et d'exercices, et on leur fait entendre qu'ils ne sauraient être heureux sans que leur santé, leur honneur, leur fortune et celle de leurs amis soient en bon état, et qu'une seule chose qui manque les rendrait malheureux; aussi on leur donne des charges et des affaires qui les font tracasser dès la pointe du jour.— Voilà, direz-vous, une étrange manière de les rendre heureux! Que pourrait-on faire de mieux pour les rendre malheureux?—Comment! ce qu'on pourrait faire? Il ne faudrait que leur ôter tous ces soins; car alors ils se verraient, ils penseraient à ce qu'ils sont, d'où ils viennent, où ils vont; et ainsi on ne peut trop les occuper et les détourner. Et c'est pourquoi, après leur avoir tant préparé d'affaires, s'ils ont quelque temps de relâche, on leur conseille de l'employer à se divertir, à jouer, et à s'occuper toujours tout entiers. (Que le cœur de l'homme est creux et plein d'ordure![1])

[143]

111

Pensées.

In omnibus requiem quaesivi.[2] Si notre condition était véritablement heureuse, il ne nous faudrait pas divertir d'y penser pour nous rendre heureux. [165]

112

Divertissement.

La mort est plus aisée à supporter sans y penser que la pensée de la mort sans péril. [166]

113

Misère.

La seule chose qui nous console de nos misères est le divertissement, et cependant c'est la plus grande de nos misères. Car c'est cela qui nous empêche principalement de songer à nous, et qui nous fait perdre insensiblement. Sans cela, nous serions dans l'ennui, et cet ennui nous pousserait à chercher un moyen plus solide d'en sortir. Mais le divertissement nous amuse, et nous fait arriver insensiblement à la mort. [171]

1 In margin. 2 *Eccl.* xxiv, 11.

14 Craindre la mort hors du péril et non dans le péril; car il faut être homme. [215]

15 Mort soudaine seule à craindre, et c'est pourquoi les confesseurs demeurent chez les grands. [216]

16 Les misères de la vie humaine ont fondé tout cela; comme ils ont vu cela, ils ont pris le divertissement. [167]

17 Divertissement.

Les hommes n'ayant pu guérir la mort, la misère, l'ignorance, ils se sont avisés, pour se rendre heureux, de n'y point penser. [168]

18 Divertissement.

Si l'homme était heureux, il le serait d'autant plus qu'il serait moins diverti, comme les saints et Dieu.—Oui; mais n'est-ce pas être heureux, que de pouvoir être réjoui par le divertissement?—Non; car il vient d'ailleurs et de dehors; et ainsi il est dépendant, et partant, sujet à être troublé par mille accidents, qui font les afflictions inévitables. [170]

19 On ne s'ennuie point de manger et dormir tous les jours, car la faim renaît, et le sommeil; sans cela on s'en ennuierait. Ainsi sans la faim des choses spirituelles, on s'en ennuie. Faim de la justice: béatitude huitième. [264]

20 Rien ne nous plaît que le combat, mais non pas la victoire: on aime à voir les combats des animaux, non le vainqueur acharné sur le vaincu; que voulait-on voir, sinon la fin de la victoire? Et dès qu'elle arrive, on en est saoul. Ainsi dans le jeu, ainsi dans la recherche de la vérité. On aime à voir, dans les disputes, le combat des opinions; mais, de contempler la vérité trouvée, point du tout; pour la faire remarquer avec plaisir, il faut la faire voir naître de la dispute. De même, dans les passions, il y a du plaisir à voir deux contraires se heurter; mais, quand l'une est maîtresse, ce n'est plus que brutalité. Nous ne cherchons jamais les choses, mais la recherche des choses. Ainsi, dans les comédies, les scènes contentes[1] sans crainte ne valent rien, ni les extrêmes misères sans espérance, ni les amours brutaux, ni les sévérités âpres. [135]

1 "contentes"=happy.

121 Tous les grands divertissements sont dangereux pour la vie chrétienne; mais entre tous ceux que le monde a inventés, il n'y en a point qui soit plus à craindre que la comédie. C'est une représentation si naturelle et si délicate des passions, qu'elle les émeut et les fait naître dans notre cœur, et surtout celle de l'amour; principalement lorsqu'on [*le*] représente fort chaste et fort honnête. Car plus il paraît innocent aux âmes innocentes, plus elles sont capables d'en être touchées; sa violence plaît à notre amour-propre, qui forme aussitôt un désir de causer les mêmes effets, que l'on voit si bien représentés; et l'on se fait en même temps une conscience fondée sur l'honnêteté des sentiments qu'on y voit, qui ôtent la crainte des âmes pures, qui s'imaginent que ce n'est pas blesser la pureté, d'aimer d'un amour qui leur semble si sage.

Ainsi l'on s'en va de la comédie le cœur si rempli de toutes les beautés et de toutes les douceurs de l'amour, et l'âme et l'esprit si persuadés de son innocence, qu'on est tout préparé à recevoir ses premières impressions, ou plutôt à chercher l'occasion de les faire naître dans le cœur de quelqu'un, pour recevoir les mêmes plaisirs et les mêmes sacrifices que l'on a vus si bien dépeints dans la comédie.[1] [11]

(iv) *Pride*

122 Nous sommes si présomptueux, que nous voudrions être connus de toute la terre, et même des gens qui viendront quand nous ne serons plus; et nous sommes si vains, que l'estime de cinq ou six personnes qui nous environnent nous amuse et nous contente. [148]

123 Les villes par où on passe, on ne se soucie pas d'y être estimé. Mais, quand on y doit demeurer un peu de temps, on s'en soucie. Combien de temps faut-il? Un temps proportionné à notre durée vaine et chétive. [149]

124 Plaindre les malheureux n'est pas contre la concupiscence. Au contraire, on est bien aise d'avoir à rendre ce témoignage d'amitié, et à s'attirer la réputation de tendresse, sans rien donner. [452]

1 This fragment, which is preserved only in the Copies, figures also in the volume of Mme de Sablé's *Maximes* (1678), and it may very well be her own composition.

25 La vanité est si ancrée dans le cœur de l'homme, qu'un soldat, un goujat, un cuisinier, un crocheteur se vante et veut avoir ses admirateurs; et les philosophes mêmes en veulent; et ceux qui écrivent contre veulent avoir la gloire d'avoir bien écrit; et ceux qui le lisent veulent avoir la gloire de l'avoir lu; et moi qui écris ceci, ai peut-être cette envie; et peut-être que ceux qui le liront.... [150]

26 Les belles actions cachées sont les plus estimables. Quand j'en vois quelques-unes dans l'histoire (comme p. 184),[1] elles me plaisent fort. Mais enfin elles n'ont pas été tout à fait cachées, puisqu'elles ont été sues; et quoiqu'on ait fait ce qu'on a pu pour les cacher, ce peu par où elles ont paru gâte tout; car c'est là le plus beau, de les avoir voulu cacher. [159]

27 Du désir d'être estimé de ceux avec qui on est.

L'orgueil nous tient d'une possession si naturelle au milieu de nos misères, erreurs, etc. Nous perdons encore la vie avec joie, pourvu qu'on en parle.

Vanité: jeu, chasse, visite, comédies, fausse perpétuité de nom. [153]

28 Quand la malignité a la raison de son côté, elle devient fière et étale la raison en tout son lustre. Quand l'austérité ou le choix sévère n'a pas réussi au vrai bien, et qu'il faut revenir à suivre la nature, elle devient fière par ce retour. [407]

29 Orgueil.

Curiosité n'est que vanité. Le plus souvent on ne veut savoir que pour en parler. Autrement on ne voyagerait pas sur la mer, pour ne jamais en rien dire, et pour le seul plaisir de voir sans espérance d'en jamais communiquer. [152]

30 La gloire.

L'admiration gâte tout dès l'enfance: Oh! que cela est bien dit! oh! qu'il a bien fait! qu'il est sage! etc.

Les enfants de Port-Royal, auxquels on ne donne point cet aiguillon d'envie et de gloire, tombent dans la nonchalance. [151]

1 p. 184, i.e. of Mont. *Essais*, ed. 1635.

131 Contradiction.

Orgueil, contrepesant toutes les misères. Ou il cache ses misères; ou, s'il les découvre, il se glorifie de les connaître. [405]

132 L'orgueil contrepèse et emporte toutes les misères. Voilà un étrange monstre, et un égarement bien visible. Le voilà tombé de sa place, il la cherche avec inquiétude. C'est ce que tous les hommes font. Voyons qui l'aura trouvée. [406]

(v) *Self-love*

133 Amour-propre.

La nature de l'amour-propre et de ce *moi* humain est de n'aimer que soi et de ne considérer que soi. Mais que fera-t-il? Il ne saurait empêcher que cet objet qu'il aime ne soit plein de défauts et de misères: il veut être grand, et il se voit petit: il veut être heureux, et il se voit misérable; il veut être parfait, et il se voit plein d'imperfections; il veut être l'objet de l'amour et de l'estime des hommes, et il voit que ses défauts ne méritent que leur aversion et leur mépris. Cet embarras où il se trouve produit en lui la plus injuste et la plus criminelle passion qu'il soit possible de s'imaginer; car il conçoit une haine mortelle contre cette vérité qui le reprend, et qui le convainc de ses défauts. Il désirerait de l'anéantir, et, ne pouvant la détruire en elle-même, il la détruit, autant qu'il peut, dans sa connaissance et dans celle des autres; c'est-à-dire qu'il met tout son soin à couvrir ses défauts et aux autres et à soi-même, et qu'il ne peut souffrir qu'on les lui fasse voir, ni qu'on les voie.

C'est sans doute un mal que d'être plein de défauts; mais c'est encore un plus grand mal que d'en être plein et de ne les vouloir pas reconnaître, puisque c'est y ajouter encore celui d'une illusion volontaire. Nous ne voulons pas que les autres nous trompent; nous ne trouvons pas juste qu'ils veuillent être estimés de nous plus qu'ils ne méritent: il n'est donc pas juste aussi que nous les trompions et que nous voulions qu'ils nous estiment plus que nous ne méritons.

Ainsi, lorsqu'ils ne découvrent que des imperfections et des vices que nous avons en effet, il est visible qu'ils ne nous font point de tort, puisque ce ne sont pas eux qui en sont cause; et qu'ils nous font un bien, puisqu'ils nous aident à nous délivrer d'un mal, qui est l'ignorance de ces imperfections. Nous ne devons pas être fâchés qu'ils les connaissent, et qu'ils nous méprisent: étant juste et qu'ils nous connaissent pour ce que nous sommes, et qu'ils nous méprisent, si nous sommes méprisables.

Voilà les sentiments qui naîtraient d'un cœur qui serait plein d'équité et de justice. Que devons-nous donc dire du nôtre, en y voyant une disposition toute contraire? Car n'est-il pas vrai que nous haïssons la vérité et ceux qui nous la disent, et que nous aimons qu'ils se trompent à notre avantage, et que nous voulons être estimés d'eux autres que nous ne sommes en effet?

En voici une preuve qui me fait horreur. La religion catholique n'oblige pas à découvrir ses péchés indifféremment à tout le monde: elle souffre qu'on demeure caché à tous les autres hommes; mais elle en excepte un seul, à qui elle commande de découvrir le fond de son cœur, et de se faire voir tel qu'on est. Il n'y a que ce seul homme au monde qu'elle nous ordonne de désabuser, et elle l'oblige à un secret inviolable, qui fait que cette connaissance est dans lui comme si elle n'y était pas. Peut-on s'imaginer rien de plus charitable et de plus doux? Et néanmoins la corruption de l'homme est telle, qu'il trouve encore de la dureté dans cette loi; et c'est une des principales raisons qui a fait révolter contre l'Église une grande partie de l'Europe.

Que le cœur de l'homme est injuste et déraisonnable, pour trouver mauvais qu'on l'oblige de faire à l'égard d'un homme ce qu'il serait juste, en quelque sorte, qu'il fît à l'égard de tous les hommes! Car est-il juste que nous les trompions?

Il y a différents degrés dans cette aversion pour la vérité; mais on peut dire qu'elle est dans tous en quelque degré, parce qu'elle est inséparable de l'amour-propre. C'est cette mauvaise délicatesse qui oblige ceux qui sont dans la nécessité de reprendre les autres, de choisir tant de détours et de tempéraments pour éviter de les choquer. Il faut qu'ils diminuent nos défauts, qu'ils fassent semblant de les excuser, qu'ils y mêlent des louanges et des témoignages d'affection et d'estime. Avec tout cela, cette médecine ne laisse pas d'être amère à l'amour-propre. Il en prend le moins qu'il peut, et toujours avec dégoût, et souvent même avec un secret dépit contre ceux qui la lui présentent.

Il arrive de là que, si on a quelque intérêt d'être aimé de nous, on s'éloigne de nous rendre un office qu'on sait nous être désagréable; on nous traite comme nous voulons être traités: nous haïssons la vérité, on nous la cache; nous voulons être flattés, on nous flatte; nous aimons à être trompés, on nous trompe.

C'est ce qui fait que chaque degré de bonne fortune qui nous élève dans le monde nous éloigne davantage de la vérité, parce qu'on appréhende plus de blesser ceux dont l'affection est plus utile et l'aversion plus dangereuse. Un prince sera la fable de toute l'Europe, et lui seul n'en saura rien. Je ne m'en étonne pas: dire la vérité est utile à celui à qui on la dit, mais désavantageux à ceux qui la disent, parce qu'ils se font haïr. Or, ceux qui vivent avec les princes aiment mieux leurs intérêts que celui du prince qu'ils servent; et ainsi, ils n'ont garde de lui procurer un avantage en se nuisant à eux-mêmes.

Ce malheur est sans doute plus grand et plus ordinaire dans les plus grandes fortunes; mais les moindres n'en sont pas exemptes, parce qu'il y a toujours quelque intérêt à se faire aimer des hommes. Ainsi la vie humaine n'est qu'une illusion perpétuelle; on ne fait que s'entre-tromper et s'entre-flatter. Personne ne parle de nous en notre présence comme il en parle en notre absence. L'union qui est entre les hommes n'est fondée que sur cette mutuelle tromperie; et peu d'amitiés subsisteraient, si chacun savait ce que son ami dit de lui lorsqu'il n'y est pas, quoiqu'il en parle alors sincèrement et sans passion.

L'homme n'est donc que déguisement, que mensonge et hypocrisie, et en soi-même et à l'égard des autres. Il ne veut pas qu'on lui dise la vérité, il évite de la dire aux autres; et toutes ces dispositions, si éloignées de la justice et de la raison, ont une racine naturelle dans son cœur. [100]

134 Le moi est haïssable: vous, Miton, le couvrez, vous ne l'ôtez pas pour cela; vous êtes donc toujours haïssable.—Point, car en agissant, comme nous faisons, obligeamment pour tout le monde, on n'a plus sujet de nous haïr.—Cela est vrai, si on ne haïssait dans le

moi que le déplaisir qui nous en revient. Mais si je le hais parce qu'il est injuste, qu'il se fait centre du tout, je le haïrai toujours.

En un mot, le *moi* a deux qualités: il est injuste en soi, en ce qu'il se fait centre du tout; il est incommode aux autres, en ce qu'il les veut asservir: car chaque *moi* est l'ennemi et voudrait être le tyran de tous les autres. Vous en ôtez l'incommodité, mais non pas l'injustice; et ainsi vous ne le rendez pas aimable à ceux qui en haïssent l'injustice: vous ne le rendez aimable qu'aux injustes, qui n'y trouvent plus leur ennemi, et ainsi vous demeurez injuste et ne pouvez plaire qu'aux injustes. [455]

5 Il est faux que nous soyons dignes que les autres nous aiment; il est injuste que nous le voulions. Si nous naissions raisonnables et indifférents, et connaissant nous et les autres, nous ne donnerions point cette inclination à notre volonté. Nous naissons pourtant avec elle; nous naissons donc injustes, car tout tend à soi. Cela est contre tout ordre: il faut tendre au général; et la pente vers soi est le commencement de tout désordre, en guerre, en police, en économie, dans le corps particulier de l'homme. La volonté est donc dépravée.

Si les membres des communautés naturelles et civiles tendent au bien du corps, les communautés elles-mêmes doivent tendre à un autre corps plus général, dont elles sont membres. L'on doit donc tendre au général. Nous naissons donc injustes et dépravés. [477]

6 Quel dérèglement de jugement, par lequel il n'y a personne qui ne se mette au-dessus de tout le reste du monde, et qui n'aime mieux son propre bien, et la durée de son bonheur, et de sa vie, que celle de tout le reste du monde! [456]

7 Chacun est un tout à soi-même, car, lui mort, le tout est mort pour soi. Et de là vient que chacun croit être tout à tous. Il ne faut pas juger de la nature selon nous, mais selon elle. [457]

8 La volonté propre ne se satisfera jamais, quand elle aurait pouvoir de tout ce qu'elle veut; mais on est satisfait dès l'instant qu'on y renonce. Sans elle, on ne peut être malcontent; par elle, on ne peut être content. [472]

139 Qui ne hait en soi son amour-propre, et cet instinct qui le porte à se faire Dieu, est bien aveuglé. Qui ne voit que rien n'est si opposé à la justice et à la vérité? Car il est faux que nous méritions cela; et il est injuste et impossible d'y arriver, puisque tous demandent la même chose. C'est donc une manifeste injustice où nous sommes nés, dont nous ne pouvons nous défaire, et dont il faut nous défaire.

Cependant aucune religion n'a remarqué que ce fût un péché, ni que nous y fussions nés, ni que nous fussions obligés d'y résister, ni n'a pensé à nous en donner les remèdes. [492]

(vi) *Blindness*

140 Un homme dans un cachot,[1] ne sachant si son arrêt est donné, n'ayant qu'une heure pour l'apprendre, cette heure suffisant, s'il sait qu'il est donné, pour le faire révoquer—il est contre nature qu'il emploie cette heure-là, non à s'informer si l'arrêt est donné, mais à jouer au piquet. Ainsi il est surnaturel que l'homme, etc. C'est un appesantissement de la main de Dieu.

Ainsi, non seulement le zèle de ceux qui le cherchent prouve Dieu, mais l'aveuglement de ceux qui ne le cherchent pas. [200]

141 Qu'on s'imagine un nombre d'hommes dans les chaînes, et tous condamnés à la mort, dont les uns étant chaque jour égorgés à la vue des autres, ceux qui restent voient leur propre condition dans celle de leurs semblables, et, se regardant les uns et les autres avec douleur et sans espérance, attendent à leur tour. C'est l'image de la condition des hommes. [199]

142 L'homme ne sait à quel rang se mettre. Il est visiblement égaré, et tombé de son vrai lieu sans le pouvoir retrouver. Il le cherche partout avec inquiétude et sans succès dans des ténèbres impénétrables. [427]

143 Nous courons sans souci dans le précipice, après que nous avons mis quelque chose devant nous pour nous empêcher de le voir. [183]

1 Je trouve bon qu'on n'approfondisse pas l'opinion de Copernic: mais ceci...! Il importe à toute la vie de savoir si l'âme est mortelle ou immortelle. [218]

II. MAN'S GREATNESS

(i) *Thought*

44 Pensée fait la grandeur de l'homme. [346]

45 Pensée.

Toute la dignité de l'homme consiste en la pensée.

Mais qu'est-ce que cette pensée? Qu'elle est sotte!

La pensée est donc une chose admirable et incomparable par sa nature. Il fallait qu'elle eût d'étranges défauts pour être méprisable; mais elle en a de tels que rien n'est plus ridicule. Qu'elle est grande par sa nature! qu'elle est basse par ses défauts! [365]

46 L'homme est visiblement fait pour penser; c'est toute sa dignité et tout son mérite; et tout son devoir est de penser comme il faut. Or l'ordre de la pensée est de commencer par soi, et par son auteur et sa fin. Or à quoi pense le monde? Jamais à cela; mais à danser, à jouer du luth, à chanter, à faire des vers, à courir la bague etc., à se battre, à se faire roi, sans penser à ce que c'est qu'être roi, et qu'être homme. [146]

47 L'homme n'est qu'un roseau, le plus faible de la nature; mais c'est un roseau pensant. Il ne faut pas que l'univers entier s'arme pour l'écraser: une vapeur, une goutte d'eau, suffit pour le tuer. Mais, quand l'univers l'écraserait, l'homme serait encore plus noble que ce qui le tue, parce qu'il sait qu'il meurt, et l'avantage que l'univers a sur lui; l'univers n'en sait rien.

Toute notre dignité consiste donc en la pensée. C'est de là qu'il faut nous relever et non de l'espace et de la durée, que nous ne saurions remplir. Travaillons donc à bien penser: voilà le principe de la morale. [347]

48 Roseau pensant.

Ce n'est point de l'espace que je dois chercher ma dignité, mais c'est du règlement de ma pensée. Je n'aurai pas davantage en possédant des terres: par l'espace, l'univers me comprend et m'engloutit comme un point; par la pensée, je le comprends. [348]

149 Je puis bien concevoir un homme sans mains, pieds, tête (car ce n'est que l'expérience qui nous apprend que la tête est plus nécessaire que les pieds). Mais je ne puis concevoir l'homme sans pensée: ce serait une pierre ou une brute. [339]

150 La machine d'arithmétique fait des effets qui approchent plus de la pensée que tout ce que font les animaux; mais elle ne fait rien qui puisse faire dire qu'elle a de la volonté, comme les animaux. [340]

151 Si un animal faisait par esprit ce qu'il fait par instinct, et s'il parlait par esprit ce qu'il parle par instinct, pour la chasse, et pour avertir ses camarades que la proie est trouvée ou perdue, il parlerait bien aussi pour des choses où il a plus d'affection, comme pour dire: "Rongez cette corde qui me blesse, et où je ne puis atteindre." [342]

152 L'histoire du brochet et de la grenouille de Liancourt:[1] ils le font toujours, et jamais autrement, ni autre chose d'esprit. [341]

153 Le bec du perroquet qu'il essuie, quoiqu'il soit net. [343]

(ii) *Desire for the true good*

154 Recherche du vrai bien.[2]

Le commun des hommes met le bien dans la fortune et dans les biens du dehors, ou au moins dans le divertissement. Les philosophes ont montré la vanité de tout cela, et l'ont mis où ils ont pu. [462]

155 Il est bon d'être lassé et fatigué par l'inutile recherche du vrai bien, afin de tendre les bras au libérateur. [422]

(iii) *Awareness of his misery*

156 La grandeur de l'homme est grande en ce qu'il se connaît misérable. Un arbre ne se connaît pas misérable.

1 For explanation cf. Jovy, *Investigations péripascaliennes* (Vrin, 1928).
2 For further and fuller discussion see under "philosophes"—the Stoics.

C'est donc être misérable que de [*se*] connaître misérable; mais c'est être grand que de connaître qu'on est misérable. [397]

57 Toutes ces misères-là mêmes prouvent sa grandeur. Ce sont misères de grand seigneur, misères d'un roi dépossédé. [398]

58 On n'est pas misérable sans sentiment: une maison ruinée ne l'est pas. Il n'y a que l'homme de misérable. *Ego vir videns.*[1] [399]

59 La grandeur de l'homme.

La grandeur de l'homme est si visible qu'elle se tire même de sa misère. Car ce qui est nature aux animaux, nous l'appelons misère en l'homme; par où nous reconnaissons que sa nature étant aujourd'hui pareille à celle des animaux, il est déchu d'une meilleure nature, qui lui était propre autrefois.

Car qui se trouve malheureux de n'être pas roi, sinon un roi dépossédé? Trouvait-on Paul Émile malheureux de n'être plus consul? Au contraire, tout le monde trouvait qu'il était heureux de l'avoir été, parce que sa condition n'était pas de l'être toujours. Mais on trouvait Persée[2] si malheureux de n'être plus roi, parce que sa condition était de l'être toujours, qu'on trouvait étrange de ce qu'il supportait la vie. Qui se trouve malheureux de n'avoir qu'une bouche? et qui ne se trouvera malheureux de n'avoir qu'un œil? On ne s'est peut-être jamais avisé de s'affliger de n'avoir pas trois yeux, mais on est inconsolable de n'en point avoir. [409]

60 Malgré la vue de toutes nos misères, qui nous touchent, qui nous tiennent à la gorge, nous avons un instinct que nous ne pouvons réprimer, qui nous élève. [411]

(iv) *Love of truth*

61 Instinct. Raison.

Nous avons une impuissance de prouver invincible à tout le dogmatisme. Nous avons une idée de la vérité, invincible à tout le pyrrhonisme. [395]

1 Jeremiah, *Lam.* iii, 1.
2 *Persée, roi de Macédoine, Paul-Émile.*—On reprochait à Persée de ce qu'il ne se tuait pas. [410]

162 La raison nous commande bien plus impérieusement qu'un maître; car en désobéissant à l'un on est malheureux, et en désobéissant à l'autre on est un sot. [345]

163 Nous souhaitons la vérité, et ne trouvons en nous qu'incertitude. Nous cherchons le bonheur, et ne trouvons que misère et mort. Nous sommes incapables de ne pas souhaiter la vérité et le bonheur, et sommes incapables ni de certitude ni de bonheur. Ce désir nous est laissé, tant pour nous punir que pour nous faire sentir d'où nous sommes tombés. [437]

(v) *Love of glory*

164 Grandeur de l'homme.

Nous avons une si grande idée de l'âme de l'homme, que nous ne pouvons souffrir d'en être méprisés, et de n'être pas dans l'estime d'une âme; et toute la félicité des hommes consiste dans cette estime. [400]

165 Gloire.

Les bêtes ne s'admirent point. Un cheval n'admire point son compagnon; ce n'est pas qu'il n'y ait entre eux de l'émulation à la course, mais c'est sans conséquence; car, étant à l'étable, le plus pesant et plus mal taillé n'en cède pas son avoine à l'autre, comme les hommes veulent qu'on leur fasse. Leur vertu se satisfait d'elle-même. [401]

166 La plus grande bassesse de l'homme est la recherche de la gloire, mais c'est cela même qui est la plus grande marque de son excellence; car, quelque possession qu'il ait sur la terre, quelque santé et commodité essentielle qu'il ait, il n'est pas satisfait, s'il n'est dans l'estime des hommes. Il estime si grande la raison de l'homme, que, quelque avantage qu'il ait sur la terre, s'il n'est placé avantageusement aussi dans la raison de l'homme, il n'est pas content. C'est la plus belle place du monde, rien ne le peut détourner de ce désir, et c'est la qualité la plus ineffaçable du cœur de l'homme.

Et ceux qui méprisent le plus les hommes, et les égalent aux bêtes, encore veulent-ils en être admirés et crus, et se contredisent à eux-mêmes par leur propre sentiment; leur nature, qui est plus forte que tout, les convainquant de la grandeur de l'homme plus fortement que la raison ne les convainc de leur bassesse. [404]

67 On a fondé et tiré de la concupiscence des règles admirables de police, de morale et de justice; mais dans le fond, ce vilain fond de l'homme, ce *figmentum malum*,[1] n'est que couvert: il n'est pas ôté. [453]

68 Tous les hommes se haïssent naturellement l'un l'autre. On s'est servi comme on a pu de la concupiscence pour la faire servir au bien public; mais ce n'est que feindre, et une fausse image de la charité, car au fond ce n'est que haine. [451]

69 L'éternuement absorbe toutes les fonctions de l'âme aussi bien que la besogne;[2] mais on n'en tire pas les mêmes conséquences contre la grandeur de l'homme, parce que c'est contre son gré. Et quoiqu'on se le procure, néanmoins c'est contre son gré qu'on se le procure; ce n'est pas en vue de la chose même, c'est pour une autre fin: et ainsi ce n'est pas une marque de la faiblesse de l'homme, et de sa servitude sous cette action.

Il n'est pas honteux à l'homme de succomber sous la douleur, et il lui est honteux de succomber sous le plaisir. Ce qui ne vient pas de ce que la douleur nous vient d'ailleurs, et que nous recherchons le plaisir; car on peut rechercher la douleur, et y succomber à dessein, sans ce genre de bassesse. D'où vient donc qu'il est glorieux à la raison de succomber sous l'effort de la douleur, et qu'il lui est honteux de succomber sous l'effort du plaisir? C'est que ce n'est pas la douleur qui nous tente et nous attire; c'est nous-mêmes qui volontairement la choisissons et voulons la faire dominer sur nous; de sorte que nous sommes maîtres de la chose; et en cela c'est l'homme qui succombe à soi-même; mais, dans le plaisir, c'est l'homme qui succombe au plaisir. Or il n'y a que la maîtrise et l'empire qui fasse la gloire, et que la servitude qui fasse la honte. [160]

70 L'exemple de la chasteté d'Alexandre n'a pas tant fait de continents que celui de son ivrognerie a fait d'intempérants. Il n'est

1 Ps. cii, 14.

2 "la besogne"=*coitus*.

pas honteux de n'être pas aussi vertueux que lui, et il semble excusable de n'être pas plus vicieux que lui. On croit n'être pas tout à fait dans les vices du commun des hommes, quand on se voit dans les vices de ces grands hommes; et cependant on ne prend pas garde qu'ils sont en cela du commun des hommes. On tient à eux par le bout par où ils tiennent au peuple; car quelque élevés qu'ils soient, si sont-ils unis aux moindres des hommes par quelque endroit. Ils ne sont pas suspendus en l'air, tout abstraits de notre société. Non, non; s'ils sont plus grands que nous, c'est qu'ils ont la tête plus élevée; mais ils ont les pieds aussi bas que les nôtres. Ils y sont tous à même niveau, et s'appuient sur la même terre; et par cette extrémité ils sont aussi abaissés que nous, que les plus petits, que les enfants, que les bêtes. [103]

CONCLUSION

Man is a mass of incompatible and contradictory elements
"Medio tutissimus ibis"

171 Contrariétés.

L'homme est naturellement crédule, incrédule, timide, téméraire. [125]

172 *Ferox gens, nullam esse vitam sine armis rati.*[1] Ils aiment mieux la mort que la paix: les autres aiment mieux la mort que la guerre. Toute opinion peut être préférable à la vie, dont l'amour paraît si fort et si naturel. [156]

173 Il est dangereux de trop faire voir à l'homme combien il est égal aux bêtes, sans lui montrer sa grandeur. Il est encore dangereux de lui trop faire voir sa grandeur sans sa bassesse. Il est encore plus dangereux de lui laisser ignorer l'un et l'autre. Mais il est très avantageux de lui représenter l'un et l'autre.

Il ne faut pas que l'homme croie qu'il est égal aux bêtes, ni aux anges, ni qu'il ignore l'un et l'autre, mais qu'il sache l'un et l'autre. [418]

1 Livy XXXIV, 17.

4 L'homme n'est ni ange ni bête, et le malheur veut que qui fait l'ange fait la bête. [358]

5 Les discours d'humilité sont matière d'orgueil aux gens glorieux, et d'humilité aux humbles. Ainsi ceux du pyrrhonisme sont matière d'affirmation aux affirmatifs; peu parlent de l'humilité humblement; peu, de la chasteté chastement; peu du pyrrhonisme en doutant. Nous ne sommes que mensonge, duplicité, contrariété, et nous cachons et nous déguisons à nous-mêmes. [377]

6 Grandeur, misère.

A mesure qu'on a plus de lumière, on découvre plus de grandeur et plus de bassesse dans l'homme. Le commun des hommes—ceux qui sont plus élevés: les philosophes, ils étonnent le commun des hommes—les chrétiens, ils étonnent les philosophes.

Qui s'étonnera donc de voir que la religion ne fait que connaître à fond ce qu'on reconnaît d'autant plus qu'on a plus de lumière? [443]

7 Ce que les hommes, par leurs plus grandes lumières, avaient pu connaître, cette religion l'enseignait à ses enfants. [444]

8 Pyrrhonisme.

L'extrême esprit est accusé de folie, comme l'extrême défaut. Rien que la médiocrité n'est bon. C'est la pluralité qui a établi cela, et qui mord quiconque s'en échappe par quelque bout que ce soit. Je ne m'y obstinerai pas, je consens bien qu'on m'y mette, et me refuse d'être au bas bout, non parce qu'il est bas, mais parce qu'il est bout; car je refuserais de même qu'on me mît au haut. C'est sortir de l'humanité que de sortir du milieu. La grandeur de l'âme humaine consiste à savoir s'y tenir; tant s'en faut que la grandeur soit à en sortir qu'elle est à n'en point sortir. [378]

9 Le monde juge bien des choses, car il est dans l'ignorance naturelle, qui est le vrai siège de l'homme. Les sciences ont deux extrémités qui se touchent. La première est la pure ignorance naturelle où se trouvent tous les hommes en naissant. L'autre extrémité est celle où arrivent les grandes âmes, qui, ayant parcouru tout ce que les hommes peuvent savoir, trouvent qu'ils ne

savent rien, et se rencontrent en cette même ignorance d'où ils étaient partis; mais c'est une ignorance savante qui se connaît. Ceux d'entre deux, qui sont sortis de l'ignorance naturelle, et n'ont pu arriver à l'autre, ont quelque teinture de cette science suffisante, et font les entendus. Ceux-là troublent le monde, et jugent mal de tout. Le peuple et les habiles composent le train du monde; ceux-là le méprisent et sont méprisés. Ils jugent mal de toutes choses, et le monde en juge bien. [327]

180 Il n'est pas bon d'être trop libre. Il n'est pas bon d'avoir toutes les nécessités. [379]

181 Si on est trop jeune, on ne juge pas bien; trop vieil, de même. Si on n'y songe pas assez; si on y songe trop, on s'entête, et on s'en coiffe. Si on considère son ouvrage incontinent après l'avoir fait, on en est encore tout prévenu; si trop longtemps après, on n'y entre plus. Ainsi les tableaux, vus de trop loin et de trop près; et il n'y a qu'un point indivisible qui soit le véritable lieu: les autres sont trop près, trop loin, trop haut ou trop bas. La perspective l'assigne dans l'art de la peinture. Mais dans la vérité et dans la morale, qui l'assignera? [381]

182 Ceux qui sont dans le dérèglement disent à ceux qui sont dans l'ordre que ce sont eux qui s'éloignent de la nature, et ils la croient suivre: comme ceux qui sont dans un vaisseau croient que ceux qui sont au bord fuient. Le langage est pareil de tous côtés. Il faut avoir un point fixe pour en juger. Le port juge ceux qui sont dans un vaisseau; mais où prendrons-nous un port dans la morale? [383]

183 Quand tout se remue également, rien ne se remue en apparence, comme en un vaisseau. Quand tous vont vers le débordement, nul n'y semble aller. Celui qui s'arrête fait remarquer l'emportement des autres, comme un point fixe. [382]

184 Pyrrhonisme.

Chaque chose est ici vraie en partie, fausse en partie. La vérité essentielle n'est pas ainsi: elle est toute pure et toute vraie. Ce mélange la déshonore et l'anéantit. Rien n'est purement vrai: et ainsi rien n'est vrai, en l'entendant du pur vrai. On dira qu'il est vrai que l'homicide est mauvais; oui, car nous connaissons bien le mal et le faux. Mais que dira-t-on qui soit bon? La chasteté? je dis que non, car le monde finirait. Le mariage? non: la continence vaut mieux. De ne point tuer? Non, car les désordres seraient horribles, et les méchants tueraient tous les bons. De tuer? Non, car cela détruit la nature. Nous n'avons ni vrai ni bien qu'en partie, et mêlé de mal et de faux. [385]

85 Contradiction: mépris de notre être, mourir pour rien, haine de notre être. [157]

86 Contradiction est une mauvaise marque de vérité: plusieurs choses certaines sont contradites; plusieurs fausses passent sans contradiction. Ni la contradiction n'est marque de fausseté, ni l'incontradiction n'est marque de vérité. [384]

87 Guerre intestine de l'homme entre la raison et les passions.

S'il n'avait que la raison sans passions....

S'il n'avait que les passions sans raison....

Mais l'ayant l'un et l'autre, il ne peut être sans guerre, ne pouvant avoir la paix avec l'un qu'ayant guerre avec l'autre: ainsi il est toujours divisé et contraire à lui-même. [412]

88 Cette guerre intérieure de la raison contre les passions a fait que ceux qui ont voulu avoir la paix se sont partagés en deux sectes. Les uns ont voulu renoncer aux passions, et devenir dieux; les autres ont voulu renoncer à la raison et devenir bêtes brutes. (Des Barreaux.[1]) Mais ils ne l'ont pu, ni les uns ni les autres; et la raison demeure toujours, qui accuse la bassesse et l'injustice des passions, et qui trouble le repos de ceux qui s'y abandonnent; et les passions sont toujours vivantes dans ceux qui y veulent renoncer. [413]

A. P. R.

89 Grandeur et misère.

La misère se concluant de la grandeur, et la grandeur de la misère, les uns ont conclu de la misère d'autant plus qu'ils en ont pris

1 Des B. (1602–73), notorious free-thinker and debauchee.

pour preuve la grandeur, et les autres concluant la grandeur avec d'autant plus de force qu'ils l'ont conclue de la misère même, tout ce que les uns ont pu dire pour montrer la grandeur n'a servi que d'un argument aux autres pour conclure la misère, puisque c'est être d'autant plus misérable qu'on est tombé de plus haut; et les autres, au contraire. Ils se sont portés les uns sur les autres par un cercle sans fin: étant certain qu'à mesure que les hommes ont de lumière, ils trouvent et grandeur et misère en l'homme. En un mot, l'homme connaît qu'il est misérable: il est donc misérable puisqu'il l'est; mais il est bien grand, puisqu'il le connaît. [416]

190 Cette duplicité de l'homme est si visible qu'il y en a qui pensent que nous avions deux âmes.[1] Un sujet simple leur paraissait incapable de telles et si soudaines variétés d'une présomption démesurée à un horrible abattement de cœur. [417]

191 La concupiscence nous est devenue naturelle, et a fait notre seconde nature. Ainsi il y a deux natures en nous: l'une bonne, l'autre mauvaise. Où est Dieu? où vous n'êtes pas, et le royaume de Dieu est dans vous. *Rabbins.*[2] [660]

192 Grandeur de l'homme dans sa concupiscence même, d'en avoir su tirer un règlement admirable, et d'en avoir fait un tableau de la charité.[3] [402]

193 Instinct et raison, marques de deux natures. [344]

The free-thinker admits the general truth of the description: but he is bewildered and hesitates

194 Contrariétés. Après avoir montré la bassesse et la grandeur de l'homme.

Que l'homme maintenant s'estime son prix. Qu'il s'aime, car il y a en lui une nature capable de bien; mais qu'il n'aime pas pour

1 Cf. Mont. *Essais*, II, 1 and perhaps Xen. *Cyr.* VI, 1, 41: δυὸ...σαφῶς ἔχω ψυχάς.
2 Reference to the *Pugio fidei*, for which *vide infra*, p. 116 n. 4.
3 Grandeur. Les raisons des effets marquent la grandeur de l'homme d'avoir tiré de la concupiscence un si bel ordre. [403]

cela les bassesses qui y sont. Qu'il se méprise, parce que cette capacité est vide; mais qu'il ne méprise pas pour cela cette capacité naturelle. Qu'il se haïsse, qu'il s'aime: il a en lui la capacité de connaître la vérité et d'être heureux; mais il n'a point de vérité, ou constante ou satisfaisante.

Je voudrais donc porter l'homme à désirer d'en trouver, à être prêt, et dégagé des passions, pour la suivre où il la trouvera, sachant combien sa connaissance s'est obscurcie par les passions; je voudrais bien qu'il haït en soi la concupiscence qui le determine d'elle-même, afin qu'elle n'aveuglât point pour faire son choix, et qu'elle ne l'arrêtât point quand il aura choisi. [423]

95 Miton voit bien que la nature est corrompue et que les hommes sont contraires à l'honnêteté; mais il ne sait pas pourquoi ils ne peuvent voler plus haut. [448]

96 Toutes ces contrariétés, qui semblaient le plus m'éloigner de la connaissance de la religion, est ce qui m'a le plus tôt conduit à la véritable. [424]

B. Urgent need of the quest

You must *seek: you cannot remain lapped in indifference*

97 Avant que d'entrer dans les preuves de la religion chrétienne, je trouve nécessaire de représenter l'injustice des hommes qui vivent dans l'indifférence de chercher la vérité d'une chose qui leur est si importante et qui les touche de si près.

De tous leurs égarements, c'est sans doute celui qui les convainc le plus de folie et d'aveuglement, et dans lequel il est le plus facile de les confondre par les premières vues du sens commun et par les sentiments de la nature.

Car il est indubitable que le temps de cette vie n'est qu'un instant, que l'état de la mort est éternel, de quelque nature qu'il puisse être, et qu'ainsi toutes nos actions et nos pensées doivent prendre des routes si différentes selon l'état de cette éternité, qu'il est impossible de faire une démarche avec sens et jugement qu'en la réglant par la vérité de ce point qui doit être notre dernier objet.

Il n'y a rien de plus visible que cela et qu'ainsi, selon les principes de la raison, la conduite des hommes est tout à fait déraisonnable, s'ils ne prennent une autre voie.

Que l'on juge donc là-dessus de ceux qui vivent sans songer à cette dernière fin de la vie, qui se laissent conduire à leurs inclinations et à leurs plaisirs sans réflexion et sans inquiétude, et, comme s'ils pouvaient anéantir l'éternité en en détournant leur pensée, ne pensent à se rendre heureux que dans cet instant seulement.

Cependant cette éternité subsiste, et la mort, qui la doit ouvrir et qui les menace à toute heure, les doit mettre infailliblement dans peu de temps dans l'horrible nécessité d'être éternellement ou anéantis ou malheureux, sans qu'ils sachent laquelle de ces éternités leur est à jamais préparée.

Voilà un doute d'une terrible conséquence. Ils sont dans le péril de l'éternité de misères; et sur cela, comme si la chose n'en valait pas la peine, ils négligent d'examiner si c'est de ces opinions que le peuple reçoit avec une facilité trop crédule, ou de celles qui, étant obscures d'elles-mêmes, ont un fondement très solide quoique caché. Ainsi ils ne savent s'il y a vérité ou fausseté dans la chose, ni s'il y a force ou faiblesse dans les preuves. Ils les ont devant les yeux; ils refusent d'y regarder, et dans cette ignorance ils prennent le parti de faire tout ce qu'il faut pour tomber dans ce malheur au cas qu'il soit, d'attendre à en faire l'épreuve à la mort, d'être cependant fort satisfaits en cet état, d'en faire profession et enfin d'en faire vanité. Peut-on penser sérieusement à l'importance de cette affaire sans avoir horreur d'une conduite si extravagante?

Ce repos dans cette ignorance est une chose monstrueuse, et dont il faut faire sentir l'extravagance et la stupidité à ceux qui y passent leur vie, en la leur représentant à eux-mêmes, pour les confondre par la vue de leur folie. Car voici comme raisonnent les hommes, quand ils choisissent de vivre dans cette ignorance de ce qu'ils sont et sans rechercher d'éclaircissement. "Je ne sais", disent-ils.... [195]

208 ...Qu'ils apprennent au moins quelle est la religion qu'ils combattent, avant que de la combattre.[1] Si cette religion se vantait d'avoir une vue claire de Dieu, et de la posséder à découvert et sans voile, ce serait la combattre que de dire qu'on ne voit rien dans le monde qui la montre avec cette évidence. Mais puisqu'elle dit au contraire que les hommes sont dans les ténèbres et dans l'éloignement de Dieu, qu'il s'est caché à leur connaissance, que c'est même le nom qu'il se donne dans les Écritures, *Deus absconditus*;[2] et enfin, si elle travaille également à établir ces deux choses: que Dieu a établi des marques sensibles dans l'Église pour se faire reconnaître à ceux qui le chercheraient sincèrement; et qu'il les a couvertes néanmoins de telle sorte qu'il ne sera aperçu que de ceux qui le cherchent de tout leur cœur, quel avantage peuvent-ils tirer, lorsque dans la négligence où ils font profession d'être de chercher la vérité, ils crient que rien ne la leur montre, puisque, cette obscurité où ils sont, et qu'ils objectent à l'Église, ne fait qu'établir une des choses qu'elle soutient, sans toucher à l'autre, et établit sa doctrine, bien loin de la ruiner?

Il faudrait, pour la combattre, qu'ils criassent qu'ils ont fait tous leurs efforts pour la chercher partout, et même dans ce que l'Église propose pour s'en instruire, mais sans aucune satisfaction. S'ils parlaient de la sorte, ils combattraient à la vérité une de ses prétentions. Mais j'espère montrer ici qu'il n'y a personne raisonnable qui puisse parler de la sorte, et j'ose même dire que jamais personne ne l'a fait. On sait assez de quelle manière agissent ceux qui sont dans cet esprit. Ils croient avoir fait de grands efforts pour s'instruire, lorsqu'ils ont employé quelques heures à la lecture de quelque livre de l'Écriture, et qu'ils ont interrogé quelque ecclésiastique sur les vérités de la foi. Après cela, ils se vantent d'avoir cherché sans succès dans les livres et parmi les hommes. Mais, en vérité, je leur dirai ce que j'ai dit souvent, que cette négligence n'est pas supportable. Il ne s'agit pas ici de l'intérêt

1 This fragment is preserved only in the Copies, but on fo. 205 of the autograph MS there are a number of short notes for this fragment—many of them written to dictation. I omit those which are struck out and only retain the few which remain uncancelled.

2 Is. xlv, 15.

léger de quelque personne étrangère, pour en user de cette façon; il s'agit de nous-mêmes, et de notre tout.

L'immortalité de l'âme est une chose qui nous importe si fort, qui nous touche si profondément, qu'il faut avoir perdu tout sentiment pour être dans l'indifférence de savoir ce qui en est. Toutes nos actions et nos pensées doivent prendre des routes si différentes, selon qu'il y aura des biens éternels à espérer ou non, qu'il est impossible de faire une démarche avec sens et jugement, qu'en la réglant par la vue de ce point, qui doit être notre dernier objet.

Ainsi notre premier intérêt et notre premier devoir est de nous éclaircir sur ce sujet, d'où dépend toute notre conduite. Et c'est pourquoi, entre ceux qui n'en sont pas persuadés, je fais une extrême différence de ceux qui travaillent de toutes leurs forces à s'en instruire, à ceux qui vivent sans s'en mettre en peine et sans y penser.

Je ne puis avoir que de la compassion pour ceux qui gémissent sincèrement dans ce doute, qui le regardent comme le dernier des malheurs, et qui, n'épargnant rien pour en sortir, font de cette recherche leurs principales et leurs plus sérieuses occupations.

Mais pour ceux qui passent leur vie sans penser à cette dernière fin de la vie, et qui, par cette seule raison qu'ils ne trouvent pas en eux-mêmes les lumières qui les en persuadent, négligent de les chercher ailleurs, et d'examiner à fond si cette opinion est de celles que le peuple reçoit par une simplicité crédule, ou de celles qui, quoique obscures d'elles-mêmes, ont néanmoins un fondement très solide et inébranlable, je les considère d'une manière toute différente.

Cette négligence en une affaire où il s'agit d'eux-mêmes, de leur éternité, de leur tout, m'irrite plus qu'elle ne m'attendrit; elle m'étonne et m'épouvante, c'est un monstre pour moi. Je ne dis pas ceci par le zèle pieux d'une dévotion spirituelle. J'entends au contraire qu'on doit avoir ce sentiment par un principe d'intérêt humain et par un intérêt d'amour-propre: il ne faut pour cela que voir ce que voient les personnes les moins éclairées.

Il ne faut pas avoir l'âme fort élevée pour comprendre qu'il n'y a point ici de satisfaction véritable et solide, que tous nos plaisirs ne sont que vanité, que nos maux sont infinis, et qu'enfin la mort, qui nous menace à chaque instant, doit infailliblement nous mettre dans peu d'années dans l'horrible nécessité d'être éternellement ou anéantis ou malheureux.

Il n'y a rien de plus réel que cela ni de plus terrible. Faisons tant que nous voudrons les braves: voilà la fin qui attend la plus belle vie du monde. Qu'on fasse réflexion là-dessus et qu'on dise ensuite s'il n'est pas indubitable qu'il n'y a de bien en cette vie qu'en l'espérance d'une autre vie, qu'on n'est heureux qu'à mesure qu'on s'en approche, et que, comme il n'y aura plus de malheurs pour ceux qui avaient une entière assurance de l'éternité, il n'y a point aussi de bonheur pour ceux qui n'en ont aucune lumière.

C'est donc assurément un grand mal que d'être dans ce doute; mais c'est au moins un devoir indispensable de chercher, quand on est dans ce doute; et ainsi celui qui doute et qui ne cherche pas est tout ensemble et bien malheureux et bien injuste; que s'il est avec cela tranquille et satisfait, qu'il en fasse profession, et enfin qu'il en fasse vanité, et que ce soit de cet état même qu'il fasse le sujet de sa joie et de sa vanité, je n'ai point de termes pour qualifier une si extravagante créature.

Où peut-on prendre ces sentiments? Quel sujet de joie trouve-t-on à n'attendre plus que des misères sans ressource? Quel sujet de vanité de se voir dans des obscurités impénétrables, et comment se peut-il faire que ce raisonnement se passe dans un homme raisonnable?

"Je ne sais qui m'a mis au monde, ni ce que c'est que le monde, ni que moi-même; je suis dans une ignorance terrible de toutes choses; je ne sais ce que c'est que mon corps, que mes sens, que mon âme et cette partie même de moi qui pense ce que je dis, qui fait réflexion sur tout et sur elle-même, et ne se connaît non plus que le reste.

Je vois ces effroyables espaces de l'univers qui m'enferment, et je me trouve attaché à un coin de cette vaste étendue, sans que je sache pourquoi je suis plutôt placé en ce lieu qu'en un autre, ni pourquoi ce peu de temps qui m'est donné à vivre m'est assigné à ce point plutôt qu'à un autre de toute l'éternité qui m'a précédé et de toute celle qui me suit. Je ne vois que des infinités de toutes parts, qui m'enferment comme un atome et comme une ombre qui ne dure qu'un instant sans retour. Tout ce que je connais est que je dois bientôt mourir, mais ce que j'ignore le plus est cette mort même que je ne saurais éviter.

"Comme je ne sais d'où je viens, aussi je ne sais où je vais; et je sais seulement qu'en sortant de ce monde je tombe pour jamais ou dans le néant, ou dans les mains d'un Dieu irrité, sans savoir à laquelle de ces deux conditions je dois être éternellement en partage. Voilà mon état, plein de faiblesse et d'incertitude. Et de tout cela, je conclus que je dois donc passer tous les jours de ma vie sans songer à chercher ce qui doit m'arriver. Peut-être que je pourrais trouver quelque éclaircissement dans mes doutes; mais je n'en veux pas prendre la peine, ni faire un pas pour le chercher, et après, en traitant avec mépris ceux qui se travailleront de ce soin, je veux aller sans prévoyance et sans crainte, tenter un si grand événement, et me laisser mollement conduire à la mort, dans l'incertitude de l'éternité de ma condition future."

Qui souhaiterait d'avoir pour ami un homme qui discourt de cette manière? qui le choisirait entre les autres pour lui communiquer ses affaires? qui aurait recours à lui dans ses afflictions? Et enfin à quel usage de la vie on le pourrait destiner?

En vérité, il est glorieux à la religion d'avoir pour ennemis des hommes si déraisonnables;[1] et leur opposition lui est si peu dangereuse, qu'elle sert au contraire à l'établissement de ses vérités. Car la foi chrétienne ne va presque qu'à établir ces deux choses: la corruption de la nature, et la rédemption de Jésus-Christ. Or, je soutiens que s'ils ne servent pas à montrer la vérité de la rédemption par la sainteté de leurs mœurs, ils servent au moins admirablement à montrer la corruption de la nature par des sentiments si dénaturés.

1 Mais ceux-là mêmes qui semblent les plus opposés à la gloire de la religion n'y seront pas inutiles pour les autres. Nous en ferons le premier argument, qu'il y a quelque chose de surnaturel; car un aveuglement de cette sorte n'est pas une chose naturelle. Et si leur folie les rend si contraires à leur propre bien, elle servira à en garantir les autres par l'horreur d'un exemple si déplorable et d'une folie si digne de compassion.

Rien n'est si important à l'homme que son état, rien ne lui est si redoutable que l'éternité; et ainsi, qu'il se trouve des hommes indifférents à la perte de leur être et au péril d'une éternité de misères, cela n'est point naturel.[1] Ils sont tout autres à l'égard de toutes les autres choses: ils craignent jusqu'aux plus légères, ils les prévoient, ils les sentent; et ce même homme qui passe tant de jours et de nuits dans la rage et dans le désespoir pour la perte d'une charge ou pour quelque offense imaginaire à son honneur, c'est celui-là même qui sait qu'il va tout perdre par la mort, sans inquiétude et sans émotion. C'est une chose monstrueuse de voir dans un même cœur et en même temps cette sensibilité pour les moindres choses et cette étrange insensibilité pour les plus grandes. C'est un enchantement incompréhensible, et un assoupissement surnaturel, qui marque une force toute-puissante qui le cause.

Il faut qu'il y ait un étrange renversement dans la nature de l'homme pour faire gloire[2] d'être dans cet état, dans lequel il semble incroyable qu'une seule personne puisse être. Cependant l'expérience m'en fait voir en si grand nombre que cela serait surprenant, si nous ne savions que la plupart de ceux qui s'en mêlent se contrefont et ne sont pas tels en effet; ce sont des gens qui ont ouï dire que les belles manières du monde consistent à faire ainsi l'emporté.[3] C'est ce qu'ils appellent avoir secoué le joug et qu'ils essayent d'imiter. Mais il ne serait pas difficile de leur faire entendre combien ils s'abusent en cherchant par là de l'estime. Ce n'est pas le moyen d'en acquérir, je dis même parmi les personnes du monde qui jugent sainement des choses et qui savent que la seule voie d'y réussir est de se faire paraître honnête, fidèle, judicieux et capable de servir utilement son ami, parce que les hommes n'aiment naturellement que ce qui peut leur être utile. Or, quel avantage y a-t-il pour nous à ouïr dire à un homme qu'il a donc secoué le joug, qu'il ne croit pas qu'il y ait un Dieu qui

1 Est-ce qu'ils sont si fermes qu'ils soient insensibles à tout ce qui les touche? Éprouvons-les dans la perte des biens ou de l'honneur. Quoi! c'est un enchantement.

2 Cependant il est certain que l'homme est si dénaturé qu'il y a dans son cœur une semence de joie en cela.

3 Le bon air va à n'avoir point de complaisances, et la bonne piété à avoir complaisance pour les autres.

veille sur ses actions, qu'il se considère comme seul maître de sa conduite, et qu'il ne pense en rendre compte qu'à soi-même? Pense-t-il nous avoir porté par là à avoir désormais bien de la confiance en lui et en attendre des consolations, des conseils et des secours dans tous les besoins de la vie? Prétendent-ils nous avoir bien réjoui, de nous dire qu'ils tiennent que notre âme n'est qu'un peu de vent et de fumée, et encore de nous le dire d'un ton de voix fier et content? Est-donc une chose à dire gaîment? et n'est-ce pas une chose à dire tristement, au contraire, comme la chose du monde la plus triste?

S'ils y pensaient sérieusement, ils verraient que cela est si mal pris, si contraire au bon sens, si opposé à l'honnêteté et si éloigné en toutes manières de ce bon air qu'ils cherchent, qu'ils seraient plutôt capables de redresser que de corrompre ceux qui auraient quelque inclination à les suivre. Et en effet, faites-leur rendre compte de leurs sentiments et des raisons qu'ils ont de douter de la religion; ils vous diront des choses si faibles et si basses, qu'ils vous persuaderont du contraire. C'était ce que leur disait un jour fort à propos une personne: "Si vous continuez à discourir de la sorte, leur disait-il, en vérité vous me convertirez." Et il avait raison, car qui n'aurait horreur de se voir dans des sentiments où l'on a pour compagnons des personnes si méprisables!

Ainsi ceux qui ne font que feindre des sentiments seraient bien malheureux de contraindre leur naturel pour se rendre les plus impertinents des hommes. S'ils sont fâchés dans le fond de leur cœur de n'avoir pas plus de lumière, qu'ils ne le dissimulent pas: cette déclaration ne sera point honteuse. Il n'y a de honte qu'à n'en point avoir. Rien n'accuse davantage une extrême faiblesse d'esprit que de ne pas connaître quel est le malheur d'un homme sans Dieu; rien ne marque davantage une mauvaise disposition du cœur que de ne pas souhaiter la vérité des promesses éternelles; rien n'est plus lâche que de faire le brave contre Dieu. Qu'ils laissent donc ces impiétés à ceux qui sont assez mal nés pour en être véritablement capables; qu'ils soient au moins honnêtes gens s'ils ne peuvent être chrétiens, et qu'ils reconnaissent enfin qu'il n'y a que deux sortes de personnes qu'on puisse appeler raisonnables; ou ceux qui servent Dieu de tout leur cœur parce qu'ils le connaissent, ou ceux qui le cherchent de tout leur cœur, parce qu'ils ne le connaissent pas.

Mais pour ceux qui vivent sans le connaître et sans le chercher, ils se jugent eux-mêmes si peu dignes de leur soin, qu'ils ne sont pas dignes du soin des autres; et il faut avoir toute la charité de la religion qu'ils méprisent, pour ne les pas mépriser jusqu'à les abandonner dans leur folie. Mais, parce que cette religion nous oblige de les regarder toujours, tant qu'ils seront en cette vie, comme capables de la grâce qui peut les éclairer, et de croire qu'ils peuvent être dans peu de temps plus remplis de foi que nous ne sommes, et que nous pouvons au contraire tomber dans l'aveuglement où ils sont, il faut faire pour eux ce que nous voudrions qu'on fît pour nous si nous étions à leur place et les appeler à avoir pitié d'eux-mêmes, et à faire au moins quelques pas pour tenter s'ils ne trouveront pas de lumières. Qu'ils donnent à cette lecture quelques-unes de ces heures qu'ils emploient si inutilement ailleurs: quelque aversion qu'ils y apportent, peut-être rencontreront-ils quelque chose, et pour le moins ils n'y perdront pas beaucoup; mais pour ceux qui y apporteront une sincérité parfaite et un véritable désir de rencontrer la vérité, j'espère qu'ils auront satisfaction, et qu'ils seront convaincus des preuves d'une religion si divine, que j'ai ramassées ici, et dans lesquelles j'ai suivi à peu près cet ordre.... [194]

99 Incompréhensible que Dieu soit, et incompréhensible qu'il ne soit pas; que l'âme soit avec le corps, que nous n'ayons pas d'âme; que le monde soit créé, qu'il ne le soit pas, etc.; que le péché originel soit, et qu'il ne soit pas. [230]

00 Croyez-vous qu'il soit impossible que Dieu soit infini, sans parties? —Oui.—Je vous veux donc faire voir une chose infinie et indivisible. C'est un point se mouvant partout d'une vitesse infinie;[1] car il est un en tous lieux et est tout entier en chaque endroit.

Que cet effet de nature, qui vous semblait impossible aupara-

1 Le mouvement infini, le point qui remplit tout le moment de repos: infini sans quantité, indivisible et infini. [232]

vant, vous fasse connaître qu'il peut y en avoir d'autres que vous ne connaissez pas encore. Ne tirez pas cette conséquence de votre apprentissage, qu'il ne vous reste rien à savoir; mais qu'il vous reste infiniment à savoir. [231]

201 Les impies, qui font profession de suivre la raison, doivent être étrangement forts en raison. Que disent-ils donc? "Ne voyons-nous pas, disent-ils, mourir et vivre les bêtes comme les hommes, et les Turcs comme les Chrétiens? Ils ont leurs cérémonies, leurs prophètes, leurs docteurs, leurs saints, leurs religieux, comme nous, etc." (Cela est-il contraire à l'Écriture? ne dit-elle pas tout cela?)

Si vous ne vous souciez guère de savoir la vérité, en voilà assez pour vous laisser en repos. Mais si vous désirez de tout votre cœur de la connaître, ce n'est pas assez; regardez au détail. C'en serait assez pour une question de philosophie; mais ici où il va de tout! Et cependant, après une réflexion légère de cette sorte, on s'amusera, etc. Qu'on s'informe de cette religion même si elle ne rend pas raison de cette obscurité; peut-être qu'elle nous l'apprendra. [226]

202 Reprochez à Miton de ne pas se remuer quand Dieu le reprochera. [192]

203 C'est un héritier qui trouve les titres de sa maison. Dira-t-il: "Peut-être qu'ils sont faux?" et négligera-t-il de les examiner? [217]

204 Les athées doivent dire des choses parfaitement claires; or il n'est point parfaitement clair que l'âme soit matérielle. [221]

205 Athées.

Quelle raison ont-ils de dire qu'on ne peut ressusciter? quel est plus difficile, de naître ou de ressusciter; que ce qui n'a jamais été soit, ou que ce qui a été soit encore? Est-il plus difficile de venir en être que d'y revenir? La coutume nous rend l'un facile, le manque de coutume rend l'autre impossible: populaire façon de juger!

Pourquoi une vierge ne peut-elle enfanter? Une poule ne fait-elle pas des œufs sans coq? qui les distingue par dehors d'avec les autres? et qui nous a dit que la poule n'y peut former ce germe aussi bien que le coq? [222]

206 Objection des athées: "Mais nous n'avons nulle lumière." [228]

207 Athéisme marque de force d'esprit, mais jusqu'à un certain degré seulement. [225]

208 Qu'ont-ils à dire contre la résurrection, et contre l'enfantement de la Vierge? Qu'est-il plus difficile, de produire un homme ou un animal, ou de le reproduire? Et s'ils n'avaient jamais vu une espèce d'animaux, pourraient-ils deviner s'ils se produisent sans la compagnie les uns des autres? [223]

209 Que je hais ces sottises de ne pas croire l'Eucharistie, etc.! Si l'Évangile est vrai, si Jésus-Christ est Dieu, quelle difficulté y a-t-il là? [224]

The Wager

210 Infini—rien.

Notre âme est jetée dans le corps, où elle trouve nombre, temps, dimensions. Elle raisonne là-dessus, et appelle cela nature, nécessité, et ne peut croire autre chose.

L'unité jointe à l'infini ne l'augmente de rien, non plus qu'un pied à une mesure infinie. Le fini s'anéantit en présence de l'infini, et devient un pur néant. Ainsi notre esprit devant Dieu; ainsi notre justice devant la justice divine. Il n'y a pas si grande disproportion entre notre justice et celle de Dieu, qu'entre l'unité et l'infini.

Il faut que la justice de Dieu soit énorme comme sa miséricorde. Or, la justice envers les réprouvés est moins énorme et doit moins choquer que la miséricorde envers les élus.

Nous connaissons qu'il y a un infini, et ignorons sa nature. Comme nous savons qu'il est faux que les nombres soient finis, donc il est vrai qu'il y a un infini en nombre. Mais nous ne savons ce qu'il est: il est faux qu'il soit pair, il est faux qu'il soit impair; car, en ajoutant l'unité, il ne change point de nature; cependant c'est un nombre, et tout nombre est pair ou impair (il est vrai que cela s'entend de tout nombre fini). Ainsi on peut bien connaître qu'il y a un Dieu sans savoir ce qu'il est.

N'y a-t-il point une vérité substantielle, voyant tant de choses qui ne sont point la vérité même?

Nous connaissons donc l'existence et la nature du fini, parce que nous sommes finis et étendus comme lui. Nous connaissons l'existence de l'infini et ignorons sa nature, parce qu'il a étendue comme nous, mais non pas des bornes comme nous. Mais nous ne connaissons ni l'existence ni la nature de Dieu, parce qu'il n'a ni étendue ni bornes.

Mais par la foi nous connaissons son existence; par la gloire nous connaîtrons sa nature. Or, j'ai déjà montré qu'on peut bien connaître l'existence d'une chose, sans connaître sa nature.

Parlons maintenant selon les lumières naturelles.

S'il y a un Dieu, il est infiniment incompréhensible, puisque, n'ayant ni parties ni bornes, il n'a nul rapport avec nous. Nous sommes donc incapables de connaître ni ce qu'il est, ni s'il est. Cela étant, qui osera entreprendre de résoudre cette question? Ce n'est pas nous, qui n'avons aucun rapport à lui.

Qui blâmera donc les chrétiens de ne pouvoir rendre raison de leur créance, eux qui professent une religion dont ils ne peuvent rendre raison? Ils déclarent, en l'exposant au monde, que c'est une sottise, *stultitiam*; et puis vous vous plaignez de ce qu'ils ne la prouvent pas! S'ils la prouvaient, ils ne tiendraient pas parole: c'est en manquant de preuves qu'ils ne manquent pas de sens.—"Oui; mais encore que cela excuse ceux qui l'offrent telle, et que cela les ôte de blâme de la produire sans raison, cela n'excuse pas ceux qui la reçoivent."—Examinons donc ce point, et disons: "Dieu est, ou il n'est pas." Mais de quel côté pencherons-nous? La raison n'y peut rien déterminer: il y a un chaos infini qui nous sépare. Il se joue un jeu, à l'extrémité de cette distance infinie, où il arrivera croix ou pile. Que gagerez-vous? Par raison, vous ne pouvez faire ni l'un ni l'autre; par raison, vous ne pouvez défaire nul des deux.

Ne blâmez donc pas de fausseté ceux qui ont pris un choix; car vous n'en savez rien.—"Non; mais je les blâmerai d'avoir fait, non ce choix, mais un choix; car, encore que celui qui prend croix et l'autre soient en pareille faute, ils sont tous deux en faute: le juste est de ne point parier."

—Oui; mais il faut parier; cela n'est pas volontaire, vous êtes embarqué. Lequel prendrez-vous donc? Voyons. Puisqu'il faut choisir, voyons ce qui vous intéresse le moins. Vous avez deux choses à perdre: le vrai et le bien, et deux choses à engager: votre raison et votre volonté, votre connaissance et votre béatitude; et votre nature a deux choses à fuir: l'erreur et la misère. Votre raison n'est pas plus blessée en choisissant l'un que l'autre, puisqu'il faut nécessairement choisir. Voilà un point vidé. Mais votre béatitude? Pesons le gain et la perte, en prenant croix que Dieu est. Estimons ces deux cas: si vous gagnez, vous gagnez tout; si vous perdez, vous ne perdez rien. Gagez donc qu'il est, sans hésiter.—"Cela est admirable. Oui, il faut gager; mais je gage peut-être trop."—Voyons. Puisqu'il y a pareil hasard de gain et de perte, si vous n'aviez qu'à gagner deux vies pour une, vous pourriez encore gager; mais s'il y en avait trois à gagner, il faudrait jouer (puisque vous êtes dans la nécessité de jouer), et vous seriez imprudent, lorsque vous êtes forcé à jouer, de ne pas hasarder votre vie pour en gagner trois à un jeu où il y a pareil hasard de perte et de gain. Mais il y a une éternité de vie et de bonheur. Et cela étant, quand il y aurait une infinité de hasards dont un seul serait pour vous, vous auriez encore raison de gager un pour avoir deux, et vous agiriez de mauvais sens, étant obligé à jouer, de refuser de jouer une vie contre trois à un jeu où d'une infinité de hasards il y en a un pour vous, s'il y avait une infinité de vie infiniment heureuse à gagner. Mais il y a ici une infinité de vie infiniment heureuse à gagner, un hasard de gain contre un nombre fini de hasards de perte, et ce que vous jouez est fini. Cela est tout parti: partout où est l'infini, et où il n'y a pas infinité de hasards de perte contre celui de gain, il n'y a point à balancer, il faut tout donner. Et ainsi, quand on est forcé à jouer, il faut renoncer à la raison pour garder la vie, plutôt que de la hasarder pour le gain infini aussi prêt à arriver que la perte du néant.

Car il ne sert de rien de dire qu'il est incertain si on gagnera, et qu'il est certain qu'on hasarde, et que l'infinie distance qui est entre la *certitude* de ce qu'on s'expose et l'*incertitude* de ce qu'on gagnera, égale le bien fini, qu'on expose certainement, à l'infini, qui est incertain. Cela n'est pas ainsi. Tout joueur hasarde avec certitude pour gagner avec incertitude; et néanmoins il hasarde certainement le fini pour gagner incertainement le fini, sans pécher contre la raison. Il n'y a pas infinité de distance entre cette certitude de ce qu'on s'expose et l'incertitude du gain; cela est faux. Il y a, à la vérité, infinité entre la certitude de gagner et la certitude de perdre. Mais l'incertitude de gagner est proportionnée à la certitude de ce qu'on hasarde, selon la proportion des hasards de gain et de perte. Et de là vient que, s'il y a autant de hasards d'un côté que de l'autre, le parti est à jouer égal contre égal; et alors la certitude de ce qu'on s'expose est égale à l'incertitude du gain; tant s'en faut qu'elle en soit infiniment distante. Et ainsi, notre proposition est dans une force infinie, quand il y a le fini à hasarder à un jeu où il y a pareils hasards de gain que de perte, et l'infini à gagner. Cela est démonstratif; et si les hommes sont capables de quelque vérité, celle-là l'est.

—"Je le confesse, je l'avoue. Mais encore n'y a-t-il point moyen de voir le dessous du jeu?"—Oui, l'Écriture, et le reste, etc.

—"Oui; mais j'ai les mains liées et la bouche muette; on me force à parier, et je ne suis pas en liberté; on ne me relâche pas, et je suis fait d'une telle sorte que je ne puis croire. Que voulez-vous donc que je fasse?"

—Il est vrai. Mais apprenez au moins votre impuissance à croire, puisque la raison vous y porte, et que néanmoins vous ne le pouvez. Travaillez donc, non pas à vous convaincre par l'augmentation des preuves de Dieu, mais par la diminution de vos passions. Vous voulez aller à la foi, et vous n'en savez pas le chemin? vous voulez vous guérir de l'infidélité, et vous en demandez le remède? Apprenez de ceux qui ont été liés comme vous, et qui parient maintenant tout leur bien; ce sont gens que savent ce chemin que vous voudriez suivre, et guéris d'un mal dont vous voulez guérir. Suivez la manière par où ils ont commencé: c'est en faisant tout comme s'ils croyaient, en prenant de l'eau bénite, en faisant dire des messes, etc. Naturellement même cela vous fera croire et vous abêtira.—"Mais c'est ce que je crains."—Et pourquoi? qu'avez-vous à perdre?

Mais pour vous montrer que cela y mène, c'est que cela diminuera les passions, qui sont vos grands obstacles.

Fin de ce discours.

Or, quel mal vous arrivera-t-il en prenant ce parti? Vous serez fidèle, honnête, humble, reconnaissant, bienfaisant, ami sincère, véritable. A la vérité, vous ne serez point dans les plaisirs empestés, dans la gloire, dans les délices; mais n'en aurez-vous point d'autres? Je vous dis que vous y gagnerez en cette vie; et qu'à chaque pas que vous ferez dans ce chemin, vous verrez tant de certitude du gain, et tant de néant de ce que vous hasardez, que vous reconnaîtrez à la fin que vous avez parié pour une chose certaine, infinie, pour laquelle vous n'avez rien donné.

—"Oh! ce discours me transporte, me ravit, etc."

—Si ce discours vous plaît et vous semble fort, sachez qu'il est fait par un homme qui s'est mis à genoux auparavant et après, pour prier cet Être infini et sans parties, auquel il soumet tout le sien, de se soumettre aussi le vôtre pour votre propre bien et pour sa gloire; et qu'ainsi la force s'accorde avec cette bassesse. [233]

11 S'il ne fallait rien faire que pour le certain, on ne devrait rien faire pour la religion; car elle n'est pas certaine. Mais combien de choses fait-on pour l'incertain: les voyages sur mer, les batailles! Je dis donc qu'il ne faudrait rien faire du tout, car rien n'est certain; et qu'il y a plus de certitude à la religion que non pas que nous voyions le jour de demain; car il n'est pas certain que nous voyions demain, mais il est certainement possible que nous ne le voyions pas. On n'en peut pas dire autant de la religion. Il n'est pas certain qu'elle soit; mais qui osera dire qu'il est certainement possible qu'elle ne soit pas? Or, quand on travaille pour demain, et pour l'incertain, on agit avec raison; car on doit travailler pour l'incertain, par la règle des partis qui est démontrée.

Saint Augustin a vu qu'on travaille pour l'incertain, sur mer, en bataille, etc.; mais il n'a pas vu la règle des partis, qui démontre qu'on le doit. Montaigne a vu qu'on s'offense d'un esprit boiteux, et que la coutume peut tout; mais il n'a pas vu la raison de cet effet.

Toutes ces personnes ont vu les effets, mais ils n'ont pas vu les causes; ils sont à l'égard de ceux qui ont découvert les causes comme ceux qui n'ont que les yeux à l'égard de ceux qui ont l'esprit; car les effets sont comme sensibles, et les causes sont visibles seulement à l'esprit. Et quoique ces effets-là se voient par l'esprit, cet esprit est à l'égard de l'esprit qui voit les causes comme les sens corporels à l'égard de l'esprit.[1] [234]

212 Partis.[2]

Il faut vivre autrement dans le monde selon ces diverses suppositions: 1° Si on pouvait y être toujours, 2° S'il est sûr qu'on n'y sera pas longtemps, et incertain si on y sera une heure. Cette dernière supposition est la nôtre. [237]

213 Par les partis vous devez vous mettre en peine de rechercher la vérité, car si vous mourez sans adorer le vrai principe, vous êtes perdu. "Mais, dites-vous, s'il avait voulu que je l'adorasse, il m'aurait laissé des signes de sa volonté." Aussi l'a-t-il fait; mais vous les négligez. Cherchez-les donc; cela le vaut bien. [236]

214 Que me promettez-vous enfin (car dix ans c'est le parti), sinon dix ans d'amour-propre à bien essayer de plaire sans y réussir, outre les peines certaines? [238]

215 Objection.

Ceux qui espèrent leur salut sont heureux en cela, mais ils ont pour contre-poids la crainte de l'enfer.

Réponse.

Qui a plus de sujet de craindre l'enfer, ou celui qui est dans l'ignorance s'il y a un enfer, et dans la certitude de damnation, s'il y en a; ou celui qui est dans une certaine persuasion qu'il y a un enfer, et dans l'espérance d'être sauvé, s'il est? [239]

216 L'espérance que les Chrétiens ont de posséder un bien infini est mêlée de jouissance effective aussi bien que de craintes; car ce n'est pas comme ceux qui espéreraient un royaume, dont ils n'auraient

1 *Rem viderunt, causam non viderunt.* Aug. *Contra Pel.* IV, 60. [235]
2 Partis; Règle des partis = calculation how to distribute stakes when a game of cards is voluntarily suspended.

rien, étant sujets; mais ils espèrent la sainteté, l'exemption d'injustice, et ils en ont quelque chose. [540]

7 —"J'aurais bientôt quitté les plaisirs, disent-ils, si j'avais la foi." —Et moi, je vous dis: "Vous auriez bientôt la foi, si vous aviez quitté les plaisirs." Or, c'est à vous à commencer. Si je pouvais, je vous donnerais la foi; je ne puis le faire, ni partant éprouver la vérité de ce que vous dites. Mais vous pouvez bien quitter les plaisirs, et éprouver si ce que je dis est vrai. [240]

8 Es-tu moins esclave pour être aimé et flatté de ton maître? Tu as bien du bien, esclave. Ton maître te flatte, il te battra tantôt. [209]

9 Ordre.

J'aurais bien plus de peur de me tromper et de trouver que la religion chrétienne soit vraie, que non pas de me tromper en la croyant vraie. [241]

o Superstition et concupiscence.

Scrupules—désirs mauvais.

Crainte mauvaise: crainte, non celle qui vient de ce qu'on croit Dieu, mais celle de ce qu'on doute s'il est ou non. La bonne crainte vient de la foi, la fausse crainte vient du doute. La bonne crainte, jointe à l'espérance, parce qu'elle naît de la foi, et qu'on espère au Dieu que l'on croit: la mauvaise, jointe au désespoir, parce qu'on craint le Dieu auquel on n'a point de foi. Les uns craignent de le perdre, les autres craignent de le trouver. [262]

.1 La foi dit bien ce que les sens ne disent pas, mais non pas le contraire de ce qu'ils voient. Elle est au-dessus, et non pas contre. [265]

:2 Ordre.

Après la lettre "qu'on doit chercher Dieu", faire la lettre "d'ôter les obstacles", qui est le discours de la "machine" [1], de préparer la machine, de chercher par raison. [246]

³3 Ordre.

Une lettre d'exhortation à un ami pour le porter à chercher. Et il répondra: "Mais à quoi me servira de chercher? rien ne paraît."

1 "machine"=man's mechanical, automatic nature.

Et lui répondre: "Ne désespérez pas." Et il répondrait qu'il serait heureux de trouver quelque lumière, mais que, selon cette religion même, quand il croirait ainsi, cela ne lui servirait de rien, et qu'ainsi il aime autant ne point chercher. Et à cela lui répondre: "La machine". [247]

224 Lettre qui marque l'utilité des preuves par la machine.
La foi est différente de la preuve: l'une est humaine, l'autre est un don de Dieu. *Justus ex fide vivit*: c'est de cette foi que Dieu lui-même met dans le cœur, dont la preuve est souvent l'instrument, *fides ex auditu*;[1] mais cette foi est dans le cœur, et fait dire non *scio*, mais *credo*. [248]

225 C'est être superstitieux, de mettre son espérance dans les formalités; mais c'est être superbe, de ne vouloir s'y soumettre. [249]

226 Il faut que l'extérieur soit joint à l'intérieur pour obtenir de Dieu; c'est-à-dire que l'on se mette à genoux, prie des lèvres, etc., afin que l'homme orgueilleux, qui n'a voulu se soumettre à Dieu, soit maintenant soumis à la créature. Attendre de cet extérieur le secours est être superstitieux, ne vouloir pas le joindre à l'intérieur est être superbe. [250]

227 Œuvres extérieures.
Il n'y a rien de si périlleux que ce qui plaît à Dieu et aux hommes; car les états qui plaisent à Dieu et aux hommes ont une chose qui plaît à Dieu, et une autre qui plaît aux hommes; comme la grandeur de sainte Thérèse: ce qui plaît à Dieu est sa profonde humilité dans ses révélations; ce qui plaît aux hommes sont ses lumières. Et ainsi on se tue d'imiter ses discours, pensant imiter son état; et pas tant d'aimer ce que Dieu aime, et de se mettre en l'état que Dieu aime.

Il vaut mieux ne pas jeûner et en être humilié, que jeûner et en être complaisant. Pharisien, publicain.

Que me servirait de m'en souvenir, si cela peut également me nuire et me servir, et que tout dépend de la bénédiction de Dieu,

1 Rom. i, 17; x, 17.

qu'il ne donne qu'aux choses faites pour lui, et selon ses règles et dans ses voies, la manière étant ainsi aussi importante que la chose, et peut-être plus, puisque Dieu peut du mal tirer le bien, et que sans Dieu on tire le mal du bien? [499]

8 Les autres religions, comme les païennes, sont plus populaires, car elles sont en extérieur; mais elles ne sont pas pour les gens habiles. Une religion purement intellectuelle serait plus proportionnée aux habiles; mais elle ne servirait pas au peuple. La seule religion chrétienne est proportionnée à tous, étant mêlée d'extérieur et d'intérieur. Elle élève le peuple à l'intérieur, et abaisse les superbes à l'extérieur; et n'est pas parfaite sans les deux, car il faut que le peuple entende l'esprit de la lettre, et que les habiles soumettent leur esprit à la lettre. [251]

9 Car il ne faut pas se méconnaître: nous sommes automate autant qu'esprit; et de là vient que l'instrument par lequel la persuasion se fait n'est pas la seule démonstration. Combien y a-t-il peu de choses démontrées! Les preuves ne convainquent que l'esprit. La coutume fait nos preuves les plus fortes et les plus crues; elle incline l'automate, qui entraîne l'esprit sans qu'il y pense. Qui a démontré qu'il sera demain jour, et que nous mourrons? Et qu'y a-t-il de plus cru? C'est donc la coutume qui nous en persuade; c'est elle qui fait tant de chrétiens, c'est elle qui fait les Turcs, les païens, les métiers, les soldats, etc. (Il y a la foi reçue dans le baptême aux Chrétiens de plus qu'aux Turcs.) Enfin il faut avoir recours à elle quand une fois l'esprit a vu où est la vérité, afin de nous abreuver et nous teindre de cette créance, qui nous échappe à toute heure; car d'en avoir toujours les preuves présentes, c'est trop d'affaire. Il faut acquérir une créance plus facile, qui est celle de l'habitude, qui, sans violence, sans art, sans argument, nous fait croire les choses, et incline toutes nos puissances à cette croyance, en sorte que notre âme y tombe naturellement. Quand on ne croit que par la force de la conviction, et que l'automate est incliné à croire le contraire, ce n'est pas assez. Il faut donc faire croire nos deux pièces: l'esprit, par les raisons, qu'il suffit d'avoir vues une fois en sa vie; et l'automate, par la coutume, et en ne lui

permettant pas de s'incliner au contraire. *Inclina cor meum, Deus.*[1] [252]

230 Il y a beaucoup de personnes qui entendent le sermon de la même manière qu'ils entendent vêpres.[2] [8]

231 Il y a trois moyens de croire: la raison, la coutume, l'inspiration. Le religion chrétienne, qui seule a la raison, n'admet pas pour ses vrais enfants ceux qui croient sans inspiration; ce n'est pas qu'elle exclue la raison et la coutume, au contraire; mais il faut ouvrir son esprit aux preuves, s'y confirmer par la coutume, mais s'offrir par les humiliations aux inspirations, qui seules peuvent faire le vrai et salutaire effet: *Ne evacuetur crux Christi.*[3] [245]

232 Cette religion si grande en miracles, saints, pieux, irréprochables; savants et grands, témoins; martyrs; rois (David) établis; Isaïe, prince du sang; si grande en science, après avoir étalé tous ses miracles et toute sa sagesse, elle réprouve tout cela, et dit qu'elle n'a ni sagesse ni signes, mais la croix et la folie.

Car ceux qui par ces signes et cette sagesse ont mérité votre créance, et qui vous ont prouvé leur caractère, vous déclarent que rien de tout cela ne peut nous changer, et nous rendre capables de connaître et aimer Dieu, que la vertu de la folie de la croix, sans sagesse ni signes; et non point les signes sans cette vertu. Ainsi notre religion est folle, en regardant à la cause effective, et sage, en regardant à la sagesse qui y prépare. [587]

233 Notre religion est sage et folle. Sage, parce qu'elle est la plus savante, et la plus fondée en miracles, prophéties, etc. Folle, parce que ce n'est point tout cela qui fait qu'on en est; cela fait bien condamner ceux qui n'en sont pas, mais non pas croire ceux qui en sont. Ce qui les fait croire, c'est la croix, *ne evacuata sit crux.* Et ainsi saint Paul, qui est venu en sagesse et signes, dit qu'il n'est venu ni en sagesse ni en signes: car il venait pour convertir. Mais ceux qui ne viennent que pour convaincre peuvent dire qu'ils viennent en sagesse et signes. [588]

1 Ps. cxviii, 36.

2 I.e. mechanically.

3 I Cor. i, 17.

Second Part

MAN WITH GOD

No light where Jesus is not

4 Préface de la seconde partie.

Parler de ceux qui ont traité de cette matière.

J'admire avec quelle hardiesse ces personnes entreprennent de parler de Dieu. En adressant leurs discours aux impies, leur premier chapitre est de prouver la Divinité par les ouvrages de la nature. Je ne m'étonnerais pas de leur entreprise s'ils adressaient leurs discours aux fidèles, car il est certain [*que ceux*] qui ont la foi vive dedans le cœur voient incontinent que tout ce qui est n'est autre chose que l'ouvrage du Dieu qu'ils adorent. Mais pour ceux en qui cette lumière s'est éteinte, et dans lesquels on a dessein de la faire revivre, ces personnes destituées de foi et de grâce, qui, recherchant de toute leur lumière tout ce qu'ils voient dans la nature qui les peut mener à cette connaissance, ne trouvent qu'obscurité et ténèbres: dire à ceux-là qu'ils n'ont qu'à voir la moindre des choses qui les environnent, et qu'ils verront Dieu à découvert, et leur donner pour toute preuve de ce grand et important sujet, le cours de la lune et des planètes, et prétendre avoir achevé sa preuve avec un tel discours: c'est leur donner sujet de croire que les preuves de notre religion sont bien faibles; et je vois par raison et par expérience que rien n'est plus propre à leur en faire naître le mépris.[1]

Ce n'est pas de cette sorte que l'Écriture, qui connaît mieux les choses qui sont de Dieu, en parle. Elle dit au contraire que Dieu est un Dieu caché; et que, depuis la corruption de la nature, il les a laissés dans un aveuglement dont ils ne peuvent sortir que par Jésus-Christ, hors duquel toute communication avec Dieu est ôtée: *Nemo novit Patrem, nisi Filius, et cui voluerit Filius revelare.*[2]

C'est ce que l'Écriture nous marque, quand elle dit en tant d'endroits que ceux qui cherchent Dieu le trouvent. Ce n'est

1 *Vide supra*, §§ 12, 13, 14. 2 Matth. xi, 27.

point de cette lumière qu'on parle, "comme le jour en plein midi". On ne dit point que ceux qui cherchent le jour en plein midi, ou de l'eau dans la mer, en trouveront; et ainsi il faut bien que l'évidence de Dieu ne soit pas telle dans la nature. Aussi elle nous dit ailleurs: *Vere tu es Deus absconditus.*[1] [242]

235 Que Dieu s'est voulu cacher.

S'il n'y avait qu'une religion, Dieu y serait bien manifeste. S'il n'y avait des martyrs qu'en notre religion, de même.

Dieu étant ainsi caché, toute religion qui ne dit pas que Dieu est caché n'est pas véritable; et toute religion qui n'en rend pas la raison n'est pas instruisante. La nôtre fait tout cela: *Vere tu es Deus absconditus.* [585]

236 S'il n'y avait point d'obscurité, l'homme ne sentirait point sa corruption; s'il n'y avait point de lumière, l'homme n'espérerait point de remède. Ainsi, il est non seulement juste, mais utile pour nous, que Dieu soit caché en partie, et découvert en partie, puisqu'il est également dangereux à l'homme de connaître Dieu sans connaître sa misère, et de connaître sa misère sans connaître Dieu. [586]

A. P. R.

237 Commencement, après avoir expliqué l'incompréhensibilité. Les grandeurs et les misères de l'homme sont tellement visibles, qu'il faut nécessairement que la véritable religion nous enseigne, et qu'il y a quelque grand principe de grandeur en l'homme, et qu'il y a un grand principe de misère. Il faut encore qu'elle nous rende raison de ces étonnantes contrariétés.

Il faut que, pour rendre l'homme heureux, elle lui montre qu'il y a un Dieu; qu'on est obligé de l'aimer; que notre vraie félicité est d'être en lui, et notre unique mal d'être séparé de lui; qu'elle reconnaisse que nous sommes pleins de ténèbres qui nous empêchent de le connaître et de l'aimer; et qu'ainsi nos devoirs nous obligeant d'aimer Dieu, et nos concupiscences nous en détournant, nous sommes pleins d'injustice. Il faut qu'elle nous rende raison de ces oppositions que nous avons à Dieu et à notre

1 Is. xlv, 15.

propre bien. Il faut qu'elle nous enseigne les remèdes à ces impuissances, et les moyens d'obtenir ces remèdes. Qu'on examine sur cela toutes les religions du monde, et qu'on voie s'il y en a une autre que la chrétienne qui y satisfasse.

Sera-ce les philosophes, qui nous proposent pour tout bien les biens qui sont en nous? Est-ce là le vrai bien? Ont-ils trouvé le remède à nos maux? Est-ce avoir guéri la présomption de l'homme que de l'avoir mis à l'égal de Dieu? Ceux qui nous ont égalés aux bêtes, et les mahométans qui nous ont donné les plaisirs de la terre pour tout bien, même dans l'éternité, ont-ils apporté le remède à nos concupiscences? Quelle religion enfin nous enseignera donc à guérir l'orgueil et la concupiscence? Quelle religion enfin nous enseignera notre bien, nos devoirs, les faiblesses qui nous en détournent, la cause de ces faiblesses, les remèdes qui les peuvent guérir, et le moyen d'obtenir ces remèdes?

Toutes les autres religions ne l'ont pu. Voyons ce que fera la Sagesse de Dieu.

"N'attendez pas, dit-elle, ni vérité, ni consolation des hommes. Je suis celle qui vous ai formés, et qui puis seule vous apprendre qui vous êtes. Mais vous n'êtes plus maintenant en l'état où je vous ai formés. J'ai créé l'homme saint, innocent, parfait; je l'ai rempli de lumière et d'intelligence; je lui ai communiqué ma gloire et mes merveilles. L'œil de l'homme voyait alors la majesté de Dieu. Il n'était pas alors dans les ténèbres qui l'aveuglent, ni dans la mortalité et dans les misères qui l'affligent. Mais il n'a pu soutenir tant de gloire sans tomber dans la présomption. Il a voulu se rendre centre de lui-même, et indépendant de mon secours. Il s'est soustrait de ma domination; et, s'égalant à moi par le désir de trouver sa félicité en lui-même, je l'ai abandonné à lui; et, révoltant les créatures, qui lui étaient soumises, je les lui ai rendues ennemies: en sorte qu'aujourd'hui l'homme est devenu semblable aux bêtes, et dans un tel éloignement de moi, qu'à peine lui reste-t-il une lumière confuse de son auteur: tant toutes ses connaissances ont été éteintes ou troublées! Les sens, indépendants de la raison, et souvent maîtres de la raison, l'ont emporté à la recherche des plaisirs. Toutes les créatures ou l'affligent ou le tentent, et dominent sur lui, ou en le soumettant par leur force, ou en le charmant par leur douceur, ce qui est une domination plus terrible et plus impérieuse.

"Voilà l'état où les hommes sont aujourd'hui. Il leur reste quelque instinct impuissant du bonheur de leur première nature, et ils sont plongés dans les misères de leur aveuglement et de leur concupiscence qui est devenue leur seconde nature.

"De ce principe que je vous ouvre, vous pouvez reconnaître la cause de tant de contrariétés qui ont étonné tous les hommes, et qui les ont partagés en de si divers sentiments. Observez maintenant tous les mouvements de grandeur et de gloire que l'épreuve de tant de misères ne peut étouffer, et voyez s'il ne faut pas que la cause en soit en une autre nature."

A. P. R.

Pour demain; Prosopopée.

"C'est en vain, ô hommes, que vous cherchez dans vous-mêmes le remède à vos misères. Toutes vos lumières ne peuvent arriver qu'à connaître que ce n'est point dans vous-mêmes que vous trouverez ni la vérité ni le bien. Les philosophes vous l'ont promis, et ils n'ont pu le faire. Ils ne savent ni quel est votre véritable bien, ni quel est votre véritable état. Comment auraient-ils donné des remèdes à vos maux, qu'ils n'ont pas seulement connus? Vos maladies principales sont l'orgueil, qui vous soustrait de Dieu, la concupiscence qui vous attache à la terre; et ils n'ont fait autre chose qu'entretenir au moins l'une de ces maladies. S'ils vous ont donné Dieu pour objet, ce n'a été que pour exercer votre superbe: ils vous ont fait penser que vous lui étiez semblables et conformes par votre nature. Et ceux qui ont [*vu*] la vanité de cette prétention vous ont jeté dans l'autre précipice, en vous faisant entendre que votre nature était pareille à celle des bêtes, et vous ont porté à chercher votre bien dans les concupiscences qui sont le partage des animaux. Ce n'est pas là le moyen de vous guérir de vos injustices, que ces sages n'ont point connues. Je puis seule vous faire entendre qui vous êtes. A...."[1]

1 T. expands, A(dam).

Adam, Jésus-Christ.

Si on vous unit à Dieu, c'est par grâce, non par nature. Si on vous abaisse, c'est par pénitence, non par nature.

Ainsi cette double capacité....

Vous n'êtes pas dans l'état de votre création.

Ces deux états étant ouverts, il est impossible que vous ne les reconnaissiez pas. Suivez vos mouvements, observez-vous vous-même, et voyez si vous n'y trouverez pas les caractères vivants de ces deux natures. Tant de contradictions se trouveraient-elles dans un sujet simple?

Incompréhensible.

Tout ce qui est incompréhensible ne laisse pas d'être. Le nombre infini. Un espace infini, égal au fini.

Incroyable que Dieu s'unisse à nous.

Cette considération n'est tirée que de la vue de notre bassesse. Mais si vous l'avez bien sincère, suivez-la aussi loin que moi, et reconnaissez que nous sommes en effet si bas, que nous sommes par nous-mêmes incapables de connaître si sa miséricorde ne peut pas nous rendre capables de lui. Car je voudrais savoir d'où cet animal, qui se reconnaît si faible, a le droit de mesurer la miséricorde de Dieu, et d'y mettre les bornes que sa fantaisie lui suggère. Il sait si peu ce que c'est que Dieu, qu'il ne sait pas ce qu'il est lui-même; et, tout troublé de la vue de son propre état, il ose dire que Dieu ne le peut pas rendre capable de sa communication.

Mais je voudrais lui demander si Dieu demande autre chose de lui, sinon qu'il l'aime et le connaisse; et pourquoi il croit que Dieu ne peut se rendre connaissable et aimable à lui, puisqu'il est naturellement capable d'amour et de connaissance. Il est sans doute qu'il connaît au moins qu'il est, et qu'il aime quelque chose. Donc, s'il voit quelque chose dans les ténèbres où il est, et s'il trouve quelque sujet d'amour parmi les choses de la terre, pourquoi, si Dieu lui donne quelque rayon de son essence, ne sera-t-il pas capable de le connaître et de l'aimer en la manière qu'il lui plaira se communiquer à nous? Il y a donc sans doute une présomption insupportable dans ces sortes de raisonnements, quoiqu'ils paraissent fondés sur une humilité apparente, qui n'est ni sincère, ni raisonnable, si elle ne nous fait confesser que, ne sachant de nous-mêmes qui nous sommes, nous ne pouvons l'apprendre que de Dieu.

"Je n'entends pas [1] que vous soumettiez votre créance à moi sans raison, et ne prétends pas vous assujettir avec tyrannie. Je ne prétends pas aussi vous rendre raison de toutes choses. Et pour accorder ces contrariétés, j'entends vous faire voir clairement, par des preuves convaincantes, des marques divines en moi, qui vous convainquent de ce que je suis, et m'attirent autorité par des merveilles et des preuves que vous ne puissiez refuser; et qu'ensuite vous croyiez les choses que je vous enseigne, quand vous n'y trouverez autre sujet de les refuser, sinon que vous ne pouvez par vous-mêmes connaître si elles sont ou non."

Dieu a voulu racheter les hommes, et ouvrir le salut à ceux qui le cherchaient. Mais les hommes s'en rendent si indignes qu'il est juste que Dieu refuse à quelques-uns, à cause de leur endurcissement, ce qu'il accorde aux autres par une miséricorde qui ne leur est pas due. S'il eût voulu surmonter l'obstination des plus endurcis, il l'eût pu, en se découvrant si manifestement à eux qu'ils n'eussent pu douter de la vérité de son essence, comme il paraîtra au dernier jour, avec un tel éclat de foudres et un tel renversement de la nature, que les morts ressuscités et les plus aveugles le verront.

Ce n'est pas en cette sorte qu'il a voulu paraître, dans son avènement de douceur; parce que tant d'hommes se rendant indignes de sa clémence, il a voulu les laisser dans la privation du bien qu'ils ne veulent pas. Il n'était donc pas juste qu'il parût d'une manière manifestement divine, et absolument capable de convaincre tous les hommes; mais il n'était pas juste aussi qu'il vînt d'une manière si cachée, qu'il ne pût être connu de ceux qui le chercheraient sincèrement. Il a voulu se rendre parfaitement connaissable à ceux-là; et ainsi, voulant paraître à découvert à ceux qui le cherchent de tout leur cœur, et caché à ceux qui le fuient de tout leur cœur, il tempère sa connaissance, en sorte qu'il a donné des marques de soi visibles à ceux qui le cherchent, et non à ceux qui ne le cherchent pas. Il y a assez de lumière pour ceux qui ne désirent que de voir, et assez d'obscurité pour ceux qui ont une disposition contraire. [430]

1 Pascal interrupts his argument in order to add a paragraph to the Prosopopœa.

No happiness nor justice where faith fails

8 Seconde partie. Que l'homme sans la foi ne peut connaître le vrai bien, ni la justice.

Tous les hommes recherchent d'être heureux; cela est sans exception; quelques différents moyens qu'ils y emploient, ils tendent tous à ce but. Ce qui fait que les uns vont à la guerre, et que les autres n'y vont pas, est ce même désir, qui est dans tous les deux, accompagné de différentes vues. La volonté [*ne*] fait jamais la moindre démarche que vers cet objet. C'est le motif de toutes les actions de tous les hommes, jusqu'à ceux qui vont se pendre.

Et cependant, depuis un si grand nombre d'années, jamais personne, sans la foi, n'est arrivé à ce point où tous visent continuellement. Tous se plaignent: princes, sujets; nobles, roturiers; vieux, jeunes; forts, faibles; savants, ignorants; sains, malades; de tous pays, de tous les temps, de tous âges et de toutes conditions.

Une épreuve si longue, si continuelle et si uniforme, devrait bien nous convaincre de notre impuissance d'arriver au bien par nos efforts; mais l'exemple nous instruit peu. Il n'est jamais si parfaitement semblable, qu'il n'y ait quelque délicate différence; et c'est de là que nous attendons que notre attente ne sera pas déçue en cette occasion comme en l'autre. Et ainsi, le présent ne nous satisfaisant jamais, l'expérience nous pipe, et de malheur en malheur nous mène jusqu'à la mort, qui en est un comble éternel.

Qu'est-ce donc que nous crie cette avidité et cette impuissance, sinon qu'il y a eu autrefois dans l'homme un véritable bonheur, dont il ne lui reste maintenant que la marque et la trace toute vide, et qu'il essaie inutilement de remplir de tout ce qui l'environne, recherchant des choses absentes le secours qu'il n'obtient pas des présentes, mais qui en sont toutes incapables, parce que ce gouffre infini ne peut être rempli que par un objet infini et immuable, c'est-à-dire que par Dieu même?

Lui seul est son véritable bien; et depuis qu'il l'a quitté c'est une chose étrange qu'il n'y a rien dans la nature qui n'ait été capable de lui en tenir la place: astres, ciel, terre, éléments, plantes, choux, poireaux, animaux, insectes, veaux, serpents, fièvre, peste, guerre, famine, vices, adultère, inceste. Et depuis qu'il a perdu ce vrai bien, tout également peut lui paraître tel, jusqu'à sa destruction propre, quoique si contraire à Dieu, à la raison et à la nature tout ensemble.

Les uns le cherchent dans l'autorité, les autres dans les curiosités et dans les sciences, les autres dans les voluptés. D'autres, qui en ont en effet plus approché, ont considéré qu'il est nécessaire que le bien universel, que tous les hommes désirent, ne soit dans aucune des choses particulières qui ne peuvent être possédées que par un seul, et qui, étant partagées, affligent plus leur possesseur par le manque de la partie qu'il n'[*a*] pas, qu'elles ne le contentent par la jouissance de celle qui lui appartient. Ils ont compris que le vrai bien devait être tel que tous pussent le posséder à la fois, sans diminution et sans envie, et que personne ne le pût perdre contre son gré. Et leur raison est que ce désir étant naturel à l'homme, puisqu'il est nécessairement dans tous, et qu'il ne peut pas ne le pas avoir, ils en concluent.... [425]

239 Il n'y a rien sur la terre qui ne montre, ou la misère de l'homme, ou la miséricorde de Dieu; ou l'impuissance de l'homme sans Dieu, ou la puissance de l'homme avec Dieu. [562]

I. The Search for the Light

(α) *The Philosophers*

240 Lettre pour porter à rechercher Dieu. Et puis le faire chercher chez les philosophes, pyrrhoniens et dogmatistes, qui travaillent celui qui les recherchent. [184]

241 Contre le pyrrhonisme.

[...C'est donc une chose étrange qu'on ne peut définir ces choses sans les obscurcir; nous en parlons à toute heure.] Nous supposons que tous les conçoivent de même sorte; mais nous le supposons bien gratuitement, car nous n'en avons aucune preuve. Je vois bien qu'on applique ces mots dans les mêmes occasions, et que toutes les fois que deux hommes voient un corps changer de place, ils expriment tous deux la vue de ce même objet par le même mot, en disant, l'un et l'autre, qu'il s'est mû; et de cette conformité d'application on tire une puissante conjecture d'une conformité d'idées; mais cela n'est pas absolument convaincant de la dernière conviction, quoiqu'il y ait bien à parier pour l'affirmative, puisqu'on sait qu'on tire souvent les mêmes conséquences de suppositions différentes.

Cela suffit pour embrouiller au moins la matière, non que cela éteigne absolument la clarté naturelle qui nous assure de ces choses; les académiciens auraient gagé;[1] mais cela la ternit, et trouble les dogmatistes, à la gloire de la cabale pyrrhonienne, qui consiste à cette ambiguïté ambiguë, et dans une certaine obscurité douteuse, dont nos doutes ne peuvent ôter toute la clarté, ni nos lumières naturelles en chasser toutes les ténèbres. [392]

42 La nature de l'homme se considère en deux manières: l'une selon sa fin, et alors il est grand et incomparable; l'autre selon la multitude, comme on juge de la nature du cheval et du chien, par la multitude,[2] d'y voir la course, *et animum arcendi*;[3] et alors l'homme est abject et vil. Et voilà les deux voies qui en font juger diversement, et qui font tant disputer les philosophes.

Car l'un nie la supposition de l'autre; l'un dit: "Il n'est pas né à cette fin, car toutes ses actions y répugnent"; l'autre dit: "Il s'éloigne de sa fin quand il fait ces basses actions." [415]

43 Concupiscence de la chair, concupiscence des yeux, orgueil, etc.

Il y a trois ordres de choses; la chair, l'esprit, la volonté. Les charnels sont les riches, les rois: ils ont pour objet le corps. Les curieux et savants: ils ont pour objet l'esprit. Les sages: ils ont pour objet la justice.

Dieu doit régner sur tous, et tout se rapporter à lui. Dans les choses de la chair, règne proprement la concupiscence; dans les spirituelles, la curiosité proprement; dans la sagesse, l'orgueil proprement. Ce n'est pas qu'on ne puisse être glorieux pour les biens ou pour les connaissances, mais ce n'est pas le lieu de

1 I.e. would have taken the risk.
2 I.e. judging from the majority of cases.
3 *Animum arcendi* = instinct of keeping ward.

l'orgueil; car, en accordant à un homme qu'il est savant, on ne laissera pas de le convaincre qu'il a tort d'être superbe. Le lieu propre à la superbe est la sagesse: car on ne peut accorder à un homme qu'il s'est rendu sage, et qu'il a tort d'être glorieux; car cela est de justice. Aussi Dieu seul donne la sagesse; et c'est pourquoi: *Qui gloriatur, in Domino glorietur.*[1] [460]

244 Les trois concupiscences ont fait trois sectes, et les philosophes n'ont fait autre chose que suivre une des trois concupiscences. [461]

245 Recherche du vrai bien.

Le commun des hommes met le bien dans la fortune et dans les biens du dehors, ou au moins dans le divertissement. Les philosophes ont montré la vanité de tout cela, et l'ont mis où ils ont pu. [462]

246 Les principales forces des pyrrhoniens, je laisse les moindres, sont: Que nous n'avons aucune certitude de la vérité de ces principes, hors la foi et la révélation, sinon en [*ce*] que nous les sentons naturellement en nous. Or ce sentiment naturel n'est pas une preuve convaincante de leur vérité, puisque n'y ayant point de certitude, hors la foi, si l'homme est créé par un Dieu bon, par un démon méchant, ou à l'aventure, il est en doute si ces principes nous sont donnés ou véritables, ou faux, ou incertains, selon notre origine. De plus, que personne n'a d'assurance, hors de la foi, s'il veille ou s'il dort, vu que durant le sommeil on croit veiller aussi fermement que nous faisons. On croit voir les espaces, les figures, les mouvements; on sent couler le temps, on le mesure; et enfin on agit de même qu'éveillé. De sorte que, la moitié de la vie se passant en sommeil, par notre propre aveu, ou, quoi qu'il nous en paraisse, nous n'avons aucune idée du vrai, tous nos sentiments étant alors des illusions, qui sait si cette autre moitié de la vie où nous pensons veiller n'est pas un autre sommeil un peu différent du premier dont nous nous éveillons quand nous pensons dormir?

Voilà les principales forces de part et d'autre.

Je laisse les moindres, comme les discours que font les pyr-

1 I Cor. i, 31.

rhoniens contre les impressions de la coutume, de l'éducation, des mœurs, du pays, et les autres choses semblables, qui, quoiqu'elles entraînent la plus grande partie des hommes communs, qui ne dogmatisent que sur ces vains fondements, sont renversées par le moindre souffle des pyrrhoniens. On n'a qu'à voir leurs livres, si l'on n'en est pas assez persuadé; on le deviendra bien vite, et peut-être trop.

Je m'arrête à l'unique fort des dogmatistes, qui est qu'en parlant de bonne foi et sincèrement, on ne peut douter des principes naturels. Contre quoi les pyrrhoniens opposent en un mot l'incertitude de notre origine, qui enferme celle de notre nature; à quoi les dogmatistes sont encore à répondre depuis que le monde dure.

Voilà la guerre ouverte entre les hommes, où il faut que chacun prenne parti, et se range nécessairement ou au dogmatisme, ou au pyrrhonisme. Car qui pensera demeurer neutre sera pyrrhonien par excellence; cette neutralité est l'essence de la cabale: qui n'est pas contre eux est excellemment pour eux; en quoi paraît leur avantage. Ils ne sont pas pour eux-mêmes; ils sont neutres, indifférents, suspendus à tout, sans s'excepter.

Que fera donc l'homme en cet état? Doutera-t-il de tout? doutera-t-il s'il veille, si on le pince, si on le brûle? doutera-t-il s'il doute? doutera-t-il s'il est? On n'en peut venir là; et je mets en fait qu'il n'y a jamais eu de pyrrhonien effectif parfait. La nature soutient la raison impuissante, et l'empêche d'extravaguer jusqu'à ce point.

Dira-t-il donc, au contraire, qu'il possède certainement la vérité, lui qui, si peu qu'on le presse, ne peut en montrer aucun titre, et est forcé de lâcher prise?

Quelle chimère est-ce donc que l'homme! Quelle nouveauté, quel monstre, quel chaos, quel sujet de contradiction, quel prodige! Juge de toutes choses, imbécile ver de terre; dépositaire du vrai, cloaque d'incertitude et d'erreur; gloire et rebut de l'univers.

Qui démêlera cet embrouillement? On ne peut être pyrrhonien sans étouffer la nature; on ne peut être dogmatiste sans renoncer à la raison. La nature confond les pyrrhoniens, et la raison confond les dogmatiques. Que deviendrez-vous donc, ô hommes qu cherchez quelle est votre véritable condition par votre raison naturelle? Vous ne pouvez fuir une de ces sectes, ni subsister dans aucune.

Connaissez donc, superbe, quel paradoxe vous êtes à vous-même! Humiliez-vous, raison impuissante! Taisez-vous, nature imbécile! Apprenez que l'homme passe infiniment l'homme, et entendez de votre Maître votre condition véritable que vous ignorez! Écoutez Dieu!

Car enfin, si l'homme n'avait jamais été corrompu, il jouirait dans son innocence et de la vérité et de la félicité avec assurance; et si l'homme n'avait jamais été que corrompu, il n'aurait aucune idée ni de la vérité ni de la béatitude. Mais, malheureux que nous sommes, et plus que s'il n'y avait point de grandeur dans notre condition, nous avons une idée du bonheur, et ne pouvons y arriver; nous sentons une image de la vérité, et ne possédons que le mensonge; incapables d'ignorer absolument et de savoir certainement, tant il est manifeste que nous avons été dans un degré de perfection dont nous sommes malheureusement déchus.

Chose étonnante, cependant, que le mystère le plus éloigné de notre connaissance, qui est celui de la transmission du péché, soit une chose sans laquelle nous ne pouvons avoir aucune connaissance de nous-mêmes! Car il est sans doute qu'il n'y a rien qui choque plus notre raison que de dire que le péché du premier homme ait rendu coupables ceux qui, étant si éloignés de cette source, semblent incapables d'y participer. Cet écoulement ne nous paraît pas seulement impossible, il nous semble même très injuste; car qu'y a-t-il de plus contraire aux règles de notre misérable justice que de damner éternellement un enfant incapable de volonté, pour un péché où il paraît avoir si peu de part, qu'il est commis six mille ans avant qu'il fût en être? Certainement rien ne nous heurte plus rudement que cette doctrine. Et cependant sans ce mystère, le plus incompréhensible de tous, nous sommes incompréhensibles à nous-mêmes. Le nœud de notre condition prend ses replis et ses tours dans cet abîme; de sorte que l'homme est plus inconcevable sans ce mystère que ce mystère n'est inconcevable à l'homme.

[D'où il paraît que Dieu, voulant nous rendre la difficulté de notre être inintelligible à nous-mêmes, en a caché le nœud si haut, ou, pour mieux dire, si bas, que nous étions bien incapables d'y arriver; de sorte que ce n'est pas par les superbes agitations de notre raison, mais par la simple soumission de la raison, que nous pouvons véritablement nous connaître.

Ces fondements, solidement établis sur l'autorité inviolable de la religion, nous font connaître qu'il y a deux vérités de foi également constantes: l'une, que l'homme dans l'état de la création ou dans celui de la grâce est élevé au-dessus de toute la nature, rendu comme semblable à Dieu, et participant de sa divinité; l'autre qu'en l'état de la corruption et de péché, il est déchu de cet état et rendu semblable aux bêtes.

Ces deux propositions sont également fermes et certaines. L'Écriture nous le déclaire manifestement, lorsqu'elle dit en quelques lieux: *Deliciæ meæ esse cum filiis hominum.*[1] *Effundam spiritum meum super omnem carnem.*[2] *Dii estis,*[3] etc., et qu'elle dit en d'autres: *Omnis caro fœnum.*[4] *Homo assimilatus est jumentis insipientibus, et similis factus est illis.*[5] *Dixi in corde meo de filiis hominum....* Eccl. 3.

Par où il paraît clairement que l'homme par la grâce est rendu comme semblable à Dieu et participant de sa divinité, et que sans la grâce il est censé semblable aux bêtes brutes.] [434]

47 Le pyrrhonisme est le vrai.

Car, après tout, les hommes, avant Jésus-Christ, ne savaient où ils en étaient, ni s'ils étaient grands ou petits. Et ceux qui ont dit l'un ou l'autre n'en savaient rien, et devinaient sans raison et par hasard; et même ils erraient toujours, en excluant l'un ou l'autre. *Quod ergo ignorantes quaeritis religio annunciat vobis.*[6] [432]

48 Cette secte se fortifie par ses ennemis plus que par ses amis; car la faiblesse de l'homme paraît bien d'avantage en ceux qui ne la connaissent pas qu'en ceux qui la connaissent. [376]

49 Nul autre n'a connu que l'homme est la plus excellente créature.

1 Prov. viii, 31.
2 Is. xliv, 3; Joel ii, 28.
3 Ps. cxxxi, 6.
4 Is. xl, 6.
5 Ps. xlviii, 13, 21.
6 Acts xvii, 25.

Les uns, qui ont bien connu la réalité de son excellence, ont pris pour lâcheté et pour ingratitude les sentiments bas que les hommes ont naturellement d'eux-mêmes; et les autres, qui ont bien connu combien cette bassesse est effective, ont traité d'une superbe ridicule ces sentiments de grandeur, qui sont aussi naturels à l'homme.

"Levez vos yeux vers Dieu, disent les uns; voyez celui auquel vous ressemblez, et qui vous a fait pour l'adorer. Vous pouvez vous rendre semblable à lui; la sagesse vous y égalera, si vous voulez le suivre." "Haussez la tête, hommes libres", dit Épictète. Et les autres lui disent: "Baissez vos yeux vers la terre, chétif ver que vous êtes, et regardez les bêtes dont vous êtes le compagnon."

Que deviendra donc l'homme? Sera-t-il égal à Dieu ou aux bêtes? Quelle effroyable distance! Que serons-nous donc? Qui ne voit par tout cela que l'homme est égaré, qu'il est tombé de sa place, qu'il la cherche avec inquiétude, qu'il ne la peut plus retrouver? Et qui l'y adressera donc? Les plus grands hommes ne l'ont pu. [431]

250 Ce que les Stoïques proposent est si difficile et si vain! Les Stoïques posent: "Tous ceux qui ne sont point au haut degré de sagesse sont également fous et vicieux, comme ceux qui sont à deux doigts dans l'eau." [360]

251 Le souverain bien. Dispute du souverain bien. *Ut sis contentus temetipso et ex te nascentibus bonis.*[1] Il y a contradiction, car ils conseillent enfin de se tuer. Oh! quelle vie heureuse, dont on se délivre comme de la peste. [361]

252 Stoïques.

Ils concluent qu'on peut toujours ce qu'on peut quelquefois, et que, puisque le désir de la gloire fait bien faire à ceux qu'il possède quelque chose, les autres le pourront bien aussi. Ce sont les mouvements fiévreux, que la santé ne peut imiter.

Épictète conclut de ce qu'il y a des chrétiens constants, que chacun le peut bien être. [350]

1 Seneca, *Epist.* xx, 8.

3 Ces grands efforts d'esprit, où l'âme touche quelquefois, sont choses où elle ne se tient pas; elle y saute seulement non comme sur le trône, pour toujours, mais pour un instant seulement. [351]

4 Ce que peut la vertu d'un homme ne se doit mesurer par ses efforts, mais par son ordinaire. [352]

5 Je n'admire point l'excès d'une vertu, comme de la valeur, si je ne vois en même temps l'excès de la vertu opposée, comme en Épaminondas, qui avait l'extrême valeur et l'extrême bénignité. Car autrement ce n'est pas monter, c'est tomber. On ne montre pas sa grandeur pour être à une extrémité, mais bien en touchant les deux à la fois, et remplissant tout l'entre-deux. Mais peut-être que ce n'est qu'un soudain mouvement de l'âme de l'un à l'autre de ces extrêmes, et qu'elle n'est jamais en effet qu'en un point, comme le tison de feu. Soit, mais au moins cela marque l'agilité de l'âme, si cela n'en marque l'étendue. [353]

6 On ne s'imagine Platon et Aristote qu'avec de grandes robes de pédants. C'étaient des gens honnêtes et, comme les autres, riant avec leurs amis; et, quand ils se sont divertis à faire leurs *Lois* et leur *Politique*, ils l'ont fait en se jouant; c'était la partie la moins philosophe et la moins sérieuse de leur vie; la plus philosophe était de vivre simplement et tranquillement. S'ils ont écrit de politique, c'était comme pour régler un hôpital de fous; et s'ils ont fait semblant d'en parler comme d'une grande chose, c'est qu'ils savaient que les fous à qui ils parlaient pensaient être rois et empereurs. Ils entraient dans leurs principes pour modérer leur folie au moins mal qu'il se pouvait. [331]

7 La nature de l'homme n'est pas d'aller toujours, elle a ses allées et venues.

La fièvre a ses frissons et ses ardeurs; et le froid montre aussi bien la grandeur de l'ardeur de la fièvre que le chaud même.

Les inventions des hommes de siècle en siècle vont de même. La bonté et la malice du monde en général en est de même: *Plerumque gratae principibus vices.*[1] [354]

1 Hor. *Odes*, III, xxix, 13.

258 Il y a des vices qui ne tiennent à nous que par d'autres, et qui, en ôtant le tronc, s'emportent comme des branches. [102]

259 La nature agit par progrès, *itus et reditus*. Elle passe et revient, puis va plus loin, puis deux fois moins, puis plus que jamais, etc. Le flux de la mer se fait ainsi, le soleil semble marcher ainsi:

[355]

260 Quand on veut poursuivre les vertus jusqu'aux extrêmes de part et d'autre, il se présente des vices qui s'y insinuent insensiblement dans leurs routes insensibles du côté du petit infini; et il s'en présente des vices en foule du côté du grand infini, de sorte qu'on se perd dans les vices et on ne voit plus les vertus. On se prend à la perfection même. [357]

261 Nous ne nous soutenons pas dans la vertu par notre propre force, mais par le contrepoids de deux vices opposés, comme nous demeurons debout entre deux vents contraires: ôtez un de ces vices, nous tombons dans l'autre. [359]

262 Immatérialité de l'âme.

Les philosophes qui ont dompté leurs passions, quelle matière l'a pu faire? [349]

263 Philosophes.

Nous sommes pleins de choses qui nous jettent au dehors. Notre instinct nous fait sentir qu'il faut chercher notre bonheur hors de nous. Nos passions nous poussent au dehors, quand même les objets ne s'offriraient pas pour les exciter. Les objets du dehors nous tentent d'eux-mêmes et nous appellent, quand même nous n'y pensons pas. Et ainsi les philosophes ont beau dire: "Retirez-vous en vous-mêmes, vous y trouverez votre bien"; on ne les croit pas, et ceux qui les croient sont les plus vides et les plus sots. [464]

264 Les Stoïques disent: "Rentrez au dedans de vous-mêmes; c'est là où vous trouverez votre repos": et cela n'est pas vrai.

Les autres disent: "Sortez en dehors: recherchez le bonheur en vous divertissant." Et cela n'est pas vrai. Les maladies viennent.

Le bonheur n'est ni hors de nous, ni dans nous; il est en Dieu, et hors et dans nous. [465]

5 Quand Épictète aurait vu parfaitement bien le chemin, il dit aux hommes: "Vous en suivez un faux"; il montre que c'en est un autre, mais il n'y mène pas. C'est celui de vouloir ce que Dieu veut; Jésus-Christ seul y mène: *Via, veritas.*

Les vices de Zénon même.[1] [466]

6 Raison des effets.

Épictète.[2] Ceux qui disent: "Vous avez mal à la tête", ce n'est pas de même. On est assuré de la santé et non pas de la justice; et en effet la sienne était une niaiserie.

Et cependent il la croyait démonstrative en disant: "Ou en notre puissance ou non." Mais il ne s'apercevait pas qu'il n'est pas en notre pouvoir de régler le cœur, et il avait tout de le conclure de ce qu'il y avait des chrétiens. [467]

7 Tous leurs principes sont vrais, des pyrrhoniens, des Stoïques, des athées, etc. Mais leurs conclusions sont fausses, parce que les principes opposés sont vrais aussi. [394]

8 Philosophes.

La belle chose de crier à un homme qui ne se connaît pas qu'il aille de lui-même à Dieu! Et la belle chose de le dire à un homme qui se connaît! [509]

9 Philosophes.

Ils croient que Dieu est seul digne d'être aimé et d'être admiré, et ont désiré d'être aimés et admirés des hommes; et ils ne connaissent pas leur corruption. S'ils se sentent pleins de sentiments pour l'aimer et l'adorer, et qu'ils y trouvent leur joie principale, qu'ils s'estiment bons, à la bonne heure! Mais s'ils s'y trouvent répugnants, s'[*ils*] n'[*ont*] aucune pente qu'à se vouloir établir dans l'estime des hommes, et que, pour toute perfection, ils fassent seulement que, sans forcer les hommes, ils leur fassent trouver leur bonheur à les aimer, je dirai que cette perfection est horrible. Quoi! ils ont connu Dieu, et n'ont pas désiré uniquement que les

1 The vices of Zeno the Stoic shew that he was a bad guide. This remark is only found in the Copies.

2 Epict. *Diss.* IV, 6.

hommes l'aimassent, [*et*] que les hommes s'arrêtassent à eux! Ils ont voulu être l'objet du bonheur volontaire des hommes. [462]

270 Les philosophes ne prescrivaient point des sentiments proportionnés aux deux états.

Ils inspiraient des mouvements de grandeur pure, et ce n'est pas l'état de l'homme.

Ils inspiraient des mouvements de bassesse pure, et ce n'est pas l'état de l'homme.

Il faut des mouvements de bassesse, non de nature, mais de pénitence; non pour y demeurer, mais pour aller à la grandeur. Il faut des mouvements de grandeur, non de mérite, mais de grâce, et après avoir passé par la bassesse. [525]

271 Fausseté des philosophes qui ne discutaient pas d'immortalité de l'âme. Fausseté de leur dilemme dans Montaigne.[1] [220]

272 Il est indubitable que, que l'âme soit mortelle ou immortelle, cela doit mettre une différence entière dans la morale. Et cependant les philosophes ont conduit leur morale indépendamment de cela: ils délibèrent de passer une heure. Platon, pour disposer au christianisme. [219]

273 Je ne puis pardonner à Descartes; il aurait bien voulu dans toute sa philosophie se pouvoir se passer de Dieu; mais il n'a pu s'empêcher de lui faire donner une chiquenaude pour mettre le monde en mouvement; après cela, il n'a plus que faire de Dieu. [77]

274 [Descartes. Il faut dire en gros: "Cela se fait par figure et mouvement", car cela est vrai. Mais de dire quels et composer la machine, cela est ridicule. Car cela est inutile, et incertain[2] et pénible. Et quand cela serait vrai, nous n'estimons pas que toute la philosophie vaille une heure de peine.] [79]

275 [Mais peut-être que ce sujet[3] passe la portée de la raison. Examinons donc ses inventions sur les choses de sa force. S'il y a quelque

1 Cf. "Ou l'âme est mortelle ou immortelle," etc. Mont. *Apologie*.
2 Descartes inutile et incertain. [78]
3 Viz. the Divine nature.

chose où son intérêt propre ait dû la faire appliquer de son plus sérieux, c'est à la recherche de son souverain bien. Voyons donc où ces âmes fortes et clairvoyantes l'ont placé, et si elles en sont d'accord.

L'un dit que le souverain bien est en la vertu, l'autre le met en la volupté; l'un en la science de la nature, l'autre en la vérité: *Felix qui potuit rerum cognoscere causas*; l'autre en l'ignorance totale, l'autre en l'indolence, d'autres à résister aux apparences, l'autre à n'admirer rien, *nihil mirari prope res una quæ possit facere et servare beatum*,[1] et les braves pyrrhoniens en leur ataraxie, doute et suspension perpétuelle; et d'autres, plus sages, qu'on ne la peut trouver, non pas même par souhait. Nous voilà bien payés!

Si faut-il voir, si cette belle philosophie n'a rien acquis de certain par un travail si long et si tendu, peut-être qu'au moins l'âme se connaîtra soi-même. Écoutons les régents du monde sur ce sujet. Qu'ont-ils pensé de sa substance? 394. Ont-ils été plus heureux à la loger? 395. Qu'ont-ils trouvé de son origine, de sa durée, et de son départ? 399.

(Transposer après les lois au titre suivant.)[2]

Est-ce donc que l'âme est encore un sujet trop noble pour ses faibles lumières? Abaissons-la donc à la matière; voyons si elle sait de quoi est fait le propre corps qu'elle anime et les autres qu'elle contemple et qu'elle remue à son gré. Qu'en ont-ils connu, ces grands dogmatistes qui n'ignorent rien? *Harum sententiarum*, 393.[3]

Cela suffirait sans doute si la raison était raisonnable. Elle l'est bien assez pour avouer qu'elle n'a pu encore trouver rien de ferme; mais elle ne désespère pas encore d'y arriver. Au contraire elle est aussi ardente que jamais dans cette recherche, et s'assure d'avoir en soi les forces nécessaires pour cette conquête. Il faut donc l'achever, et après avoir examiné ses puissances dans leurs effets, reconnaissons-les en elles-mêmes; voyons si elle a quelques forces et quelques prises capables de saisir la vérité.] [73]

1 *Felix* etc. Virg. *Georg.* 2, 490; *nihil mirari* etc. Hor. *Ep.* 1, 6, 1.
2 In margin.
3 *Harum sententiarum quae vera sit deus aliquis viderit*: Cic. *Tusc.* 1, 11. The arabic numerals in this fragment refer to pages of Montaigne, ed. of 1652.

276 Une lettre *de la folie de la science humaine et de la philosophie.* Cette lettre avant *le divertissement. Felix qui potuit...nihil admirari.* 280 sortes de souverain bien dans Montaigne. [74]

277 *(β) The religions of the World*

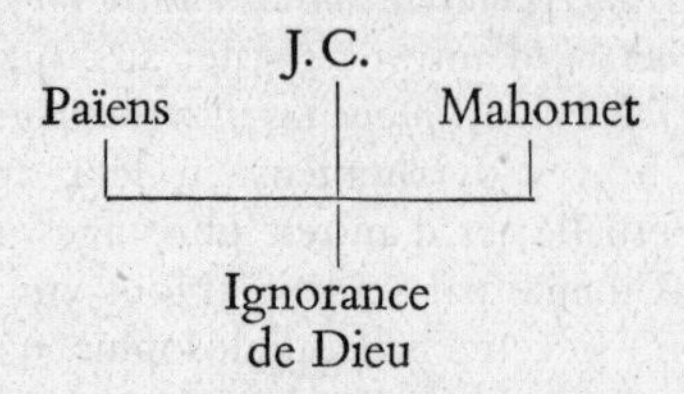

[591]

278 Sur ce que la religion chrétienne n'est pas unique.

Tant s'en faut que ce soit une raison qui fasse croire qu'elle n'est pas la véritable, qu'au contraire c'est ce qui fait voir qu'elle l'est. [589]

279 Fausseté des autres religions. Ils n'ont pas de témoins. Ceux-ci en ont. Dieu défie les autres religions de produire de telles marques: Isaïe xliii 7; xliv, 8. [592]

280 Pour les religions il faut être sincère: vrais païens, vrais juifs, vrais chrétiens. [590]

281 La foi est un don de Dieu; ne croyez pas que nous disions que c'est un don de raisonnement. Les autres religions ne disent pas cela de leur foi; elles ne donnaient que le raisonnement pour y arriver, qui n'y mène pas néanmoins. [279]

282 Bassesse de l'homme, jusques à se soumettre aux bêtes, jusques à les adorer. [429]

283 *Unus quisque sibi Deum fingit.*[1] Le dégoût. [258]

284 Histoire de la Chine.[2]

Je ne crois que les histoires dont les témoins se feraient égorger.

1 Wisdom xv, 8, 16.

2 I.e. *Sinicae historiae decas prima...* by P. Martini, S.J. (1658); only this first part appeared.

[Lequel est le plus croyable des deux, Moïse ou la Chine?]

Il n'est pas question de voir cela en gros. Je vous dis qu'il y a de quoi aveugler et de quoi éclairer.

Par ce mot seul, je ruine tous vos raisonnements. "Mais la Chine obscurcit", dites-vous; et je réponds: "La Chine obscurcit, mais il y a clarté à trouver; cherchez-la."

Ainsi tout ce que vous dites fait à un des desseins, et rien contre l'autre. Ainsi cela sert, et ne nuit pas.

Il faut donc voir cela en détail, il faut mettre papiers sur table. [593]

5 Contre l'histoire de la Chine.

Les historiens de Mexico, des cinque soleils,[1] dont le dernier est il n'y a que huit cents ans. Différence d'un livre reçu d'un peuple, ou qui forme un peuple. [594]

6 Mahomet, sans autorité.

Il faudrait donc que ses raisons fussent bien puissantes, n'ayant que leur propre force.

Que dit-il donc? Qu'il faut le croire. [595]

7 Les psaumes chantés par toute la terre.

Qui rend témoignage de Mahomet? Lui-même, Jésus-Christ veut que son témoignage ne soit rien.

La qualité de témoins fait qu'il faut qu'ils soient toujours et partout, et, misérable, il est seul. [596]

8 Contre Mahomet.

L'Alcoran n'est pas plus de Mahomet que l'Évangile de saint Matthieu, car il est cité de plusieurs auteurs de siècle en siècle; les ennemis mêmes, Celse et Porphyre, ne l'ont jamais désavoué.

L'Alcoran dit que saint Matthieu était homme de bien. Donc, il était faux prophète, ou en appelant gens de bien des méchants, ou en ne demeurant pas d'accord de ce qu'ils ont dit de Jésus-Christ. [597]

9 Ce n'est pas par ce qu'il y a d'obscur dans Mahomet, et qu'on peut faire passer pour un sens mystérieux, que je veux qu'on en juge,

1 Cf. Mont. *Essais*, III, 6.

mais par ce qu'il y a de clair, par son paradis, et par le reste; c'est en cela qu'il est ridicule. Et c'est pourquoi il n'est pas juste de prendre ses obscurités pour des mystères, vu que ses clartés sont ridicules.

Il n'en est pas de même de l'Écriture. Je veux qu'il y ait des obscurités qui soient aussi bizarres que celles de Mahomet; mais il y a des clartés admirables, et des prophéties manifestes accomplies. La partie n'est donc pas égale. Il ne faut pas confondre et égaler les choses qui ne se ressemblent que par l'obscurité et non pas par la clarté, qui mérite qu'on révère les obscurités. [598]

290 Différence entre Jésus-Christ et Mahomet.

Mahomet, non prédit; Jésus-Christ, prédit.

Mahomet, en tuant; Jésus-Christ, en faisant tuer les siens.

Mahomet, en défendant de lire; les apôtres, en ordonnant de lire.

Enfin, cela est si contraire, que, si Mahomet a pris la voie de réussir humainement, Jésus-Christ a pris celle de périr humainement; et qu'au lieu de conclure que, puisque Mahomet a réussi, Jésus-Christ a bien pu réussir, il faut dire que, puisque Mahomet a réussi, Jésus-Christ devait périr. [599]

291 Tout homme peut faire ce qu'a fait Mahomet; car il n'a point fait de miracles, il n'a point été prédit; nul ne peut faire ce qu'a fait Jésus-Christ. [600]

292 La religion païenne est sans fondement [aujourd'hui. On dit qu'autrefois elle en a eu par les oracles qui ont parlé. Mais quels sont les livres qui nous en assurent? Sont-ils si dignes de foi par la vertu de leurs auteurs? Sont-ils conservés avec tant de soin qu'on puisse s'assurer qu'ils ne sont point corrompus?]

La religion mahométane a pour fondement l'Alcoran et Mahomet. Mais ce prophète, qui devait être la dernière attente du monde, a-t-il été prédit? Quelle marque a-t-il que n'ait aussi tout homme qui se voudra dire prophète? Quels miracles dit-il lui-même avoir faits? Quels mystères a-t-il enseignés, selon sa tradition même? Quelle morale et quelle félicité?

La religion juive doit être regardée différemment dans la tradition des Livres Saints et dans la tradition du peuple. La morale et la félicité en est ridicule dans la tradition du peuple; mais elle est admirable dans celle [*des Livres*] Saints (et toute religion est de même; car la chrétienne est bien différente dans les Livres Saints et dans les casuistes). Le fondement en est admirable, c'est le plus ancien livre du monde et le plus authentique; et, au lieu que Mahomet, pour faire subsister le sien, a défendu de le lire, Moïse, pour faire subsister le sien, a ordonné à tout le monde de le lire.

Notre religion est si divine, qu'une autre religion divine n'en a que le fondement. [601]

Nulle religion que la nôtre n'a enseigné que l'homme naît en péché, nulle secte de philosophes ne l'a dit: nulle n'a donc dit vrai.

Nulle secte ni religion n'a toujours été sur la terre que la religion chrétienne. [606]

Despair. Death would be better than the degradation of paganism

Voilà ce que je vois[1] et ce qui me trouble. Je regarde de toutes parts, et je ne vois partout qu'obscurité. La nature ne m'offre rien qui ne soit matière de doute et d'inquiétude. Si je n'y voyais rien qui marquât une Divinité, je me déterminerais à la négative; si je voyais partout les marques d'un Créateur, je reposerais en paix dans la foi. Mais, voyant trop pour nier et trop peu pour m'assurer, je suis dans un état à plaindre, et où j'ai souhaité cent fois que, si un Dieu la soutient, elle le marquât sans équivoque; et que, si les marques qu'elle en donne sont trompeuses, elle les supprimât tout à fait; qu'elle dit tout ou rien, afin que je visse quel parti je dois suivre. Au lieu qu'en l'état où je suis, ignorant ce que je suis et ce que je dois faire, je ne connais ni ma condition, ni mon devoir. Mon cœur tend tout entier à connaître où est le vrai bien, pour le suivre; rien ne me serait trop cher pour l'éternité.

1 The free-thinker speaks.

Je porte envie à ceux que je vois dans la foi vivre avec tant de négligence, et qui usent si mal d'un don duquel il me semble que je ferais un usage si différent. [229]

295 Conversation.

Grands mots à la religion: je la nie.[1]

Conversation.

Le pyrrhonisme sert à la religion. [391]

296 Ordre par dialogues.

"Que dois-je faire? Je ne vois partout qu'obscurité. Croirai-je que je ne suis rien? Croirai-je que je suis Dieu?"

Toutes choses changent et se succèdent: "Vous vous trompez, il y a...." [227]

297 Je sens que je puis n'avoir point été, car le moi consiste dans ma pensée; donc moi qui pense n'aurais point été si ma mère eût été tuée avant que j'eusse été animé; donc je ne suis pas un être nécessaire. Je ne suis pas aussi éternel ni infini; mais je vois bien qu'il y a dans la nature un être nécessaire, éternel et infini. [469]

298 Entre nous et l'enfer ou le ciel il n'y a que la vie entre deux, qui est la chose du monde la plus fragile. [213]

The free-thinker speaks

299 En voyant l'aveuglement et la misère de l'homme, en regardant tout l'univers muet, et l'homme sans lumière, abandonné à lui-même, et comme égaré dans ce recoin de l'univers, sans savoir qui l'y a mis, ce qu'il y est venu faire, ce qu'il deviendra en mourant, incapable de toute connaissance, j'entre en effroi comme un homme qu'on aurait porté endormi dans une île déserte et effroyable, et qui s'éveillerait sans connaître où il est, et sans moyen d'en sortir. Et sur cela j'admire comment on n'entre point en désespoir d'un si misérable état. Je vois d'autres personnes auprès de moi, d'une semblable nature: je leur demande s'ils sont mieux instruits que moi, ils me disent que non; et sur cela, ces

1 Reading restored by T. "grands mots à" = "boastful words against".

misérables égarés, ayant regardé autour d'eux, et ayant vu quelques objets plaisants, s'y sont donnés et s'y sont attachés. Pour moi, je n'ai pu y prendre d'attache, et, considérant combien il y a plus d'apparence qu'il y a autre chose que ce que je vois, j'ai recherché si ce Dieu n'aurait point laissé quelque marque de soi.

Je vois plusieurs religions contraires, et partant toutes fausses, excepté une. Chacune veut être crue par sa propre autorité et menace les incrédules. Je ne les crois donc pas là-dessus. Chacun peut dire cela, chacun peut se dire prophète. Mais je vois la chrétienne où se trouvent des prophéties, et c'est ce que chacun ne peut pas faire. [693]

…0 Quand je considère le petite durée de ma vie, absorbée dans l'éternité précédant et suivant, le petit espace que je remplis et même que je vois, abîmé dans l'infinie immensité des espaces que j'ignore et qui m'ignorent, je m'effraie et m'étonne de me voir ici plutôt que là, car il n'y a point de raison pourquoi ici plutôt que là, pourquoi à présent plutôt que lors. Qui m'y a mis? Par l'ordre et la conduite de qui ce lieu et ce temps a-t-il été destiné à moi? *Memoria hospitis unius diei praetereuntis.*[1] [205]

…1 Le silence éternel de ces espaces infinis m'effraie. [206]

…2 Pourquoi ma connaissance est-elle bornée? Ma taille? Ma durée à cent ans plutôt qu'à mille? Quelle raison a eue la nature de me la donner telle, et de choisir ce nombre plutôt qu'un autre dans l'infinité desquels il n'y a pas plus de raison de choisir l'un que l'autre, rien ne tentant plus que d'autre? [208]

…3 Nous sommes plaisants de nous reposer dans la société de nos semblables: misérables comme nous, impuissants comme nous, ils ne nous aideront pas; on mourra seul. Il faut donc faire comme si on était seul; et alors, bâtirait-on des maisons superbes etc.? On chercherait la vérité sans hésiter; et si on le refuse, on témoigne estimer plus l'estime des hommes que la recherche de la vérité. [211]

1 Wisdom v, 15.

304 Écoulement.

C'est une chose horrible de sentir s'écouler tout ce qu'on possède. [212]

305 Le dernier acte est sanglant, quelque belle que soit la comédie en tout le reste: on jette enfin de la terre sur la tête, et en voilà pour jamais. [210]

(γ) *Pascal bids him consider the Jews*

(i) *Their singularity*

306 Ordre.

Voir ce qu'il y a de clair dans tout l'état des Juifs et d'incontestable. [602]

307 Ceci est effectif. Pendant que tous les philosophes se séparaient en différentes sectes, il se trouve en un coin du monde des gens qui sont les plus anciens du monde, déclarant que tout le monde est dans l'erreur, que Dieu leur a révélé la vérité, qu'elle sera toujours sur la terre. En effet, toutes les autres sectes cessent, celle-là dure toujours, et depuis 4000 ans.

Ils déclarent qu'ils tiennent de leurs ancêtres que l'homme est déchu de la communication avec Dieu, dans un entier éloignement de Dieu, mais qu'il a promis de les racheter; que cette doctrine serait toujours sur la terre; que leur loi a double sens; que durant 1600 ans, ils ont eu des gens qu'ils ont crus prophètes, qui ont prédit le temps et la manière; que 400 ans après ils ont été épars partout, parce Jésus-Christ devait être annoncé partout; que Jésus-Christ est venu en la manière et au temps prédits; que depuis les Juifs sont épars partout, en malédiction et subsistant néanmoins. [618]

308 Je vois la religion chrétienne fondée sur une religion précédente, et voici ce que je trouve d'effectif.

Je ne parle point ici des miracles de Moïse, de Jésus-Christ et des apôtres, parce qu'ils ne paraissent pas d'abord convaincants, et que je ne veux que mettre ici en évidence tous les fondements de cette religion chrétienne qui sont indubitables, et qui ne peuvent être mis en doute par quelque personne que ce soit. Il est certain que nous voyons en plusieurs endroits du monde un peuple particulier, séparé de tous les autres peuples du monde, qui s'appelle le peuple juif.

Je vois donc des faiseurs[1] de religions en plusieurs endroits du monde et dans tous les temps, mais elles n'ont ni la morale qui peut me plaire, ni les preuves qui peuvent m'arrêter, et qu'ainsi j'aurais refusé également et la religion de Mahomet, et celle de la Chine, et celle des anciens Romains, et celle des Égyptiens, par cette seule raison que l'une n'ayant point plus [*de*] marques de vérité que l'autre, ni rien qui me déterminât nécessairement, la raison ne peut pencher plutôt vers l'une que vers l'autre.

Mais, en considérant ainsi cette inconstante et bizarre variété de mœurs et de créances dans les divers temps, je trouve en un coin du monde un peuple particulier, séparé de tous les autres peuples de la terre, le plus ancien de tous, et dont les histoires précèdent de plusieurs siècles les plus anciennes que nous ayons.

Je trouve donc ce peuple grand et nombreux, sorti d'un seul homme, qui adore un seul Dieu, et qui se conduit par une loi qu'ils disent tenir de sa main. Ils soutiennent qu'ils sont les seuls du monde auxquels Dieu a révélé ses mystères, que tous les hommes sont corrompus et dans la disgrâce de Dieu, qu'ils sont tous abandonnés à leur sens et à leur propre esprit, et que de là viennent les étranges égarements et les changements continuels qui arrivent entre eux, et de religions, et de coutumes; au lieu qu'ils demeurent inébranlables dans leur conduite, mais que Dieu ne laissera pas éternellement les autres peuples dans ces ténèbres, qu'il viendra un libérateur pour tous, qu'ils sont au monde pour l'annoncer aux hommes, qu'ils sont formés exprès pour être les avant-coureurs et les hérauts de ce grand avènement, et pour appeler tous les peuples à s'unir à eux dans l'attente de ce Libérateur.

La rencontre de ce peuple m'étonne et me semble digne de l'attention. Je considère cette loi qu'ils se vantent de tenir de Dieu, et je la trouve admirable. C'est la première loi de toutes, et de telle sorte qu'avant même que le mot de loi fût en usage parmi les

1 Editors read "foisons". T. suggests "faiseurs".

Grecs, il y avait près de mille ans qu'ils l'avaient reçue et observée sans interruption. Ainsi je trouve étrange que la première loi du monde se rencontre aussi la plus parfaite, en sorte que les plus grands législateurs en ont emprunté les leurs, comme il paraît par la loi des Douze Tables d'Athènes, qui fut ensuite prise par les Romains, et comme il serait aisé de le montrer, si Josèphe et d'autres n'avaient assez traité cette matière. [619]

309 Avantages du peuple juif.

Dans cette recherche, le peuple juif attire d'abord mon attention par quantité de choses admirables et singulières qui y paraissent.

Je vois d'abord que c'est un peuple tout composé de frères, et, au lieu que tous les autres sont formés de l'assemblage d'une infinité de familles, celui-ci, quoique si étrangement abondant, est tout sorti d'un seul homme, et, étant ainsi tous une même chair, et membres les uns des autres, [*ils*] composent un puissant état d'une seule famille. Cela est unique.

Cette famille, ou ce peuple, est la plus ancienne qui soit en la connaissance des hommes; ce qui me semble lui attirer une vénération particulière, et principalement dans la recherche que nous faisons, puisque, si Dieu s'est de tout temps communiqué aux hommes, c'est à ceux-ci qu'il faut recourir pour en savoir la tradition.

Ce peuple n'est pas seulement considérable par son antiquité; mais il est encore singulier en sa durée, qui a toujours continué depuis son origine jusqu'à maintenant. Car au lieu que les peuples de Grèce et d'Italie, de Lacédémone, d'Athènes, de Rome, et les autres qui sont venus si longtemps après, soient péris il y a si longtemps, ceux-ci subsistent toujours, et, malgré les entreprises de tant de puissants rois qui ont cent fois essayé de les faire périr, comme leurs historiens le témoignent, et comme il est aisé de le juger par l'ordre naturel des choses, pendant un si long espace d'années ils ont toujours été conservés néanmoins (et cette conservation a été prédite); et s'étendant depuis les premiers temps jusques aux derniers, leur histoire enferme dans sa durée celle de toutes nos histoires [qu'elle devance de bien longtemps].

La loi par laquelle ce peuple est gouverné est tout ensemble la plus ancienne loi du monde, la plus parfaite, et la seule qui ait toujours été gardée sans interruption dans un État. C'est ce que Josèphe montre admirablement contre Apion, et Philon juif, en divers lieux, où ils font voir qu'elle est si ancienne, que le nom même de loi n'a été connu des plus anciens que plus de mille ans après; en sorte qu'Homère, qui a écrit l'histoire de tant d'États, ne s'en est jamais servi. Et il est aisé de juger de sa perfection par la simple lecture, où l'on voit qu'on a pourvu à toutes choses avec tant de sagesse, tant d'équité, et tant de jugement, que les plus anciens législateurs grecs et romains, en ayant eu quelque lumière, en ont emprunté leurs principales lois; ce qui paraît par celle qu'ils appellent des Douze Tables, et par les autres preuves que Josèphe en donne.

Mais cette loi est en même temps la plus sévère et la plus rigoureuse de toutes, en ce qui regarde le culte de leur religion, obligeant ce peuple, pour le retenir dans son devoir, à mille observations particulières et pénibles, sur peine de la vie; de sorte que c'est une chose bien étonnante qu'elle se soit toujours conservée si constamment durant tant de siècles par un peuple rebelle et impatient comme celui-ci, pendant que tous les autres États ont changé de temps en temps leurs lois, quoique tout autrement faciles.

Le livre qui contient cette loi, la première de toutes, est lui-même le plus ancien livre du monde, ceux d'Homère, d'Hésiode et les autres, n'étant que six ou sept cents ans depuis. [620]

10 La création et le déluge étant passés, et Dieu ne devant plus détruire le monde, non plus que le recréer, ni donner de ces grandes marques de lui, il commença d'établir un peuple sur la terre, formé exprès, qui devait durer jusqu'au peuple que le Messie formerait par son esprit. [621]

11 Figures.

Dieu voulant se former un peuple saint, qu'il séparerait de toutes les autres nations, qu'il délivrerait de ses ennemis, qu'il mettrait dans un lieu de repos, a promis de le faire, et a prédit par ses prophètes le temps et la manière de sa venue. Et cependant, pour affermir l'espérance de ses élus, il leur en a fait voir l'image dans tous les temps, sans les laisser jamais sans des assurances de sa puissance et de sa volonté pour leur salut. Car, dans la création de l'homme, Adam en était le témoin, et le dépositaire de la promesse du Sauveur, qui devait naître de la femme, lorsque les hommes étaient encore si proches de la création, qu'ils ne pouvaient avoir oublié leur création et leur chute. Lorsque ceux qui avaient vu Adam n'ont plus été au monde, Dieu a envoyé Noé et l'a sauvé, et noyé toute la terre, par un miracle qui marquait assez le pouvoir qu'il avait de sauver le monde, et la volonté qu'il avait de le faire, et de faire naître de la semence de la femme Celui qu'il avait promis. Ce miracle suffisait pour affermir l'espérance des [*hommes*].

La mémoire du déluge étant si fraîche parmi les hommes, lorsque Noé vivait encore, Dieu fit ses promesses à Abraham, et lorsque Sem vivait encore, envoya Moïse, etc.... [644]

(ii) *Their sincerity and zeal*

312

La sincérité des Juifs.

Depuis qu'ils n'ont pas eu de prophètes, Machabées; depuis Jésus-Christ, Massor.[1]

Ce livre vous sera en témoignage.

Les lettres défectueuses et finales.[2]

Sincères contre leur honneur, et mourant pour cela; cela n'a point d'exemple dans le monde, ni de racine dans la nature. [630]

313

Sincérité des Juifs.

Ils portent avec amour et fidélité ce livre où Moïse déclare qu'ils ont été ingrats envers Dieu toute leur vie, qu'il sait qu'ils le seront encore plus après sa mort; mais qu'il appelle le ciel et la terre à témoin contre eux, et qu'il leur a [enseigné] assez.

Il déclare qu'enfin Dieu, s'irritant contre eux, les dispersera parmi tous les peuples de la terre; que, comme ils l'ont irrité en adorant les dieux qui n'étaient point leur Dieu, de même il les

1 "Massor" = Massorets, "possessors of tradition", i.e. of the way to write and read the sacred text.

2 *Vide infra*, p. 116 n. 4.

provoquera en appelant un peuple qui n'est point son peuple; et veut que toutes ses paroles soient conservées éternellement, et que son livre soit mis dans l'arche de l'alliance pour servir à jamais de témoin contre eux.

Isaïe dit la même chose, xxx, 8. [631]

14 Le zèle des Juifs pour leur loi et leur temple (*Josèphe*, et *Philon Juif ad Caïum*). Quel autre peuple a eu un tel zèle? Il fallait qu'ils l'eussent.

Jésus-Christ prédit quant au temps et à l'état du monde: le duc ôté de la cuisse[1] et la quatrième monarchie.[2] Qu'on est heureux d'avoir cette lumière dans cette obscurité.

Qu'il est beau de voir, par les yeux de la foi, Darius et Cyrus, Alexandre, les Romains, Pompée et Hérode agir, sans le savoir, pour la gloire de l'Évangile![3] [701]

15 Zèle du peuple juif pour sa loi, et principalement depuis qu'il n'y a plus eu de prophètes. [702]

16 Le diable a troublé le zèle des Juifs avant Jésus-Christ parce qu'il leur eût été salutaire, mais non pas après.

Le peuple juif, moqué des gentils; le peuple chrétien, persécuté. [704]

17 Tandis que les prophètes ont été pour maintenir la loi, le peuple a été négligent; mais depuis qu'il n'y a pas eu de prophètes, le zèle a succédé. [703]

(iii) *Their Book*

18 La création du monde commençant à s'eloigner, Dieu a pourvu d'un historien unique contemporain, et a commis tout un peuple pour la garde de ce livre, afin que cette histoire fût la plus authentique du monde et que tous les hommes pussent apprendre

1 *Non auferetur sceptrum de Juda, et dux de femore eius*: Gen. xlix, 10.
2 Dan. ii, 44.
3 Beau de voir, par les yeux de la foi, l'histoire d'Hérode, de César. [700]

par là une chose si nécessaire à savoir, et qu'on ne pût la savoir que par là. [622]

319 C'est visiblement un peuple fait exprès pour servir de témoin au Messie (Is. xliii, 9; xliv, 8). Il porte les livres et les aime, et ne les entend pas. Et tout cela est prédit: que les jugements de Dieu leur sont confiés, mais comme un livre scellé.[1] [641]

320 Pourquoi Moïse va-t-il faire la vie des hommes si longue, et si peu de générations?

Parce que ce n'est pas la longueur des années, mais la multitude des générations qui rendent les choses obscures. Car la vérité ne s'altère que par le changement des hommes. Et cependant il met deux choses, les plus mémorables qui se soient jamais imaginées, savoir la création et le déluge, si proches qu'on y touche. [624]

321 Sem, qui a vu Lamech, qui a vu Adam, a vu aussi Jacob, qui a vu ceux qui ont vu Moïse; donc le déluge et la création sont vrais. Cela conclut entre de certaines gens qui l'entendent bien. [625]

322 La longueur de la vie des patriarches, au lieu de faire que les histoires des choses passées se perdissent, servait au contraire à les conserver. Car ce qui fait que l'on n'est pas quelquefois assez instruit dans l'histoire de ses ancêtres, est que l'on n'a jamais guère vécu avec eux, et qu'ils sont morts souvent devant que l'on eût atteint l'âge de raison. Or, lorsque les hommes vivaient si longtemps, les enfants vivaient longtemps avec leurs pères. Ils les entretenaient longtemps. Or, de quoi les eussent-ils entretenus, sinon de l'histoire de leurs ancêtres, puisque toute l'histoire était réduite à celle-là, qu'ils n'avaient point d'études, ni de sciences, ni d'arts, qui occupent une grande partie des discours de la vie? Aussi l'on voit qu'en ce temps les peuples avaient un soin particulier de conserver leurs généalogies. [626]

323 Antiquité des Juifs.

Qu'il y a de différence d'un livre à un autre! Je ne m'étonne pas de ce que les Grecs ont fait l'*Iliade*, ni les Égyptiens et les Chinois leurs histoires.

1 Is. xxix, 11.

Il ne faut que voir comment cela est né. Ces historiens fabuleux ne sont pas contemporains des choses dont ils écrivent. Homère fait un roman, qu'il donne pour tel et qui est reçu pour tel; car personne ne doutait que Troie et Agamemnon n'avaient non plus été que la pomme d'or. Il ne pensait pas aussi à en faire une histoire, mais seulement un divertissement; il est le seul qui écrit de son temps; la beauté de l'ouvrage fait durer la chose: tout le monde l'apprend et en parle: il la faut savoir, chacun la sait par cœur. Quatre cents ans après les témoins des choses ne sont plus vivants; personne ne sait plus par sa connaissance si c'est une fable ou une histoire: on l'a seulement appris de ses ancêtres, cela peut passer pour vrai.

Toute histoire qui n'est pas contemporaine, ainsi les livres des sibylles et de Trismégiste,[1] et tant d'autres qui ont eu crédit au monde, sont faux et se trouvent faux à la suite des temps. Il n'en est pas ainsi des auteurs contemporains.

Il y a bien de la différence entre un livre que fait un particulier et qu'il jette dans le peuple, et un livre que fait lui-même un peuple. On ne peut douter que le livre en soit aussi ancien que le peuple. [628]

24 Si la fable d'Esdras[2] est croyable, donc il faut croire que l'Écriture

1 "Hermes Trismegistus" = Thoth, hence the Hermetic books, the canon of the Egyptians.

2 Sur Esdras.

Fable: Les livres ont été brûlés avec le temple. Faux par les Machabées: "Jérémie leur donna la loi."

Fable: qu'il récita tout par cœur. Josèphe et Esdras marquent *qu'il lut le livre*. Baron. *Ann.* p. 180: *Nullus penitus Hebræorum antiquorum reperitur qui tradiderit libros periisse et per Esdram esse restitutos, nisi in IV Esdræ.*

Fable: qu'il changea les lettres.

Philo, *in Vita Moysis*: *Illa lingua ac character quo antiquitus scripta est lex sic permansit usque ad* LXX.

Josèphe dit que la loi était en hébreu quand elle fut traduite par les Septante.

Sous Antiochus et Vespasien, où l'on a voulu abolir les livres, et où il n'y avait pas de prophète, on ne l'a pu faire; et sous les Babyloniens, où nulle persécution n'a été faite, et où il y avait tant de prophètes, l'auraient-ils laissé brûler?

Josèphe se moque des Grecs qui ne souffriraient....

Tertull: *Perinde potuit abolefactam eam violentia cataclysmi in spiritu rursus* est une Écriture sainte; car cette fable n'est fondée que sur l'autorité de ceux qui disent celle des Septante, qui montre que l'Écriture est sainte.

Donc, si ce conte est vrai, nous avons notre compte par là; sinon, nous l'avons d'ailleurs. Et ainsi ceux qui voudraient ruiner la vérité de notre religion, fondée sur Moïse, l'établissent par la même autorité par où ils l'attaquent. Ainsi, par cette providence, elle subsiste toujours. [634]

325 Contre la fable d'Esdras, II Mach. ii.

Josèphe, *Ant.* ii, 1. Cyrus prit sujet de la prophétie d'Isaïe de relâcher le peuple. Les Juifs avaient des possessions paisibles sous Cyrus en Babylone, donc ils pouvaient bien avoir la loi.

Josèphe, en tout l'histoire d'Esdras, ne dit pas un mot de ce rétablissement. IV Rois, xvii, 27. [633]

326 Canoniques.

Les hérétiques, au commencement de l'Église, servent à prouver les canoniques.[1] [569]

reformare, quemadmodum et Hierosolymis Babylonia expugnatione deletis, omne instrumentum judaicæ litteraturæ per Esdram constat restauratum.

Il dit que Noé a pu aussi bien rétablir en esprit le livre d'Énoch, perdu par le déluge, qu'Esdras a pu rétablir les Écritures perdues durant la captivité. (Θεὸς) *ἐν τῇ ἐπὶ* Ναβουχοδονοσὸρ *αἰχμαλωσίᾳ τοῦ λαοῦ, διαφθαρεισῶν τῶν γραφῶν...ἐνέπνευσε* Ἐσδρᾷ *τῷ ἱερεῖ ἐκ τῆς φυλῆς* Λευὶ *τοὺς τῶν προγεγονότων προφητῶν πάντας ἀνατάξασθαι λόγους, καὶ ἀποκαταστῆσαι τῷ λαῷ τὴν διὰ* Μωυσέως *νομοθεσίαν.* Il allègue cela pour prouver qu'il n'est pas incroyable que les Septante aient expliqué les Écritures saintes avec cette uniformité que l'on admire en eux. Et il a pris cela dans saint Irénée.

Saint Hilaire, dans la préface sur les Psaumes, dit qu'Esdras mit les Psaumes en ordre.

L'origine de cette tradition vient du XIVe chapitre du IVe livre d'*Esdras*: *Deus glorificatus est, et Scripturæ veræ divinæ creditæ sunt, omnibus eamdem et eisdem verbis et eisdem nominibus recitantibus ab initio usque ad finem, uti et præsentes gentes cognoscerent quoniam per inspirationem Dei interpretatæ sunt Scripturæ, et non esset mirabile Deum hoc in eis operatum: quando in ea captivitate populi quæ facta est a Nabuchodonosor, corruptis Scripturis et post 70 annos Judæis descendentibus in regionem suam, et post deinde temporibus Artaxercis Persarum regis, inspiravit Esdræ sacerdoti tribus Levi præteritorum prophetarum omnes rememorare sermones, et restituere populo eam legem quæ data est per Moysen.* [632]

1 I.e. the authenticity of the Books is proved by the heretics' use of them.

The free-thinker interrupts, shocked by the difference between what was and what is, the ideal and the real

Miton voit bien que la nature est corrompue, et que les hommes sont contraires à l'honnêteté; mais il ne sait pas pourquoi ils ne peuvent voler plus haut. [448]

Si l'homme n'est fait pour Dieu, pourquoi n'est-il heureux qu'en Dieu? Si l'homme est fait pour Dieu, pourquoi est-il si contraire à Dieu? [438]

Le christianisme est étrange. Il ordonne à l'homme de reconnaître qu'il est vil, et même abominable, et lui ordonne de vouloir être semblable à Dieu. Sans un tel contrepoids cette élévation le rendrait horriblement vain, ou cet abaissement le rendrait horriblement abject. [537]

Reply to objections: loss of the likeness through the Fall. God hides Himself.

Toutes les objections des uns et des autres ne vont que contre eux-mêmes, et point contre la religion. Tout ce que disent les impies.... [201]

L'homme ne sait à quel rang se mettre. Il est visiblement égaré, et tombé de son vrai lieu sans le pouvoir retrouver. Il le cherche partout avec inquiétude et sans succès dans des ténèbres impénétrables. [427]

La vraie nature étant perdue, tout devient sa nature, comme le véritable bien étant perdu, tout devient son véritable bien. [426]

La vraie nature de l'homme, son vrai bien, et la vraie vertu, et la vraie religion, sont choses dont la connaissance est inséparable. [442]

Pour moi, j'avoue qu'aussitôt que la religion chrétienne découvre ce principe, que la nature des hommes est corrompue et déchue de Dieu, cela ouvre les yeux à voir partout le caractère de cette vérité; car la nature est telle qu'elle marque partout un Dieu perdu et dans l'homme et hors de l'homme, et une nature corrompue. [441]

335 La dignité de l'homme consistait, dans son innocence, à user et dominer sur les créatures, mais aujourd'hui à s'en séparer et s'y assujettir. [486]

336 L'homme n'est pas digne de Dieu, mais il n'est pas incapable d'en être rendu digne.

Il est indigne de Dieu de se joindre à l'homme misérable; mais il n'est pas indigne de Dieu de le tirer de sa misère. [510]

337 Si l'on veut dire que l'homme est trop peu pour mériter la communication avec Dieu, il faut être bien grand pour en juger. [511]

338 Il est donc vrai que tout instruit l'homme de sa condition, mais il le faut bien entendre: car il n'est pas vrai que tout découvre Dieu, et il n'est pas vrai que tout cache Dieu. Mais il est vrai tout ensemble qu'il se cache à ceux qui le tentent, et qu'il se découvre à ceux qui le cherchent, parce que les hommes sont tout ensemble indignes de Dieu et capables de Dieu; indigner par leur corruption, capables par leur première nature. [557]

339 Ordre.

Après la corruption, dire: "Il est juste que tous ceux qui sont en cet état le connaissent; et ceux qui s'y plaisent et ceux qui s'y déplaisent; mais il n'est pas juste que tous voient la rédemption." [449]

340 Que conclurons-nous de toutes nos obscurités, sinon notre indignité? [558]

341 S'il n'avait jamais rien paru de Dieu, cette privation éternelle serait équivoque, et pourrait aussi bien se rapporter à l'absence de toute divinité qu'à l'indignité où seraient les hommes de la connaître; mais de ce qu'il paraît quelquefois et non pas toujours, cela ôte l'équivoque. S'il paraît une fois, il est toujours; et ainsi on n'en peut conclure sinon qu'il y a un Dieu, et que les hommes en sont indignes. [559]

2 La nature a des perfections pour montrer qu'elle est l'image de Dieu, et des défauts pour montrer qu'elle n'en est que l'image. [580]

3 Dieu veut plus disposer la volonté que l'esprit. La clarté parfaite servirait à l'esprit et nuirait à la volonté. Abaisser la superbe. [581]

Closer study of the Bible

The only book that has

(i) *perfectly depicted man,*
(ii) *spoken in worthy terms of God,*
(iii) *taught love of Him and submission to His will,*
(iv) *conveyed the idea of a true religion,*
(v) *solved the anomalies of human society,*
(vi) *explained the enslavement of the soul to wrong influences,*
(vii) *promised sound remedies for our woes,*
(viii) *announced a Liberator from our bondage.*

4 (i) Salomon et Job ont le mieux connu et parlé de la misère de l'homme: l'un le plus heureux, et l'autre le plus malheureux; l'un connaissant la vanité des plaisirs par expérience, l'autre la réalité des maux. [174]

5 L'Ecclésiaste montre que l'homme sans Dieu est dans l'ignorance de tout, et dans un malheur inévitable. Car c'est être malheureux que de vouloir et ne pouvoir. Or il veut être heureux et assuré de quelque vérité; et cependant il ne peut ni savoir, ni ne désirer point de savoir. Il ne peut même douter. [389]

6 Après avoir entendu toute la nature de l'homme.
Il faut, pour faire qu'une religion soit vraie, qu'elle ait connu notre nature. Elle doit avoir connu la grandeur et la petitesse, et la raison de l'une et de l'autre. Qui l'a connue que la chrétienne? [433]

7 (ii) S'il y a un seul principe de tout, une seule fin de tout, tout par lui, tout pour lui. Il faut donc que la vraie religion nous enseigne à n'adorer que lui et à n'aimer que lui. Mais, comme nous nous

trouvons dans l'impuissance d'adorer ce que nous ne connaissons pas, et d'aimer autre chose que nous, il faut que la religion qui instruit de ces devoirs nous instruise aussi de ces impuissances, et qu'elle nous apprenne aussi les remèdes. Elle nous apprend que, par un homme, tout a été perdu, et la liaison rompue entre Dieu et nous, et que, par un homme, la liaison est réparée.

Nous naissons si contraires à cet amour de Dieu, et il est si nécessaire, qu'il faut que nous naissions coupables, ou Dieu serait injuste. [489]

348 Figures.

Quand la parole de Dieu, qui est véritable, est fausse littéralement, elle est vraie spirituellement. *Sede à dextris meis*,[1] cela est faux littéralement; donc cela est vrai spirituellement.

En ces expressions il est parlé de Dieu à la manière des hommes; et cela ne signifie autre chose, sinon que l'intention que les hommes ont en faisant asseoir à leur droite, Dieu l'aura aussi. C'est donc une marque de l'intention de Dieu, non de sa manière de l'exécuter.

Ainsi quand il dit: "Dieu a reçu l'odeur de vos parfums, et vous donnera en récompense une terre grasse", c'est-à-dire la même intention qu'aurait un homme qui, agréant vos parfums, vous donnerait en récompense une terre grasse, Dieu aura la même intention pour vous, parce que vous avez eu pour lui la même intention qu'un homme a pour celui à qui il donne des parfums.

Ainsi, *iratus est*, "Dieu jaloux"[2] etc. Car les choses de Dieu étant inexprimables, elles ne peuvent être dites autrement, et l'Église aujourd'hui en use encore: *quia confortavit seras*,[3] etc.

Il n'est pas permis d'attribuer à l'Écriture les sens qu'elle ne nous a pas révélé qu'elle a. Ainsi, de dire que le ם d'Isaïe signifie 600, cela n'est pas révélé.[4] Il eût pu dire que les צ finals

1 Ps. cix, 1. 2 Ex. xx, 5; Is. v, 25. 3 Ps. cxlvii, 13.

4 Je ne dis pas que le *mem* est mystérieux. [688]
For the numerical difference between ם and מ, ע and צ, ה and ח vide *Pugio fidei adversus Mauros et Judaeos* (a great polemical work by the Catalan Dominican Ramon Martini († 1284) first edited by F. de Bosquet, bp. of Lodève, in 1651), Pars III, dist. i, cx. Pascal draws most of his rabbinical knowledge from the *Pugio*.

et les ה *deficientes*[1] signifieraient des mystères. Il n'est donc pas permis de le dire, et encore moins de dire que c'est la manière de la pierre philosophale. Mais nous disons que le sens littéral n'est pas le vrai, parce que les prophètes l'ont dit eux-mêmes. [687]

49 Dieu, pour rendre le Messie connaissable aux bons et méconnaissable aux méchants, l'a fait prédire en cette sorte. Si la manière du Messie eût été prédite clairement, il n'y eût point eu d'obscurité, même pour les méchants. Si le temps eût été prédit obscurément, il y eût eu obscurité, même pour les bons; car la [bonté de leur cœur] ne leur eût pas fait entendre que le *mem* fermé, par exemple, signifie six cents ans. Mais le temps a été prédit clairement, et la manière en figures.[2]

Par ce moyen, les méchants, prenant les biens promis pour matériels, s'égarent malgré le temps prédit clairement, et les bons ne s'égarent pas. Car l'intelligence des biens promis dépend du cœur, qui appelle "bien" ce qu'il aime; mais l'intelligence du temps promis ne dépend point du cœur. Et ainsi la prédiction claire du temps, et obscure des biens, ne déçoit que les seuls méchants. [758]

50 Le Dieu des chrétiens est un Dieu qui fait sentir à l'âme qu'il est son unique bien; que tout son repos est en lui, qu'elle n'aura de joie qu'à l'aimer; et qui lui fait en même temps abhorrer les obstacles qui la retiennent, et l'empêchent d'aimer Dieu de toutes ses forces. L'amour-propre et la concupiscence qui l'arrêtent lui sont insupportables. Ce Dieu lui fait sentir qu'elle a ce fonds d'amour-propre qui la perd, et que lui seul la peut guérir. [544]

51 Figures.

(iii) Les Juifs avaient vieilli dans ces pensées terrestres, que Dieu aimait leur père Abraham, sa chair et ce qui en sortait; que pour cela il les avait multipliés et distingués de tous les autres peuples, sans souffrir qu'ils s'y mélassent; que, quand ils languissaient dans l'Égypte, il les en retira avec tous ces grands signes en leur faveur;

1 *Vide* note 4 on preceding page.

2 Il faut mettre au chapitre *des Fondements* ce qui est en celui *des Figuratifs* touchant la cause des figures: pourquoi Jésus-Christ prophétisé en son premier avènement; pourquoi prophétisé obscurément en la manière. [570]

qu'il les nourrit de la manne dans le désert; qu'il les mena dans une terre bien grasse; qu'il leur donna des rois et un temple bien bâti pour y offrir des bêtes, et par le moyen de l'effusion de leur sang qu'ils seraient purifiés, et qu'il leur devait enfin envoyer le Messie pour les rendre maîtres de tout le monde, et il a prédit le temps de sa venue.

Le monde ayant vieilli dans ces erreurs charnelles, Jésus-Christ est venu dans le temps prédit, mais non pas dans l'éclat attendu; et ainsi ils n'ont pas pensé que ce fût lui. Après sa mort, saint Paul est venu apprendre aux hommes que toutes ces choses étaient arrivées en figure, que le royaume de Dieu ne consistait pas en la chair, mais en l'esprit; que les ennemis des hommes n'étaient pas les Babyloniens, mais les passions; que Dieu ne se plaisait pas aux temples faits de main, mais en un cœur pur et humilié; que la circoncision du corps était inutile, mais qu'il fallait celle du cœur; que Moïse ne leur avait pas donné le pain du ciel, etc.

Mais Dieu n'ayant pas voulu découvrir ces choses à ce peuple, qui en était indigne, et ayant voulu néanmoins les prédire afin qu'elles fussent crues, il en a prédit le temps clairement,[1] et les a quelquefois exprimées clairement, mais abondamment, en figures, afin que ceux qui aimaient les choses figurantes s'y arrêtassent, et que ceux qui aimaient les figurées les y vissent.

Tout ce qui ne va point à la charité est figure.

L'unique objet de l'Écriture est la charité.

Tout ce qui ne va point à l'unique but en est la figure. Car, puisqu'il n'y a qu'un but, tout ce qui n'y va point en mots propres est figuré.

Dieu diversifie ainsi cet unique précepte de charité, pour satisfaire notre curiosité qui recherche la diversité, par cette diversité qui nous mène toujours à notre unique nécessaire. Car une seule chose est nécessaire, et nous aimons la diversité; et Dieu satisfait à l'un et à l'autre par ces diversités, qui mènent au seul nécessaire.

Les Juifs ont tant aimé les choses figurantes, et les ont si bien attendues qu'ils ont méconnu la réalité, quand elle est venue dans le temps et en la manière prédite. Les Rabbins prennent pour

1 "Clairement et les manières en figure" is what Pascal wrote first. He then added "Je ne dis pas bien" and proceeded to clarify.

figures les mamelles de l'Épouse et tout ce qui n'exprime pas l'unique but qu'ils ont, des biens temporels. Et les chrétiens prennent même l'Eucharistie pour figure de la gloire où ils tendent. [670]

2 Figuratif.

Rien n'est si semblable à la charité que la cupidité, et rien n'y est si contraire. Ainsi les Juifs, pleins des biens qui flattaient leur cupidité, étaient très conformes aux chrétiens, et très contraires. Et par ce moyen, ils avaient les deux qualités qu'il fallait qu'ils eussent, d'être conformes au Messie pour le figurer, et très contraires pour n'être pas témoins suspects. [663]

3 S'il y a un Dieu, il ne faut aimer que lui, et non les créatures passagères. Le raisonnement des impies, dans *la Sagesse*, n'est fondé que sur ce qu'il n'y a point de Dieu. "Cela posé, dit-il, jouissons donc des créatures."[1] C'est le pis aller. Mais s'il y avait un Dieu à aimer, ils n'auraient pas conclu cela, mais bien le contraire. Et c'est la conclusion des sages: "Il y a un Dieu, ne jouissons donc pas des créatures."

Donc tout ce qui nous incite à nous attacher aux créatures est mauvais, puisque cela nous empêche, ou de servir Dieu, si nous le connaissons, ou de le chercher, si nous l'ignorons. Or nous sommes pleins de concupiscence; donc nous sommes pleins de mal; donc nous devons nous haïr nous-mêmes, et tout ce qui nous excite à autre attache que Dieu seul. [479]

4 Toute religion est fausse, qui, dans sa foi, n'adore pas un Dieu comme principe de toutes choses, et qui, dans sa morale, n'aime pas un seul Dieu comme objet de toutes choses. [487]

5 Mais il est impossible que Dieu soit jamais la fin, s'il n'est le principe. On dirige sa vue en haut, mais on s'appuie sur le sable; et la terre fondra, et on tombera en regardant le ciel. [488]

6 Il y a une différence universelle et essentielle entre les actions de la volonté et toutes les autres.

La volonté est un des principaux organes de la créance; non qu'elle forme la créance, mais parce que les choses sont vraies ou

1 Wisdom ii, 6.

fausses, selon la face par où on les regarde. La volonté qui se plaît à l'une plus qu'à l'autre, détourne l'esprit de considérer les qualités de celles qu'elle n'aime pas à voir; et ainsi l'esprit, marchant d'une pièce avec la volonté, s'arrête à regarder la face qu'elle aime; et ainsi il en juge par ce qu'il y voit. [99]

357 Le monde ordinaire a le pouvoir de ne pas songer à ce qu'il ne veut pas songer. "Ne pensez pas aux passages du Messie", disait le Juif à son fils. Ainsi font les nôtres souvent. Ainsi se conservent les fausses religions, et la vraie même, à l'égard de beaucoup de gens. Mais il y en a qui n'ont pas le pouvoir de s'empêcher ainsi de songer, et qui songent d'autant plus qu'on leur défend. Ceux-là se défont des fausses religions, et de la vraie même s'ils ne trouvent des discours solides. [259]

358 (iv) La vraie religion enseigne nos devoirs, nos impuissances; orgueil et concupiscence: et les remèdes; humilité, mortification. [493]

359 Il faudrait que la vraie religion enseignât la grandeur, la misère, portât à l'estime et au mépris de soi, à l'amour et à la haine. [494]

360 (v) Toutes les bonnes maximes sont dans le monde; on ne manque qu'à les appliquer. Par exemple:

On ne doute pas qu'il ne faille exposer sa vie pour défendre le bien public, et plusieurs le font; mais pour la religion, point.

Il est nécessaire qu'il y ait de l'inégalité parmi les hommes, cela est vrai; mais cela étant accordé, voilà la porte ouverte, non seulement à la plus haute domination, mais à la plus haute tyrannie.

Il est nécessaire de relâcher un peu l'esprit; mais cela ouvre la porte aux plus grands débordements.—Qu'on en marque les limites.—Il n'y a point de bornes dans les choses: les lois y en veulent mettre, et l'esprit ne peut le souffrir. [380]

361 (vi) La coutume est notre nature. Qui s'accoutume à la foi, la croit, et ne peut plus ne pas craindre l'enfer, et ne croit autre chose. Qui s'accoutume à croire que le roi est terrible...etc. Qui doute donc que, notre âme étant accoutumée à voir nombre, espace, mouvement, croie cela et rien que cela? [89]

52 Qu'est-ce que nos principes naturels, sinon nos principes accoutumés? Et dans les enfants, ceux qu'ils ont reçu de la coutume de leurs pères, comme la chasse dans les animaux?

Une différente coutume nous donnera d'autres principes naturels, cela se voit par expérience; et s'il y en a d'ineffaçables à la coutume, il y en a aussi de la coutume contre la nature, ineffaçables à la nature, et à une seconde coutume. Cela dépend de la disposition. [92]

53 Les pères craignent que l'amour naturel des enfants ne s'efface. Quelle est donc cette nature, sujette à être effacée? La coutume est une seconde nature, qui détruit la première. Mais qu'est-ce que nature? Pourquoi la coutume n'est-elle pas naturelle? J'ai grand peur que cette nature ne soit elle-même qu'une première coutume, comme la coutume est une seconde nature. [93]

54 La nature de l'homme est tout nature, *omne animal.*[1] Il n'y a rien qu'on ne rende naturel; il n'y a naturel qu'on ne fasse perdre. [94]

55 La mémoire, la joie, sont des sentiments; et même les propositions géométriques deviennent sentiments, car la raison rend les sentiments naturels, et les sentiments naturels s'effacent par la raison. [95]

56 Spongia solis.[2]

Quand nous voyons un effet arriver toujours de même, nous en concluons une nécessité naturelle, comme qu'il sera demain jour etc. Mais souvent la nature nous dément, et ne s'assujettit pas à ses propres règles. [91]

57 (vii) Si l'on ne se connaît plein de superbe, d'ambition, de concupiscence, de faiblesse, de misère et d'injustice, on est bien aveugle. Et si, en le connaissant, on ne désire d'en être délivré, que peut-on dire d'un homme...?

1 L'homme est proprement *omne animal* [94 bis]. Cf. Gen. vii, 14; Eccl. xiii, 9. But neither of these texts gives the sense intended by Pascal, viz. "entirely animal".

2 Habit leads us to suppose that the sun is eternal; the spots suggest a beginning of decay and ultimate extinction.

Que peut-on donc avoir que de l'estime pour une religion qui connaît si bien les défauts de l'homme, et que du désir pour la vérité d'une religion qui y promet des remèdes si souhaitables?

[450]

368 (viii) Il y en a qui voient bien qu'il n'y a pas d'autre ennemi de l'homme que la concupiscence, qui le détourne de Dieu, et non pas Dieu; ni d'autre bien que Dieu, et non pas une terre grasse. Ceux qui croient que le bien de l'homme est en la chair, et le mal en ce qui le détourne des plaisirs des sens, qu'[*ils*] s'en [*soûlent*], et qu'[*ils*] y [*meurent*]. Mais ceux qui cherchent Dieu de tout leur cœur, qui n'ont de déplaisir que d'être privés de sa vue, qui n'ont de désir que pour le posséder, et d'ennemis que ceux qui les en détournent; qui s'affligent de se voir environnés et dominés de tels ennemis; qu'ils se consolent, je leur annonce une heureuse nouvelle. Il y a un libérateur pour eux, je le leur ferai voir, je leur montrerai qu'il y a un Dieu pour eux; je ne le ferai pas voir aux autres. Je ferai voir qu'un Messie a été promis, qui délivrerait des ennemis; et qu'il en est venu un pour délivrer des iniquités, mais non des ennemis.

Quand David prédit que le Messie délivrera son peuple de ses ennemis, on peut croire charnellement que ce sera des Égyptiens, et alors je ne saurais montrer que la prophétie soit accomplie. Mais on peut bien croire aussi que ce sera des iniquités, car, dans la vérité, les Égyptiens ne sont pas ennemis, mais les iniquités le sont. Ce mot d'ennemis est donc équivoque. Mais s'il dit ailleurs, comme il fait, qu'il délivrera son peuple de ses péchés, aussi bien qu'Isaïe et les autres, l'équivoque est ôtée, et le sens double des ennemis réduit au sens simple d'iniquités. Car s'il avait dans l'esprit les péchés, il les pouvait bien dénoter par ennemis, mais s'il pensait aux ennemis, il ne les pouvait pas désigner par iniquités.

Or, Moïse, et David et Isaïe usaient des mêmes termes. Qui dira donc qu'ils n'avaient pas même sens, et que le sens de David qui est manifestement d'iniquités lorsqu'il parlait d'ennemis, ne fût pas le même que [*celui de*] Moïse en parlant d'ennemis?

Daniel (ix) prie pour la délivrance du peuple de la captivité de leurs ennemis, mais il pensait aux péchés, et pour le montrer il dit que Gabriel lui vint dire qu'il était exaucé, et qu'il n'y avait plus que soixante-dix semaines à attendre, après quoi le peuple serait délivré d'iniquité, le péché prendrait fin, et le Libérateur, le Saint des saints, amènerait la justice *éternelle*, non la légale, mais l'éternelle. [692]

The free-thinker, ready to yield, objects the unreasonableness and injustice of the doctrine of the Fall and the punishment of man

9 Mon Dieu! que ce sont de sots discours![1] Dieu aurait-il fait le monde pour le damner? demanderait-il tant de gens si faibles? etc. Pyrrhonisme est le remède à ce mal, et rabattra cette vanité. [390]

0 [Il se peut faire qu'il y ait de vraies démonstrations, mais cela n'est pas certain. Ainsi cela ne montre autre chose sinon qu'il n'est pas certain que tout soit incertain, à la gloire du pyrrhonisme.] [387]

1 Le péché originel est folie devant les hommes, mais on le donne pour tel. Vous ne me devez donc pas reprocher le défaut de raison en cette doctrine, puisque je la donne pour être sans raison. Mais cette folie est plus sage que toute la sagesse des hommes, *sapientius est hominibus*.[2] Car, sans cela, que dira-t-on qu'est l'homme? Tout son état dépend de ce point imperceptible. Et comment s'en fût-il aperçu par sa raison, puisque c'est une chose contre la raison, et que sa raison, bien loin de l'inventer par ses voies, s'en éloigne quand on le lui présente? [445]

2 Du péché originel.
Tradition ample du péché originel selon les Juifs.[3] [446]

1 *Nae iste magno conatu magnas nugas dixerit* (Terence, *Heaut.* IV, 1, 8, quoted by Mont. *Apol.*). [90]
2 I Cor. i, 25.
3 Here follow a dozen passages from the *Pugio*.

373 Dira-t-on que pour avoir dit que la justice est partie de la terre, les hommes aient connu le péché originel? *Nemo ante obitum beatus est*;[1] c'est-à-dire qu'ils aient connu qu'à la mort la béatitude éternelle et essentielle commence? [447]

374 Chronologie du Rabbinisme. Les citations sont des pages du livre *Pugio*.[2] [635]

Impotence of Reason

375 Quand on dit que le chaud n'est que le mouvement de quelques globules, et la lumière le *conatus recedendi* que nous sentons, cela nous étonne. Quoi! que le plaisir ne soit autre chose que le ballet des esprits? Nous en avons conçu une si différente idée! et ces sentiments-là nous semblent si éloignés de ces autres que nous disons être les mêmes que ceux que nous leur comparons! Le sentiment du feu, cette chaleur qui nous affecte d'une manière tout autre que l'attouchement, la réception du son et de la lumière, tout cela nous semble mystérieux, et cependant cela est grossier comme un coup de pierre. Il est vrai que la petitesse des esprits qui entrent dans les pores touche d'autres nerfs, mais ce sont toujours des nerfs touchés. [368]

376 La mémoire est nécessaire pour toutes les opérations de la raison. [369]

377 [Hasard donne les pensées, et hasard les ôte; point d'art pour conserver ni pour acquérir.
Pensée échappée,[3] je la voulais écrire; j'écris, au lieu, qu'elle m'est échappée.] [370]

378 En écrivant ma pensée, elle m'échappe quelquefois; mais cela me fait souvenir de ma faiblesse que j'oublie à toute heure; ce qui

1 Cf. Ovid, *Met.* III, 136: *dicique beatus | ante obitum nemo....*
2 Here follow references to the pages of the *Pugio*.
3 [Quand j'étais petit, je serrais mon livre; et parce qu'il m'arrivait quelquefois de [me tromper] (MS mutilated. Faugère's conjecture) en croyant l'avoir serré, je me défiais....] [371]

m'instruit autant que ma pensée oubliée, car je ne tends qu'à connaître mon néant. [372]

[Une seule pensée nous occupe, nous ne pouvons penser à deux choses à la fois; dont bien nous prend, selon le monde, non selon Dieu.] [145]

Scaramouche, qui ne pense qu'à une chose. Le docteur, qui parle un quart d'heure après avoir tout dit, tant il est plein de désir de dire. [12]

Nature corrompue.

L'homme n'agit point par la raison qui fait son être. [439]

La corruption de la raison paraît par tant de différentes et extravagantes mœurs. Il a fallu que la vérité soit venue, afin que l'homme ne véquît plus en soi-même. [440]

Ce sera une des confusions des damnés de voir qu'ils seront condamnés par leur propre raison par laquelle ils ont prétendu condamner la religion chrétienne. [563]

Here is no question of justice between man and man, but of God's dealings with us His creatures; no question of human and therefore fallible arguments, but of proofs which carry conviction, of facts

Injustice.

Que la présomption soit jointe à la misère, c'est une extrême injustice. [214]

Dans la lettre *De l'injustice* peut venir la plaisanterie des aînés qui ont tout: "Mon ami, vous êtes né de ce côté de la montagne; il est donc juste que votre aîné ait tout."

"Pourquoi me tuez-vous?" [291]

"Pourquoi me tuez-vous?" "Eh quoi! ne demeurez-vous pas de l'autre côté de l'eau? Mon ami, si vous demeuriez de ce côté, je serais un assassin, et cela serait injuste de vous tuer de la sorte; mais puisque vous demeurez de l'autre côté[1] je suis un brave, et cela est juste." [293]

1 Il demeure au delà de l'eau. [292]

387 ...Sur quoi la fondera-t-il, l'économie du monde qu'il veut gouverner? Sera-ce sur le caprice de chaque particulier? Quelle confusion! Sera-ce sur la justice? Il l'ignore.

Certainement s'il la connaissait, il n'aurait pas établi cette maxime, la plus générale de toutes celles qui sont parmi les hommes, que chacun suive les mœurs de son pays; l'éclat de la véritable équité aurait assujetti tous les peuples, et les législateurs n'auraient pas pris pour modèle, au lieu de cette justice constante, les fantaisies et les caprices des Perses et Allemands. On la verrait plantée par tous les États du monde et dans tous les temps, au lieu qu'on ne voit rien de juste ou d'injuste qui ne change de qualité en changeant de climat. Trois degrés d'élévation du pôle renversent toute la jurisprudence, un méridien décide de la vérité; en peu d'années de possession, les lois fondamentales changent; le droit a ses époques, l'entrée de Saturne au Lion nous marque l'origine d'un tel crime. Plaisante justice qu'une rivière borne! Vérité au deçà des Pyrénées, erreur au delà!

Ils confessent que la justice n'est pas dans ces coutumes, mais qu'elle réside dans les lois naturelles, communes en tout pays. Certainement ils le soutiendraient opiniâtrément, si la témérité du hasard qui a semé les lois humaines en avait rencontré au moins une qui fût universelle; mais la plaisanterie est telle, que le caprice des hommes s'est si bien diversifié, qu'il n'y en a point.

Le larcin, l'inceste, le meurtre des enfants et des pères, tout a eu sa place entre les actions vertueuses. Se peut-il rien de plus plaisant, qu'un homme ait droit de me tuer parce qu'il demeure au delà de l'eau, et que son prince a querelle contre le mien, quoique je n'en aie aucune avec lui?

Il y a sans doute des lois naturelles; mais cette belle raison corrompue a tout corrompu; *Nihil amplius nostrum est; quod nostrum dicimus, artis est. Ex senatus consultis et plebiscitis crimina exercentur.*[1] *Ut olim vitiis, sic nunc legibus laboramus.*

1 Cic. *De fin.* v, 21; Sen. *Ep.* 95; Tacitus, *Ann.* III, 25.
Ex senatus-consultis et plebiscitis....
Demander des passages pareils. [362]
Ex senatus-consultis et plebiscitis scelera exercentur. (Seneca 588.)
Nihil tam absurde dici potest quod non dicatur ab aliquo philosophorum. Divin. (i.e. *De divinatione*).

De cette confusion arrive que l'un dit que l'essence de la justice est l'autorité du législateur, l'autre la commodité du souverain, l'autre la coutume présente; et c'est le plus sûr: rien, suivant la seule raison, n'est juste de soi; tout branle avec le temps. La coutume fait toute l'équité, par cette seule raison qu'elle est reçue; c'est le fondement mystique de son autorité. Qui la ramène à son principe, l'anéantit. Rien n'est si fautif que ces lois qui redressent les fautes; qui leur obéit parce qu'elles sont justes, obéit à la justice qu'il imagine, mais non pas à l'essence de la loi: elle est toute ramassée en soi; elle est loi, et rien davantage. Qui voudra en examiner le motif le trouvera si faible et si léger, que, s'il n'est accoutumé à contempler les prodiges de l'imagination humaine, il admirera qu'un siècle lui ait tant acquis de pompe et de révérence. L'art de fronder, bouleverser les États, est d'ébranler les coutumes établies, en sondant jusque dans leur source, pour marquer leur défaut d'autorité et de justice. Il faut, dit-on, recourir aux lois fondamentales et primitives de l'État, qu'une coutume injuste a abolies. C'est un jeu sûr pour tout perdre; rien ne sera juste à cette balance. Cependant le peuple prête aisément l'oreille à ces discours. Ils secouent le joug dès qu'ils le reconnaissent; et les grands en profitent à sa ruine, et à celle de ces curieux examinateurs des coutumes reçues. C'est pourquoi le plus sage des législateurs disait que, pour le bien des hommes, il faut souvent les piper; et un autre, bon politique: *Cum veritatem qua liberetur ignoret, expedit quod fallatur.*[1] Il no faut pas qu'il sente la vérité de l'usurpation; elle a été introduite autrefois sans raison,

Quibusdam destinatis sententiis consecrati quæ non probant coguntur defendere. (Cic.)
Ut omnium rerum sic litterarum quoque intemperantia laboramus. (Seneca.)
Id maxime quemque decet, quod est cujusque suum maxime. (Seneca 588.)
Hos natura modos primum dedit. (*Georg.*)
Paucis opus est litteris ad bonam mentem. (Seneca, *Ep.* cvi.)
Si quando turpe non sit, tamen non est non turpe quum id a multitudine laudetur. (Cic. *De fin.* ii, 15.)
Mihi sic usus est, tibi ut opus est facto, fac. (Ter. *Heaut.* I, i.) [363]
Rarum est enim ut satis se quisque vereatur. (Quintil. x, 5.)
Tot circa unum caput tumultuantes deos. (Senec. Rhetor, *Suasor*, I, 4.)
Nihil turpius quam cognitionem assertionem praecurrere. (Cic. *Acad.* I, 45.)
Nec me pudet ut istos fateri nescire quid nesciam. (Tusc. I, 25.)
Melius non incipiet. (Seneca, *Ep.* lxxii.) [364]

1 Aug. *De civ.* IV, 27, quoted inexactly by Mont. *Apol.*

elle est devenue raisonnable; il faut la faire regarder comme authentique, éternelle, et en cacher le commencement si l'on ne veut qu'elle ne prenne bientôt fin. [294]

388 Mien, tien.

"Ce chien est à moi, disaient ces pauvres enfants; c'est là ma place au soleil." Voilà le commencement et l'image de l'usurpation de toute la terre. [295]

389 Justice.

Comme la mode fait l'agrément, aussi fait-elle la justice. [309]

390 L'empire fondé sur l'opinion et l'imagination règne quelque temps, et cet empire est doux et volontaire; celui de la force règne toujours. Ainsi l'opinion est comme la reine du monde, mais la force en est le tyran. [311]

391 Montaigne a tort: la coutume ne doit être suivie que parce qu'elle est coutume, et non parce qu'elle soit raisonnable ou juste; mais le peuple la suit par cette seule raison qu'il la croit juste. Sinon, il ne la suivrait plus, quoiqu'elle fût coutume; car on ne veut être assujetti qu'à la raison ou à la justice. La coutume, sans cela, passerait pour tyrannie; mais l'empire de la raison et de la justice n'est non plus tyrannique que celui de la délectation: ce sont les principes naturels à l'homme.

Il serait donc bon qu'on obéît aux lois et aux coutumes, parce qu'elles sont lois; qu'il sût qu'il n'y en a aucune vraie et juste à introduire, que nous n'y connaissons rien, et qu'ainsi il faut seulement suivre les reçues; par ce moyen, on ne les quitterait jamais. Mais le peuple n'est pas susceptible de cette doctrine; et ainsi, comme il croit que la vérité se peut trouver, et qu'elle est dans les lois et coutumes,[1] il les croit, et prend leur antiquité comme une preuve de leur vérité (et non de leur seule autorité sans vérité). Ainsi il y obéit; mais il est sujet à se révolter dès qu'on lui montre qu'elles ne valent rien; ce qui se peut faire voir de toutes, en les regardant d'un certain côté. [325]

1 *Quod crebro videt non miratur, etiamsi cur fiat nescit; quod ante non viderit, id si evenerit, ostensum esse censit* (Cic. 583) (i.e. *De div.* II, 49, quoted by Mont. *Essais*, III, 1). [90]

Injustice.

Il est dangereux de dire au peuple que les lois ne sont pas justes, car il n'y obéit qu'à cause qu'il les croit justes. C'est pourquoi il lui faut dire en même temps qu'il y faut obéir parce qu'elles sont lois, comme il faut obéir aux supérieurs, non pas parce qu'ils sont justes, mais parce qu'ils sont supérieurs. Par là, voilà toute sédition prévenue si on peut faire entendre cela, et [*ce*] que [*c'est*] proprement que la définition de la justice. [326]

[J'ai passé longtemps de ma vie en croyant qu'il y avait une justice; et en cela je ne me trompais pas; car il y en a, selon que Dieu nous l'a voulu révéler. Mais je ne le prenais pas ainsi, et c'est en quoi je me trompais; car je croyais que notre justice était essentiellement juste et que j'avais de quoi la connaître et en juger. Mais je me suis trouvé tant de fois en faute de jugement droit, qu'enfin je suis entré en défiance de moi, et puis des autres. J'ai vu tous les pays et hommes changeants; et ainsi, après bien des changements de jugement touchant la véritable justice, j'ai connu que notre nature n'était qu'un continuel changement, et je n'ai plus changé depuis; et si je changeais, je confirmerais mon opinion.

Le pyrrhonien Arcésilas[1] qui redevient dogmatique.] [375]

Quand il est question de juger si on doit faire la guerre et tuer tant d'hommes, condamner tant d'espagnols à la mort, c'est un homme seul qui en juge, et encore intéressé: ce devrait être un tiers indifférent. [296]

Veri juris. Nous n'en avons plus: si nous en avions, nous ne prendrions pas pour règle de justice de suivre les mœurs de son pays. C'est là que ne pouvant trouver le juste, on a trouvé le fort, etc. [297]

La prévention induisant en erreur.

C'est une chose déplorable de voir tous les hommes ne délibérer que des moyens, et point de la fin. Chacun songe comme il s'acquittera de sa condition; mais pour le choix de la condition, et de la patrie, le sort nous le donne.

1 Arcesilaus (*ca.* 315–240 B.C.), anti-Stoic whose motto was, Probability is the guide to conduct.

C'est une chose pitoyable, de voir tant de Turcs, d'hérétiques, d'infidèles, suivre le train de leurs pères par cette seule raison qu'ils ont été prévenus chacun que c'est le meilleur. Et c'est ce qui détermine chacun à chaque condition, de serrurier, soldat, etc.

C'est par là que les sauvages n'ont que faire de la Provence.[1]

[98]

397 Les hommes, n'ayant pas accoutumé de former le mérite, mais seulement le récompenser où ils le trouvent formé, jugent de Dieu par eux-mêmes. [490]

398 Contre ceux qui sur la confiance de la miséricorde de Dieu demeurent dans la nonchalance, sans faire de bonnes œuvres.

Comme les deux sources de nos péchés sont l'orgueil et la paresse, Dieu nous a découvert deux qualités en lui pour les guérir: sa miséricorde et sa justice. Le propre de la justice est d'abattre l'orgueil, quelques saintes que soient les œuvres, *et non judicium*, etc.; et le propre de la miséricorde est de combattre la paresse en exhortant aux bonnes œuvres, selon ce passage: "La miséricorde de Dieu invite à pénitence"; et cet autre des Ninivites: "Faisons pénitence, pour voir si par aventure il aura pitié de nous."[2] Et ainsi tant s'en faut que la miséricorde autorise le relâchement, que c'est au contraire la qualité qui le combat formellement; de sorte qu'au lieu de dire: "S'il n'y avait point en Dieu de miséricorde, il faudrait faire toutes sortes d'efforts pour la vertu"; il faut dire, au contraire, que c'est parce qu'il y a en Dieu de la miséricorde, qu'il faut faire toutes sortes d'efforts. [497]

399 C'est une plaisante chose à considérer, de ce qu'il y a des gens dans le monde qui, ayant renoncé à toutes les lois de Dieu et de la nature, s'en sont fait eux-mêmes auxquelles ils obéissent exactement, comme par exemple les soldats de Mahomet, les voleurs, les hérétiques, etc. Et ainsi les logiciens. Il semble que leur licence doive être sans aucunes bornes ni barrières, voyant qu'ils en ont franchi tant de si justes et de si saintes. [393]

1 Cf. Mont. *Essais* I, 22.
2 Ps. cxlii, 2; Rom. ii, 4; Jonah iii, 2.

0 Injustice.

Ils[1] n'ont pas trouvé d'autre moyen de satisfaire la concupiscence sans faire tort aux autres. [454]

1 Les choses du monde les plus déraisonnables deviennent les plus raisonnables à cause du dérèglement des hommes. Qu'y a-t-il de moins raisonnable que de choisir pour gouverner un État le premier fils d'une reine? On ne choisit pas pour gouverner un vaisseau celui des voyageurs qui est de la meilleure maison. Cette loi serait ridicule et injuste; mais parce qu'ils le sont et le seront toujours, elle devient raisonnable et juste, car qui choisira-t-on, le plus vertueux et le plus habile? Nous voilà incontinent aux mains, chacun prétend être ce plus vertueux et ce plus habile. Attachons donc cette qualité à quelque chose d'incontestable. C'est le fils aîné du roi; cela est net, il n'y a point de dispute. La raison ne peut mieux faire, car la guerre civile est le plus grand des maux. [320]

2 Les enfants étonnés voient leurs camarades respectés. [321]

3 Justice, force.

Il est juste que ce qui est juste soit suivi, il est nécessaire que ce qui est le plus fort soit suivi. La justice sans la force est impuissante; la force sans la justice est tyrannique. La justice sans force est contredite, parce qu'il y a toujours des méchants; la force sans la justice est accusée. Il faut donc mettre ensemble la justice et la force; et pour cela faire que ce qui est juste soit fort, ou que ce qui est fort soit juste.

La justice est sujette à dispute, la force est très reconnaissable et sans dispute. Ainsi on n'a pu donner la force à la justice, parce que la force a contredit la justice et a dit que c'était elle qui était juste. Et ainsi ne pouvant faire que ce qui est juste fût fort, on a fait que ce qui est fort fût juste. [298]

4 Les seules règles universelles sont les lois du pays aux choses ordinaires, et la pluralité aux autres. D'où vient cela? de la force qui y est. Et de là vient que les rois, qui ont la force d'ailleurs, ne suivent pas la pluralité de leurs ministres.

1 I.e. Les honnêtes gens.

Sans doute, l'égalité des biens est juste; mais, ne pouvant faire qu'il soit force d'obéir à la justice, on a fait qu'il soit juste d'obéir à la force; ne pouvant fortifier la justice, on a justifié la force, afin que le juste et le fort fussent ensemble, et que la paix fût, qui est le souverain bien. [299]

405 "Quand le fort armé possède son bien, ce qu'il possède est en paix."[1] [300]

406 Pourquoi suit-on la pluralité? est-ce à cause qu'ils ont plus de raison? non, mais plus de force.

Pourquoi suit-on les anciennes lois et anciennes opinions? est-ce qu'elles sont les plus saines? non, mais elles sont uniques, et nous ôtent la racine de la diversité. [301]

407 ...C'est l'effet de la force, non de la coutume; car ceux qui sont capables d'inventer sont rares; les plus forts en nombre ne veulent que suivre, et refusent la gloire à ces inventeurs qui la cherchent par leurs inventions; et s'ils s'obstinent à la vouloir obtenir, et mépriser ceux qui n'inventent pas, les autres leur donneront des noms ridicules, leur donneraient des coups de bâton. Qu'on ne se pique donc pas de cette subtilité, ou qu'on se contente en soi-même. [302]

408 La force est la reine du monde, et non pas l'opinion.—Mais l'opinion est celle qui use de la force.—C'est la force qui fait l'opinion. La mollesse est belle, selon notre opinion. Pourquoi? Parce que qui voudra danser sur la corde sera seul;[2] et je ferai une cabale plus forte, de gens qui diront que cela n'est pas séant. [303]

409 L'empire fondé sur l'opinion règne quelque temps, et cet empire est doux et volontaire; celui de la force règne toujours. Ainsi l'opinion est comme la reine du monde, mais la force en est le tyran. [311]

410 Nous ne concevons ni l'état glorieux d'Adam, ni la nature de son péché, ni la transmission qui s'en est faite en nous. Ce sont choses qui se sont passées dans l'état d'une nature toute différente de la nôtre, et qui passent l'état de notre capacité présente.

1 Luke xi, 21. 2 Cf. Epict. *Diss.* iii, 12.

Tout cela nous est inutile à savoir pour en sortir; et tout ce qu'il nous importe de connaître est que nous sommes misérables, corrompus, séparés de Dieu, mais rachetés par Jésus-Christ; et c'est de quoi nous avons des preuves admirables sur la terre.

Ainsi les deux preuves de la corruption et de la rédemption se tirent des impies, qui vivent dans l'indifférence de la religion, et des Juifs, qui en sont les ennemis irréconciliables. [560]

II. The Demonstration

1 Preuve.

1° La religion chrétienne, par son établissement, par elle-même établie si fortement, si doucement, étant si contraire à la nature.—2° La sainteté, la hauteur et l'humilité d'une âme chrétienne.—3° Les merveilles de l'Écriture sainte.—4° Jésus-Christ en particulier.—5° Les apôtres en particulier.—6° Moïse et les prophètes en particulier.—7° Le peuple juif.—8° Les prophéties.—9° La perpétuité: nulle religion n'a la perpétuité.—10° La doctrine, qui rend raison de tout.—11° La sainteté de cette loi.—12° Par la conduite du monde.

Il est indubitable qu'après cela on ne doit pas refuser, en considérant ce que c'est que la vie, et que cette religion, de suivre l'inclination de la suivre, si elle nous vient dans le cœur; et il est certain qu'il n'y a nul lieu de se moquer de ceux qui la suivent. [289]

2 Preuves de la religion.

Morale, Doctrine, Miracles, Prophéties, Figures. [290]

3 Preuve des deux Testaments à la fois.

Pour prouver tout d'un coup les deux, il ne faut que voir si les prophéties de l'un sont accomplies en l'autre. Pour examiner les prophéties, il faut les entendre. Car, si on croit qu'elles n'ont qu'un sens, il est sûr que le Messie ne sera point venu; mais si elles ont deux sens, il est sûr qu'il sera venu en Jésus-Christ.

Toute la question est donc de savoir si elles ont deux sens.

Que l'Écriture a deux sens, que Jésus-Christ et les apôtres ont donnés, dont voici les preuves:

1° Preuve par l'Écriture même;

2° Preuve par les Rabbins: Moïse Maymon dit qu'elle a deux faces, et que les prophètes n'ont prophétisé que de Jésus-Christ;

3° Preuve par la cabale;

4° Preuve par l'interprétation mystique que les Rabbins mêmes donnent à l'Écriture;

5° Preuve par les principes des Rabbins, qu'il y a deux sens, qu'il y a deux avènements, glorieux ou abject, du Messie, selon leur mérite, que les prophètes n'ont prophétisé que du Messie—la loi n'est pas eternelle, mais doit changer au Messie—qu'alors on ne se souviendra plus de la mer rouge, que les Juifs et les Gentils seront mêlés;

[6° Preuve par la clé que Jésus-Christ et les apôtres nous en donnent.] [642]

The Two Testaments

(i) The Old Testament

414 L'Ancien Testament contenait les figures de la joie future, et le Nouveau contient les moyens d'y arriver.

Les figures étaient de joie; les moyens, de pénitence; et néanmoins l'agneau pascal était mangé avec des laitues sauvages, *cum amaritudinibus*. Fascination. Somnum suum.[1] *Figura hujus mundi.*[2] L'Eucharistie *Comedes panem* tuum.[3] Panem nostrum.[4] *Inimici Dei lingent,*[5] les pécheurs lèchent la terre, c'est-à-dire aiment les moyens d'y arriver. Les figures étaient de joie; les moyens de pénitence; et néanmoins l'agneau pascal était mangé avec des laitues sauvages, *cum amaritudinibus.*[6] *Singularis sum ego donec transeam,*[7] Jésus-Christ avant sa mort presque seul de martyr.

[666]

415 De deux personnes qui disent de sots contes, l'un qui a double sens entendu dans la cabale, l'autre qui n'a qu'un sens, si quelqu'un, n'étant pas du secret, entend discourir les deux en cette sorte, il en fera même jugement. Mais si ensuite, dans le reste du discours,

[1]Ps. lxxv, 6; [2]I Cor. xvii, 31; [3]Deut. viii, 9; [4]Luke xi, 3; [5]Ps. lxxi, 9; [6]Ex. xxii, 8 (Pascal uses the sixteenth-century version of Vatable); [7]Ps. cxl, 10.

l'un dit des choses angéliques, et l'autre toujours des choses plates et communes, il jugera que l'un parlait avec mystère, et non pas l'autre: l'un ayant assez montré qu'il est incapable de telle sottise, et capable d'être mystérieux; et l'autre, qu'il est incapable de mystère, et capable de sottise.

Le Vieux Testament est un chiffre. [691]

5 Les six âges, les six pères des six âges, les six merveilles à l'entrée des six âges, les six orients à l'entrée des six âges.[1] [655]

7 Adam *forma futuri.*[2] Les six jours pour former l'un, les six âges pour former l'autre; les six jours que Moïse représente pour la formation d'Adam, ne sont que la peinture des six âges pour former Jésus-Christ et l'Église. Si Adam n'eût point péché, et que Jésus-Christ ne fût point venu, il n'y eût eu qu'une seule alliance, qu'un seul âge des hommes, et la création eût été représentée comme faite en un seul temps. [656]

The Law and the Law-giver

8 La création du monde commençant à s'éloigner, Dieu a pourvu d'un historien unique contemporain et a commis tout un peuple pour la garde de ce livre, afin que cette histoire fût la plus authentique du monde et que tous les hommes pussent apprendre une chose si nécessaire à savoir, et qu'on ne pût la savoir que par là. [622]

9 Les deux plus anciens livres du monde sont Moïse et Job, l'un juif, l'autre païen, qui tous deux regardent Jésus-Christ comme leur centre commun et leur objet: Moïse, en rapportant les promesses de Dieu à Abraham, Jacob, etc., et ses prophéties; et Job: *quis mihi det ut* etc. *Scio enim quod redemptor meus vivit,*[3] etc. [741]

1 Cf. Aug. *De Genesi contra Man.* l. 23. H.
2 Rom. v, 14.
3 Job xix, 23 f.

The Law is figurative, the only code worthy of God, the only one contrary to man's natural inclinations and enduring

420 Que la loi était figurative. [647]

421 Un mot de David ou de Moïse, comme que "Dieu circoncira[1] les cœurs", fait juger de leur esprit. Que tous les autres discours soient équivoques, et douteux d'être philosophes ou chrétiens, enfin un mot de cette nature détermine tous les autres, comme un mot d'Épictète détermine tout le reste au contraire. Jusque-là l'ambiguité dure et non pas après. [690]

422 Figures.

Les peuples juifs et égyptien visiblement prédits par ces deux particuliers que Moïse rencontra: l'Égyptien battant le Juif, Moïse le vengeant et tuant l'Égyptien, et le Juif en étant ingrat. [657]

423 La seule religion contre la nature, contre le sens commun, contre nos plaisirs, est la seule qui a toujours été. [605]

424 La seule science contre le sens commun et la nature des hommes, est la seule qui ait toujours subsisté parmi les hommes. [604]

425 Nulle religion que la nôtre n'a enseigné que l'homme naît en péché, nulle secte de philosophes ne l'a dit: nulle n'a donc dit vrai.

Nulle secte ni religion n'a toujours été sur la terre que la religion chrétienne. [606]

426 Perpétuité.

Cette religion qui consiste à croire que l'homme est déchu d'un état de gloire et de communication avec Dieu en un état de tristesse, de pénitence et d'éloignement de Dieu, mais qu'après cette vie nous serons rétablis par un Messie qui devait venir, a toujours été sur la terre. Toutes choses ont passé, et celle-là a subsisté, pour laquelle sont toutes choses.

Les hommes, dans le premier âge du monde, ont été emportés dans toutes sortes de désordres, et il y avait cependant des saints,

1 Moïse (Deut. xxx) promet que Dieu circoncira leur cœur pour les rendre capables de l'aimer. [689]

comme Énoch, Lamech et d'autres, qui attendaient en patience le Christ promis dès le commencement du monde. Noé a vu la malice des hommes au plus haut degré; et il a mérité de sauver le monde en sa personne, par l'espérance du Messie dont il a été la figure. Abraham était environné d'idolâtres, quand Dieu lui a fait connaître le mystère du Messie, qu'il a salué de loin. Au temps d'Isaac et de Jacob, l'abomination était répandue sur toute la terre; mais ces saints vivaient en la foi; et Jacob, mourant et bénissant ses enfants, s'écrie par un transport qui lui fait interrompre son discours: "J'attends, ô mon Dieu! le Sauveur que vous avez promis: *Salutare tuum exspectabo, Domine*."[1] Les Égyptiens étaient infectés et d'idolâtrie et de magie; le peuple de Dieu même était entraîné par leurs exemples; mais cependant Moïse et d'autres croyaient Celui qu'ils ne voyaient pas, et l'adoraient en regardant aux dons éternels qu'il leur préparait.

Les Grecs, et les Latins ensuite, ont fait régner les fausses déités; les poètes ont fait cent diverses théologies; les philosophes se sont séparés en mille sectes différentes; et cependant il y avait toujours au cœur de la Judée des hommes choisis qui prédisaient la venue de ce Messie, qui n'était connu que d'eux.

Il est venu enfin en la consommation des temps; et depuis, on a vu naître tant de schismes et d'hérésies, tant renverser d'États, tant de changements en toutes choses; et cette Église, qui adore Celui qui a toujours été adoré, a subsisté sans interruption. Et ce qui est admirable, incomparable et tout à fait divin, c'est que cette religion, qui a toujours duré, a toujours été combattue. Mille fois elle a été à la veille d'une destruction universelle; et toutes les fois qu'elle a été en cet état, Dieu l'a relevée par des coups extraordinaires de sa puissance. C'est ce qui est étonnant, et qu'elle s'est maintenue sans fléchir et ployer sous la volonté des tyrans. Car il n'est pas étrange qu'un État subsiste, lorsque l'on fait quelquefois céder ses lois à la nécessité, mais que... (Voyez le rond dans Montaigne.)[2] [613]

27 Les États périraient, si on ne faisait ployer souvent les lois à la

1 Gen. xlix, 18.
2 Reference to a passage in Mont. *Essais*, I, 22. H.

nécessité. Mais jamais la religion n'a souffert cela, et n'en a usé. Aussi il faut ces accommodements, ou des miracles. Il n'est pas étrange qu'on se conserve en ployant, et ce n'est pas proprement se maintenir; et encore périssent-ils enfin entièrement: il n'y en a point qui ait duré mille ans. Mais que cette religion se soit toujours maintenue, et inflexible, cela est divin. [614]

428 La synagogue ne périssait point, parce qu'elle était la figure; mais, parce qu'elle n'était que la figure, elle est tombée dans la servitude. La figure a subsisté jusqu'à la vérité, afin que l'Église fût toujours visible, ou dans la peinture qui la promettait, ou dans l'effet. [646]

429 Perpétuité.

Le Messie a toujours été cru. La tradition d'Adam était encore nouvelle en Noé et en Moïse. Les prophètes l'ont prédit depuis, en prédisant toujours d'autres choses, dont les événements, qui arrivaient de temps en temps à la vue des hommes, marquaient la vérité de leur mission, et par conséquent celle de leurs promesses touchant le Messie. Jésus-Christ a fait des miracles, et les apôtres aussi, qui ont converti tous les païens; et par là toutes les prophéties étant accomplies, le Messie est prouvé pour jamais. [616]

430 Perpétuité.

Qu'on considère que, depuis le commencement du monde, l'attente ou l'adoration du Messie subsiste sans interruption; qu'il s'est trouvé des hommes qui ont dit que Dieu leur avait révélé qu'il devait naître un Rédempteur qui sauverait son peuple; qu'Abraham est venu ensuite dire qu'il avait eu révélation qu'il naîtrait de lui par un fils qu'il aurait; que Jacob a déclaré que, de ses douze enfants, il naîtrait de Juda; que Moïse et les prophètes sont venus ensuite déclarer le temps et la manière de sa venue; qu'ils ont dit que la loi qu'ils avaient n'était qu'en attendant celle du Messie; que jusque-là elle serait perpétuelle, mais que l'autre durerait éternellement; qu'ainsi leur loi, ou celle du Messie, dont elle était la promesse, serait toujours sur la terre; qu'en effet elle a toujours duré; qu'enfin est venu Jésus-Christ dans toutes les circonstances prédites. Cela est admirable. [617]

Spiritual Jews and spiritual Christians have one and the same religion

31 Pour montrer que les vrais Juifs et les vrais Chrétiens n'ont qu'une même religion.

La religion des Juifs semblait consister essentiellement en la paternité d'Abraham, en la circoncision, aux sacrifices, aux cérémonies, en l'arche, au temple, en Hiérusalem, et enfin en la loi et en l'alliance de Moïse.

Je dis:

Qu'elle ne consistait en aucune de ces choses, mais seulement en l'amour de Dieu, et que Dieu réprouvait toutes les autres choses.

Que Dieu n'acceptait point la postérité d'Abraham.

Que les Juifs seront punis de Dieu comme les étrangers, s'ils l'offensent. Deut. viii, 19: "Si vous oubliez Dieu, et que vous suiviez des dieux étrangers, je vous prédis que vous périrez de la même manière que les nations que Dieu a exterminées devant vous."

Que les étrangers seront reçus de Dieu comme les Juifs, s'ils l'aiment. Is. lvi, 3: "Que l'étranger ne dise pas: 'Le Seigneur ne me recevra pas.' Les étrangers qui s'attachent à Dieu seront pour le servir et l'aimer: je les mènerai en ma sainte montagne, et recevrai d'eux des sacrifices, car ma maison est la maison d'oraison."

Que les vrais Juifs ne considéraient leur mérite que de Dieu, et non d'Abraham. Is. lxiii, 16: "Vous êtes véritablement notre père, et Abraham ne nous a pas connus, et Israël n'a pas eu de connaissance de nous; mais c'est vous qui êtes notre père et notre rédempteur."

Moïse même leur a dit que Dieu n'accepterait pas les personnes. Deut. x, 17: Dieu, dit-il, "n'accepte pas les personnes, ni les sacrifices".

Le sabbat n'était qu'un signe, Ex. xxxi, 15; et en mémoire de la sortie d'Égypte, Deut. v, 19. Donc il n'est plus nécessaire, puisqu'il faut oublier l'Égypte.

La circoncision n'était qu'un signe, Gen. xvii, 11. Et de là vient qu'étant dans le désert ils ne furent point circoncis, parce qu'ils ne pouvaient se confondre avec les autres peuples; et qu'après que Jésus-Christ est venu, elle n'est plus nécessaire.

Que la circoncision du cœur est ordonnée. Deut. x, 16; Jérém. iv, 4: "Soyez circoncis de cœur; retranchez les superfluités de votre cœur, et ne vous endurcissez plus; car votre Dieu est un Dieu grand, puissant et terrible, qui n'accepte pas les personnes."

Que Dieu dit qu'il le ferait un jour. Deut. xxx, 6: "Dieu te circoncira le cœur et à tes enfants, afin que tu l'aimes de tout ton cœur."

Que les incirconcis de cœur seront jugés. Jérém. ix, 26: Car Dieu jugera les peuples incirconcis et tout le peuple d'Israël, parce qu'il est "incirconcis de cœur".

Que l'extérieur ne sert rien sans l'intérieur. Joel ii, 13: *Scindite corda vestra*, etc.; Is. lviii, 3, 4, etc.

L'amour de Dieu est recommandé en tout le Deutéronome. Deut. xxx, 19: "Je prends à témoin le ciel et la terre que j'ai mis devant vous la mort et la vie, afin que vous choisissiez la vie, et que vous aimiez Dieu et que vous lui obéissiez, car c'est Dieu qui est votre vie."

Que les Juifs, manque de cet amour, seraient réprouvés pour leurs crimes, et les païens élus en leur place. Os. i, 10; Deut. xxxii, 20: "Je me cacherai d'eux, dans la vue de leurs derniers crimes; car c'est une nation méchante et infidèle. Ils m'ont provoqué à courroux par les choses qui ne sont point des dieux, et je les provoquerai à jalousie par un peuple qui n'est pas mon peuple, et par une nation sans science et sans intelligence." Is. lxv, 1.

Que les biens temporels sont faux, et que le vrai bien est d'être uni à Dieu. Ps. cxliii, 15.

Que leurs fêtes déplaisent à Dieu. Amos, v, 21.

Que les sacrifices des Juifs déplaisent à Dieu. Is. lxvi, 1–5; i, 11. Jérém. vi, 20. David, *Miserere.*—Même de la part des bons, *Exspectavi.* Ps. xlix, 8, 9, 10, 11, 12, 13 et 14.

Qu'il ne les a établis pour leur dureté. Michée, admirablement; vi. I.R. xv, 22[1]; Osée, vi, 6.

1 Micah vi 6; I.R. = I Regum, i.e. I Sam.

Que les sacrifices des païens seront reçus de Dieu, et que Dieu retirera sa volonté des sacrifices des Juifs. Malach. i, 11.

Que Dieu fera une nouvelle alliance par le Messie, et que l'ancienne sera rejetée. Jérém. xxxi, 31.

Mandata non bona. Ézéch.

Que les anciennes choses seront oubliées. Is. xliii, 18, 19; lxv, 17, 18.

Qu'on ne se souviendra plus de l'arche. Jérém. iii, 15, 16.

Que le temple serait rejeté. Jérém. vii, 12, 13, 14.

Que les sacrifices seraient rejetés, et d'autres sacrifices purs établis. Malach. i, 11.

Que l'ordre de la sacrificature d'Aaron serait réprouvé, et celle de Melchisédech introduite par le Messie. Ps. *Dixit Dominus.*

Que cette sacrificature serait éternelle. *Ibid.*

Que Jérusalem serait réprouvée, et Rome admise. Ps. *Dixit Dominus.*

Que le nom des Juifs serait réprouvé et un nouveau nom donné. Is. lxv, 15.

Que ce dernier nom serait meilleur que celui de Juifs, et éternel. Is. lvi, 5.

Que les Juifs devaient être sans prophètes (Amos), sans roi, sans princes, sans sacrifice, sans idole.

Que les Juifs subsisteraient néanmoins toujours en peuple. Jérém. xxxi, 36. [610]

32 République.

La république chrétienne, et même judaïque, n'a eu que Dieu pour maître, comme remarque Philon juif, *De la monarchie.*

Quand ils combattaient, ce n'était que pour Dieu; [*ils*] n'espéraient principalement que de Dieu; ils ne considéraient leurs villes que comme étant à Dieu, et les conservaient pour Dieu. I Paralip. xix, 13. [611]

33 La synagogue a précédé l'Église; les Juifs, les chrétiens. Les prophètes ont prédit les chrétiens: saint Jean, Jésus-Christ. [699]

Carnal Jews and Carnal Christians

434 Les Juifs charnels tiennent le milieu entre les Chrétiens et les païens. Les païens ne connaissent point Dieu, et n'aiment que la terre. Les Juifs connaissent le vrai Dieu, et n'aiment que la terre. Les Chrétiens connaissent le vrai Dieu, et n'aiment point la terre. Les Juifs et les païens aiment les mêmes biens. Les Juifs et les Chrétiens connaissent le même Dieu.

Les Juifs étaient de deux sortes: les uns n'avaient que les affections païennes, les autres avaient les affections chrétiennes. [608]

435 Les Juifs charnels et les païens ont des misères, et les chrétiens aussi. Il n'y a point de Rédempteur pour les païens, car ils n'en espèrent pas seulement. Il n'y a point de Rédempteur pour les Juifs, ils l'espèrent en vain. Il n'y a de Rédempteur que pour les Chrétiens. (Voyez Perpétuité.) [747]

436 Les Juifs, qui ont été appelés à dompter les nations et les rois, ont été esclaves du péché; et les Chrétiens, dont la vocation a été à servir et à être sujets, sont les enfants libres. [671]

437 Deux sortes d'hommes en chaque religion: parmi les païens, des adorateurs des bêtes, et les autres, adorateurs d'un seul Dieu dans la religion naturelle; parmi les Juifs, les charnels, et les spirituels qui étaient les Chrétiens de la loi ancienne; parmi les Chrétiens, les grossiers qui sont les Juifs de la loi nouvelle. Les Juifs charnels attendaient un Messie charnel; les Chrétiens grossiers croient que le Messie les a dispensés d'aimer Dieu; les vrais Juifs et les vrais Chrétiens adorent un Messie qui les fait aimer Dieu. [609]

438 Qui jugera de la religion des Juifs par les grossiers la connaîtra mal. Elle est visible dans les Saints Livres et dans la tradition des prophètes, qui ont assez fait entendre qu'ils n'entendaient pas la loi à la lettre. Ainsi notre religion est divine dans l'Évangile, les

apôtres et la tradition; mais elle est ridicule dans ceux qui la traitent mal.

Le Messie, selon les Juifs charnels, doit être un grand prince temporel. Jésus-Christ, selon les Chrétiens charnels, est venu nous dispenser d'aimer Dieu, et nous donner des sacrements qui opèrent tout sans nous. Ni l'un ni l'autre n'est la religion chrétienne, ni juive.

Les vrais Juifs et les vrais Chrétiens ont toujours attendu un Messie qui les ferait aimer Dieu, et, par cet amour, triompher de leurs ennemis. [607]

39 Il faut que les Juifs ou les Chrétiens soient méchants. [759]

The History of the Jews bears witness to the Christ

40 Preuves de Jésus-Christ.

Ce n'est pas avoir été captif que de l'avoir été avec assurance d'être délivré dans soixante-dix ans. Mais maintenant ils le sont sans aucun espoir.

Dieu leur a promis qu'encore qu'il les disperserait aux bouts du monde, néanmoins, s'ils étaient fidèles à sa loi, il les rassemblerait.[1] Ils y sont très fidèles, et demeurent opprimés. [638]

41 C'est une chose étonnante et digne d'une étrange attention, de voir ce peuple juif subsister depuis tant d'années, et de le voir toujours misérable: étant nécessaire pour la preuve de Jésus-Christ et qu'il subsiste pour le prouver, et qu'il soit misérable, puisqu'ils l'ont crucifié: et, quoiqu'il soit contraire d'être misérable et de subsister, il subsiste néanmoins toujours, malgré sa misère. [640]

42 C'est visiblement un peuple fait exprès pour servir de témoin au Messie (Is. xliii, 9; xliv, 8). Il porte les livres et les aime, et les

1 Gen. xvii, 7. *Statuam pactum meum inter me et te fœdere sempiterno ut sim Deus tuus.*
9. *Et tu ergo custodies pactum meum.* [612]

entend point. Et tout cela est prédit: que les jugements de Dieu leur sont confiés, mais comme un livre scellé. [641]

443 Les Juifs, en le tuant pour ne le point recevoir pour Messie, lui ont donné la dernière marque de Messie. Et en continuant à le méconnaître ils se sont rendus témoins irréprochables: et en le tuant et continuant à le renier, ils ont accompli les prophéties. [761]

444 Que pouvaient faire les Juifs, ses ennemis? S'ils le reçoivent, ils le prouvent par leur réception; s'ils le renoncent, ils le prouvent par leur renonciation. [762]

445 Les Juifs le refusent, mais non pas tous: les saints le reçoivent, et non les charnels. Et tant s'en faut que cela soit contre sa gloire, que c'est le dernier trait qui l'achève. Comme la raison qu'ils en ont, et la seule qui se trouve dans tous leurs écrits, dans le Talmud et dans les Rabbins, n'est que parce que Jésus-Christ n'a pas dompté les nations en main armée, *gladium tuum, potentissime.*[1] N'ont-ils que cela à dire? Jésus-Christ a été tué, disent-ils; il a succombé; il n'a pas dompté les païens par sa force; il ne nous a pas donné leurs dépouilles; il ne donne point de richesses. N'ont-ils que cela à dire? C'est en cela qu'il m'est aimable. Je ne voudrais pas celui qu'ils se figurent. Il est visible que ce n'est que sa vie qui les a empêchés de le recevoir; et par ce refus, ils sont des témoins sans reproche, et, qui plus est, par là ils accomplissent les prophéties.

[Par le moyen de ce que ce peuple ne l'a pas reçu, est arrivée cette merveille que voici: les prophéties sont les seuls miracles subsistants qu'on peut faire, mais elles sont sujettes à être contredites.] [760]

446 Au temps du Messie, le peuple se partage. Les spirituels ont embrassé le Messie; les grossiers sont demeurés pour lui servir de témoins. [748]

1 Figuratifs. Les termes d'epée, d'écu. *Potentissime.* [667]
(Ps. xliv, 4).

7 "Si cela est clairement prédit aux Juifs, comment ne l'ont-ils pas cru? ou comment n'ont-ils point été exterminés, de résister à une chose si claire?"

—Je réponds: premièrement, cela a été prédit, et qu'ils ne croiraient point une chose si claire, et qu'ils ne seraient point exterminés. Et rien n'est plus glorieux au Messie; car il ne suffisait pas qu'il y eût des prophètes; il fallait que leurs prophéties fussent conservées sans soupçon. Or, etc. [749]

8 Si les Juifs eussent été tous convertis par Jésus-Christ, nous n'aurions plus que des témoins suspects. Et s'ils avaient été exterminés, nous n'en aurions point du tout. [750]

9 Les Juifs étaient accoutumés aux grands et éclatants miracles, et ainsi, ayant eu les grands coups de la mer Rouge et la terre de Canaan comme un abrégé des grandes choses de leur Messie, ils en attendaient donc de plus éclatants, dont ceux de Moïse n'étaient que les échantillons. [746]

Prophecy, the main witness to Christ. Prophets, divinely inspired, foretell the Captivity, the Return, the Advent of Christ, His Life in detail, His rejection by the Jews, the ingathering of the Gentiles

0 Prophéties.

Le grand Pan est mort.[1] [695]

1 La plus grande des preuves de Jésus-Christ sont les prophéties. C'est aussi à quoi Dieu a le plus pourvu; car l'événement qui les a remplies est un miracle subsistant depuis la naissance de l'Église jusques à la fin. Aussi Dieu a suscité des prophètes durant seize cents ans; et, pendant quatre cents ans après, il a dispersé toutes ces prophéties, avec tous les Juifs qui les portaient, dans tous les lieux du monde. Voilà quelle a été la préparation à la naissance de Jésus-Christ, dont l'Évangile devant être cru de tout le monde,

1 Cf. Plutarch, *De defect. orac.* XVII *apud* Eusebium. "The oracles are dumb."

il a fallu non seulement qu'il y ait eu des prophéties pour le faire croire, mais que ces prophéties fussent par tout le monde, pour le faire embrasser par tout le monde. [706]

452 Mais ce n'était pas assez que les prophéties fussent; il fallait qu'elles fussent distribuées par tous les lieux et conservées dans tous les temps. Et afin qu'on ne prît point ce concert pour un effet du hasard, il fallait que cela fût prédit.

Il est bien plus glorieux au Messie qu'ils soient les spectateurs et même les instruments de sa gloire, outre que Dieu les avait réservés. [707]

453 Prophéties.

Quand un seul homme aurait fait un livre des prédictions de Jésus-Christ, pour le temps et pour la manière, et que Jésus-Christ serait venu conformément à ces prophéties, ce serait une force infinie.

Mais il y a bien plus ici, c'est une suite d'hommes, durant quatre mille ans, qui, constamment et sans variation, viennent, l'un ensuite de l'autre, prédire ce même avènement. C'est un peuple tout entier qui l'annonce, et qui subsiste depuis quatre mille années, pour rendre en corps témoignage des assurances qu'ils en ont, et dont ils ne peuvent être divertis par quelques menaces et persécutions qu'on leur fasse: ceci est tout autrement considérable. [710]

454 On n'entend les prophéties que quand on voit les choses arrivées: ainsi les preuves de la retraite, et de la discrétion, du silence, etc., ne se prouvent qu'à ceux qui les savent et les croient.

Joseph si intérieur dans une loi tout extérieure.

Les pénitences extérieures disposent à l'intérieur, comme les humiliations à l'humilité. Ainsi les... [698]

455 Preuve.

Prophéties avec l'accomplissement; ce qui a précédé et ce qui a suivi Jésus-Christ. [705]

456 *Prodita lege: impleta cerne; implenda collige.* [697]

7 Prophéties.

La conversion des Égyptiens (Is. xix, 19); un autel en Égypte au vrai Dieu. [725]

8 Il n'était point permis de sacrifier hors de Jérusalem, qui était le lieu que le Seigneur avait choisi, ni même de manger ailleurs les décimes. Deut. xii, 5, etc. Deut. xiv, 23, etc.; xv, 20; xvi, 2, 7, 11, 15.

Osée a prédit qu'ils seraient sans roi, sans prince, sans sacrifice et sans idole; ce qui est accompli aujourd'hui, ne pouvant faire sacrifice légitime hors de Jérusalem. [728]

9 On pourrait peut-être penser que, quand les prophètes ont prédit que le sceptre ne sortirait point de Juda jusqu'au roi éternel, ils auraient parlé pour flatter le peuple, et que leur prophétie se serait trouvée fausse à Hérode. Mais pour montrer que ce n'est pas leur sens, et qu'ils savaient bien au contraire que ce royaume temporel devait cesser, ils disent qu'ils seront sans roi et sans prince, et longtemps durant. Osée (iii, 4). [719]

60 Le temps du premier avènement est prédit; le temps du second ne l'est point, parce que le premier devait être caché; le second doit être éclatant et tellement manifeste que ses ennemis mêmes le devaient reconnaître. Mais, comme il ne devait venir qu'obscurément, et que pour être connu de ceux qui sonderaient les Écritures....[1] [757]

61 Captivité des Juifs sans retour. Jérém. xi, 11.

Figures....

Prophéties preuves de divinité.[2]... [713]

62 Prophéties.

Le sceptre ne fut point interrompu par la captivité de Babylone, à cause que le retour était promis et prédit. [637]

1 *Susceperunt verbum cum omni aviditate, scrutantes scripturas si ita se haberent* [Acts xvii, 11].

2 This fragment consists of biblical texts translated or adapted by Pascal. Those illustrating Figures are Is. v, viii, xxix, Dan. xii, Hosea xiv; those illustrating Prophéties etc. are Is. xli, xlii, xliv, xlv, xlvi, xlviii, lvi, lix, lxvi.

463 Quand Nabuchodonosor emmena le peuple, de peur qu'on ne crût que le sceptre fût ôté de Juda, il leur fut dit auparavant qu'ils y seraient peu, et qu'ils seraient rétablis. Ils fusent toujours consolés par les prophètes; leurs rois continuèrent. Mais la seconde destruction est sans promesse de rétablissement, sans prophètes, sans rois, sans consolation, sans espérance, parce que le sceptre est ôté pour jamais. [639]

464 Daniel ii.[1] [722]

465 Prophéties.

Les septante semaines de Daniel sont équivoques pour le terme du commencement à cause des termes de la prophétie; et pour le terme de la fin à cause des diversités des chronologistes. Mais toute cette différence ne va qu'à deux cents ans.[2] [723]

466 Prédictions.

Qu'en la quatrième monarchie, avant la destruction du second temple, avant que la domination des Juifs fût ôtée, en la septantième semaine de Daniel, pendant la durée du second temple, les païens seraient instruits, et amenés à la connaissance du Dieu adoré par les Juifs; que ceux qui l'aiment seraient délivrés de leurs ennemis, remplis de sa crainte et de son amour.

Et il est arrivé qu'en la quatrième monarchie, avant la destruction du second temple, etc., les païens en foule adorent Dieu et mènent une vie angélique; les filles consacrent à Dieu leur virginité et leur vie; les hommes renoncent à tous plaisirs. Ce que Platon n'a pu persuader à quelque peu d'hommes choisis et si instruits, une force secrète le persuade à cent millions d'hommes ignorants, par la vertu de peu de paroles.

1 This fragment consists of translation of Dan. ii, viii, ix, xi, with a few explanatory historical remarks.

2 The prophecy in Dan. ix. 25 runs *Ab exitu sermonis* (the issue of the commandment) *ut iterum aedificetur Jerusalem...hebdomades septem erunt.* The doubt ("équivoque") is whether this refers to Jeremiah's prophecy (*ca.* 594 B.C.) or to the decrees of Cyrus (*ca.* 537 B.C.) or of Artaxerxes (*ca.* 457 B.C.). The difference between the chronologists is over the duration of the second temple and of the Persian monarchy.

Les riches quittent leur bien, les enfants quittent la maison délicate de leurs pères pour aller dans l'austérité d'un désert, etc. (Voyez Philon juif.) Qu'est-ce que tout cela? C'est ce qui a été prédit si longtemps auparavant. Depuis deux mille années aucun païen n'avait adoré le Dieu des Juifs; et dans le temps prédit, la foule des païens adore cet unique Dieu. Les temples sont détruits, les rois même se soumettent à la croix. Qu'est-ce que tout cela? C'est l'esprit de Dieu qui est répandu sur la terre.

Nul païen depuis Moïse jusqu'à Jésus-Christ, selon les Rabbins mêmes. La foule des païens, après Jésus-Christ, croit en les livres de Moïse, et en observe l'essence et l'esprit, et n'en rejette que l'inutile. [724]

57 Sainteté, *Effundam spiritum meum.*[1] Tous les peuples étaient dans l'infidélité et dans la concupiscence, toute la terre fut ardente de charité; les princes quittent leurs grandeurs, les filles souffrent le martyre. D'où vient cette force? C'est que le Messie est arrivé; voilà l'effet et les marques de sa venue. [772]

58 Que Jésus-Christ serait petit en son commencement et croîtrait ensuite. La petite pierre de Daniel.[2] Si je n'avais pas ouï parler en aucune sorte de Messie, néanmoins après les prédictions si admirables de l'ordre du monde que je vois accomplies, je vois que cela est divin. Et si je savais que ces mêmes livres prédisent un Messie, je m'assurerais qu'il serait venu; et voyant qu'ils mettent son temps avant la destruction du deuxième temple, je dirais qu'il serait venu. [734]

9 Les prophéties ayant donné diverses marques qui devaient toutes arriver à l'avènement du Messie, il fallait que toutes ces marques arrivassent en même temps. Ainsi il fallait que la quatrième monarchie fût venue lorsque les septante semaines de Daniel seraient accomplies et que le sceptre fût sorti de Juda, et tout cela est arrivé sans aucune difficulté; et qu'alors il arrivât le Messie, et Jésus-Christ est arrivé alors qui s'est dit le Messie, et tout cela est

1 Joel ii, 28. 2 Dan. ii, 34.

encore sans difficulté, et cela marque bien la vérité des prophéties.
[738]

470 Prophéties.

En Égypte, *Pug*. p. 659, *Talmud*: "C'est une tradition entre nous que quand le Messie arrivera, la Maison de Dieu, destinée à la dispensation de sa parole, sera pleine d'ordure et d'impureté, et que la sagesse des scribes sera corrompue et pourvue. Ceux qui craindront de pécher seront réprouvés du peuple et traités de fous et d'insensés."[1]
[726]

471 Pendant la durée du Messie, *Aenigmatis* Ézéch. xvii. Son précurseur Malachie iii. Il naîtra enfant Is. ix.

Il naîtra de la ville de Bethléem. Mich. v. Il paraîtra principalement en Jérusalem et naîtra de la famille de Juda et de David.

Il doit aveugler les sages et les savants, Is. vi, viii, xxix, etc., et annoncer l'Évangile aux petits, Is. xxix, ouvrir les yeux des aveugles, et rendre la santé aux infirmes, et mener à la lumière ceux qui languissent dans les ténèbres, Is. lxi.

Il doit enseigner la voie parfaite, et être le précepteur des Gentils. Is. xlii, 1–7, lv.

Les prophéties doivent être inintelligibles aux impies, Dan. xii; Osée, ult. 10, mais intelligibles à ceux qui sont bien instruits.

Les prophéties qui le représentent pauvre le représentent maître des nations. Is. lii, 14, etc.; liii. Zach. ix, 9.

Les prophéties qui prédisent le temps ne le prédisent que maître des Gentils, et souffrant, et non dans les nuées, ni juge. Et celles qui le représentent ainsi, jugeant et glorieux, ne marquent point le temps.

Qu'il doit être la victime pour les péchés du monde. Is. xxxix, liii, etc.

Il doit être la pierre fondamentale précieuse. Is. xxviii, 16.

Il doit être la pierre d'achoppement et de scandale. Is. viii. Jérusalem doit heurter contre cette pierre.

1 There follows a series of texts in Pascal's translation (Is. xlix, Amos xiii, Dan. xii, Hag. ii, Gen. xlix). The Isaiah passage in particular is of great beauty.

Les édifiants doivent réprouver cette pierre. Ps. cxvii, 22.

Dieu doit faire de cette pierre le chef du coin.

Et cette pierre doit croître en une immense montagne, et doit remplir toute la terre. Dan. ii.

Qu'ainsi il doit être rejeté, méconnu, trahi, Ps. cviii, 8, vendu, Zach. xi, 12; craché, souffleté, moqué, affligé en une infinité de manières, abreuvé de fiel, Ps. lxviii, transpercé, Zach. xii, les pieds et les mains percés, tué, et ses habits jetés au sort.

Qu'il ressusciterait, Ps. xv, le troisième jour, Osée vi, 3.

Qu'il monterait au ciel pour s'asseoir à la droite. Ps. cx.

Que les rois s'armeraient contre lui. Ps. ii.

Qu'étant à la droite du Père, il serait victorieux de ses ennemis.

Que les rois de la terre et tous les peuples l'adoreraient. Is. lx.

Que les Juifs subsisteront en nation. Jérém.

Qu'ils seraient errants, sans rois, etc., Osée iii, sans prophètes, Amos, attendant le salut et ne le trouvant point. Is.

Vocation des Gentils par Jésus-Christ. Is. lii, 15; lv, 5; lx, etc., Ps. lxxxi.

Osée i, 9: "Vous ne serez plus mon peuple et je ne serai plus votre Dieu, après que vous serez multipliés de la dispersion. Les lieux où l'on n'appelle pas mon peuple, je l'appellerai mon peuple." [727]

72

Prophétie.

Amos et Zacharie. Ils ont vendu le juste et pour cela ne seront jamais rappelés, Jésus-Christ trahi. On n'aura plus mémoire d'Égypte. Voyez Is. xliii, 16, 17, 18, 19; Jérém. xxiii, 6, 7.

Prophétie.

Les Juifs seront répandus partout, Is. xxvii, 6.

Loi nouvelle. Jérém. xxxi, 32.

Malachie, *Grotius*. Le deuxième temple glorieux. Jésus-Christ y viendra. Agg. ii, 7, 8, 9, 10.

Vocation des Gentils. Joel ii, 28; Osée ii, 24; Deut. xxxii, 21; Mal. i, 11. [715]

73 Juifs témoins de Dieu. Is. xliii, 9; xliv, 8.

Prophéties accomplies.

III R. xiii, 2.—IV R. xxiii, 16.—Jos. VI, xxvi.—III R. xvi, 34.—Deut. xxiii.

Malach. i, 11. Le sacrifice des Juifs réprouvé, et le sacrifice des païens (même hors de Jérusalem) et en tous les lieux.

Moïse prédit la vocation des Gentils avant que de mourir. xxxii, 21, et la réprobation des Juifs.

Moïse prédit ce qui doit arriver à chaque tribu.

Prophétie.

"Votre nom sera en exécration à mes élus et je leur donnerai un autre nom."[1]

"Endurcis leur cœur",[2] et comment? en flattant leur concupiscence et leur faisant espérer de l'accomplir. [714]

474 Osée iii; Is. xlii, xlviii, liv, lx, lxi, dernier: "Je l'ai prédit depuis longtemps afin qu'ils sachent que c'est moi." Jaddus et Alexandre.[3] [716]

475 Prédictions.

Il est prédit qu'au temps du Messie, il viendrait établir une nouvelle alliance, qui ferait oublier la sortie d'Égypte. Jérém. xxiii, 5; Is. xliii, 16; qui mettrait sa loi, non dans l'extérieur, mais dans les cœurs; qu'il mettrait sa crainte, qui n'avait été qu'au dehors, dans le milieu du cœur. Qui ne voit la loi chrétienne en tout cela? [729]

476 ...Qu'alors l'idolâtrie serait renversée; que ce Messie abattrait toutes les idoles, et ferait entrer les hommes dans le culte du vrai Dieu.

Que les temples des idoles seraient abattus, et que parmi toutes les nations et en tous les lieux du monde, lui serait offerte une hostie pure, non pas des animaux.

Qu'il serait roi des Juifs et des Gentils. Et voilà ce roi des Juifs et des Gentils, opprimé par les uns et les autres qui conspirent à sa

1 Is. vi, 9. 2 Is. vi, 10.
3 Cf. Josephus, *Ant.* xi, 8.

mort, dominateur des uns et des autres, et détruisant et le culte de Moïse dans Jérusalem, qui en était le centre, dont il fait sa première Église, et le culte des idoles dans Rome, qui en était le centre, et dont il fait sa principale Église. [730]

77 Prophéties.

Que Jésus-Christ sera à la droite, pendant que Dieu lui assujettira ses ennemis.

Donc il ne les assujettira pas lui-même. [731]

78 "...Qu'alors on n'enseignera plus son prochain, disant: Voici le Seigneur, *car Dieu se fera sentir à tous.*"[1]—"*Vos fils prophétiseront.*"[2] —"Je mettrai mon esprit et ma crainte *en votre cœur.*"[3]

Tout cela est la même chose. Prophétiser, c'est parler de Dieu, non par preuves du dehors, mais par sentiment intérieur *et immédiat.*[4] [732]

79 Qu'il enseignerait aux hommes la voie parfaite.

Et jamais il n'est venu, ni devant, ni après lui, aucun homme qui ait enseigné rien de divin approchant de cela. [733]

80 Prophéties.

Que les Juifs réprouveraient Jésus-Christ, et qu'ils seraient réprouvés de Dieu, par cette raison que la vigne élue ne donnerait que du verjus. Que le peuple choisi serait infidèle, ingrat et incrédule, *populum non credentem et contradicentem.*[5] Que Dieu les frappera d'aveuglement, et qu'ils tâtonneraient en plein midi comme les aveugles; qu'un précurseur viendrait avant lui. [735]

81 Moïse d'abord enseigne la trinité, le péché originel, le Messie.

David, grand témoin: roi, bon, pardonnant, belle âme, bon esprit, puissant; il prophétise, et son miracle arrive; cela est infini.

1 Jer. xxxi, 34.
2 Joel ii, 28.
3 Jer. xxxi, 34.
4 Pascal's italics.
5 Rom. x, 21.

Il n'avait qu'à dire qu'il était le Messie, s'il eût eu de la vanité: car les prophéties sont plus claires de lui que de Jésus-Christ. Et saint Jean de même. [752]

482 Prophéties.

Le temps prédit par l'état du peuple juif, par l'état du peuple païen, par l'état du temple, par le nombre des années. [708]

483 Il faut être hardi pour prédire une même chose en tant de manières; il fallait que les quatre monarchies idolâtres ou païennes, la fin du règne de Juda, et les soixante-dix semaines arrivassent en même temps, et le tout avant que le deuxième temple fût détruit. [709]

484 Transfixerunt, Zach. xii, 10.

Qu'il devait venir un libérateur qui écraserait la tête au démon, qui devait délivrer son peuple de ses péchés, *ex omnibus iniquitatibus*;[1] qu'il devait y avoir un Nouveau Testament, qui serait éternel; qu'il devait y avoir une autre prêtrise selon l'ordre de Melchisédech;[2] que celle-là serait éternelle; que le Christ devait être glorieux, puissant, fort, et néanmoins si misérable qu'il ne serait pas reconnu; qu'on ne le prendrait pas pour ce qu'il est; qu'on le rebuterait, qu'on le tuerait; que son peuple, qui l'aurait renié, ne serait plus son peuple; que les idolâtres le recevraient, et auraient recours à lui; qu'il quitterait Sion pour régner au centre de l'idolâtrie; que néanmoins les Juifs subsisteraient toujours; qu'il devait être de Juda, et quand il n'y aurait plus de roi. [736]

485 Et ce qui couronne tout cela est la prédiction, afin qu'on ne dît point que c'est le hasard qui l'a faite.

Quiconque n'ayant plus que huit jours à vivre ne trouvera pas que le parti est de croire que tout cela n'est pas un coup de hasard. Or, si les passions ne nous tenaient point, huit jours et cent ans sont une même chose.[3] [694]

1 Ps. cxxix, 8. 2 Ps. cix, 4.

3 *Fascinatio nugacitatis*. Afin que la passion ne nuise point, faisons comme s'il n'y avait que huit jours de vie. [203]

Si on doit donner huit jours de la vie, on doit donner cent ans. [204]

36 Prédictions des choses particulières.

Ils étaient étrangers en Égypte, sans aucune possession en propre, ni en ce pays-là ni ailleurs. [Il n'y avait pas la moindre apparence ni de la royauté qui y a été si longtemps après, ni de ce conseil souverain des soixante-dix juges qu'ils appelaient le synédrin qui, ayant été institué par Moïse, a duré jusqu'au temps de Jésus-Christ: toutes ces choses étaient aussi éloignées de leur état présent qu'elles le pouvaient être] lorsque Jacob mourant, et bénissant ses douze enfants, leur déclare qu'ils seront possesseurs d'une grande terre, et prédit particulièrement à la famille de Juda que les rois qui les gouverneraient un jour seraient de sa race et que tous ses frères seraient ses sujets [et que même le Messie qui devait être l'attente des nations naîtrait de lui et que la royauté ne serait point ôtée de Juda, ni le gouverneur et le législateur de ses descendants, jusqu'à ce que le Messie attendu arrivât dans sa famille].

Ce même Jacob, disposant de cette terre future comme s'il en eût été maître, en donna une portion à Joseph plus qu'aux autres: "Je vous donne, dit-il, une part plus qu'à vos frères." Et bénissant ses deux enfants, Éphraïm et Manassé, que Joseph lui avait présentés, l'aîné, Manassé, à sa droite, et le jeune Éphraïm à sa gauche, il met ses bras en croix, et posant sa main droite sur la tête d'Éphraïm, et la gauche sur Manassé, il les bénit en [*la*] sorte; et sur ce que Joseph lui représente qu'il préfère le jeune, il lui répond avec une fermeté admirable: "Je le sais bien, mon fils, je le sais bien; mais Éphraïm croîtra autrement que Manassé."[1] Ce qui a été en effet si véritable dans la suite, qu'étant seul presque aussi abondant que deux lignées entières qui composaient tout un royaume, elles ont été ordinairement appelées du seul nom d'Éphraïm.

Ce même Joseph, en mourant, recommande à ses enfants d'emporter ses os avec eux quand ils iront en cette terre, où ils ne furent que deux cents ans après.

Moïse, qui a écrit toutes ces choses si longtemps avant qu'elles fussent arrivées, a fait lui-même à chaque famille les partages de

1 Gen. xlviii.

cette terre avant que d'y entrer, comme s'il en eût été maître [et déclare enfin que Dieu doit susciter de leur nation et de leur race un prophète, dont il a été la figure, et leur prédit exactement tout ce qui leur devait arriver dans la terre où ils allaient entrer après sa mort, les victoires que Dieu leur donnera, leur ingratitude envers Dieu, les punitions qu'ils en recevront et le reste de leurs aventures]. Il leur donne les arbitres pour en faire le partage, il leur prescrit toute la forme du gouvernement politique qu'ils y observeront, les villes de refuge qu'ils y bâtiront et.... [711]

487 Les prophéties mêlées de choses particulières, et de celles du Messie, afin que les prophéties ne fussent pas sans preuves, et que les prophéties particulières ne fussent pas sans fruit. [712]

488 Que peut-on avoir, sinon de la vénération, d'un homme qui prédit clairement des choses qui arrivent, et qui declare son dessein et d'aveugler et d'éclairer, et qui mêle des obscurités parmi des choses claires qui arrivent? [756]

Type and Allegory

489 Figures.

Pour montrer que l'Ancien Testament n'est que figuratif, et que les prophètes entendaient par les biens temporels d'autres biens, c'est:

Premièrement que cela serait indigne de Dieu;

Secondement que leurs discours expriment très clairement la promesse des biens temporels, et qu'ils disent néanmoins que leurs discours sont obscurs, et que leur sens ne sera point entendu. D'où il paraît que ce sens secret n'était pas celui qu'ils exprimaient à découvert, et que par conséquent ils entendaient parler d'autres sacrifices, d'un autre libérateur, etc. Ils disent qu'on ne l'entendra qu'à la fin des temps. Jérém. XXX, *ult.*

La troisième preuve est que leurs discours sont contraires et se détruisent, de sorte que, si on pense qu'ils n'aient entendu par les mots de loi et de sacrifice autre chose que celle de Moïse, il y a contradiction manifeste et grossière. Donc ils entendaient autre chose, se contredisant quelquefois dans un même chapitre.

Or, pour entendre le sens d'un auteur.... [659]

Figures.

Les prophètes prophétisaient par figures de ceinture, de barbe et de cheveux brûlés. [653]

Figures particulières.

Double loi, doubles tables de la loi, double temple, double captivité. [652]

Deux erreurs: 1° prendre tout littéralement; 2° prendre tout spirituellement. [648]

Parler contre les trop grands figuratifs. [649]

Extravagances des Apocalyptiques, et
Préadamites, Millénaires, etc.[1]

Qui voudra fonder des opinions extravagantes sur l'Écriture, en fondera par exemple sur cela: Il est dit que "cette génération ne passera point jusqu'à ce que tout cela se fasse". Sur cela je dirai qu'après cette génération, il viendra une autre génération, et toujours successivement.

Il est parlé dans les IIes *Paralipomènes* de Salomon et de roi, comme si c'étaient deux personnes diverses. Je dirai que c'en étaient deux. [651]

Le règne éternel de la race de David II Chr., par toutes les prophéties, et avec serment. Et n'est point accompli temporellement. Jérém. xxiii, 20. [718]

1 On Apoc. and Mill. cf. Hastings' *Encycl. of Religion*, s.v. "Second Adventism", vol. XI, pp. 283 ff. On Praeadamites cf. *Praeadamitae* by I. Lapeyrère (1855, 12mo). He deduced from Gen. i a double creation of man. Cf. Bayle, *Dict.* s.v. "Peyrère".

496 Il y a des figures claires et démonstratives, mais il y en a d'autres qui semblent un peu tirées par les cheveux, et qui ne prouvent qu'à ceux qui sont persuadés d'ailleurs. Celles-là sont semblables aux apocalyptiques, mais la différence qu'il y a, est qu'ils n'en ont point d'indubitables; tellement qu'il n'y a rien de si injuste que quand ils montrent que les leurs sont aussi bien fondées que quelques-unes des nôtres; car ils n'en ont pas de démonstratives comme quelques-unes des nôtres. La partie n'est donc pas égale. Il ne faut pas égaler et confondre ces choses, parce qu'elles semblent être semblables par un bout, étant si différentes par l'autre; ce sont les clartés qui méritent, quand elles sont divines, qu'on révère les obscurités.

[C'est comme ceux entre lesquels il y a un certain langage obscur: ceux qui n'entendraient pas cela n'y comprendraient qu'un sot sens.] [650]

497 Il y a assez de clarté pour éclairer les élus et assez d'obscurité pour les humilier. Il y a assez d'obscurité pour aveugler les réprouvés et assez de clarté pour les condamner et les rendre inexcusables. *Saint Augustin, Montaigne, Sebonde.*

La généalogie de Jésus-Christ dans l'Ancien Testament est mêlée parmi tant d'autres inutiles, qu'elle ne peut être discernée. Si Moïse n'eût tenu registre que des ancêtres de Jésus-Christ, cela eût trop visible. S'il n'eût pas marqué celle de Jésus-Christ, cela n'eût pas été assez visible. Mais, après tout, qui y regarde de près, voit celle de Jésus-Christ bien discernée par Thamar, Ruth, etc.[1]

Ceux qui ordonnaient ces sacrifices en savaient l'inutilité, ceux qui en ont déclaré l'inutilité n'ont pas laissé de les pratiquer.

Si Dieu n'eût permis qu'une religion, elle eût été trop reconnaissable; mais qu'on y regarde de près, on discerne bien la vérité dans cette confusion.

Principe: Moïse était habile homme. Si donc il se gouvernait

1 Preuves de Jésus-Christ.
Pourquoi le livre de Ruth conservé?
Pourquoi l'histoire de Thamar? [743]

par son esprit, il ne dirait rien nettement qui fût directement contre l'esprit.

Ainsi toutes les faiblesses très apparentes sont des forces. Exemple: les deux généalogies de saint Matthieu et de saint Luc. Qu'y a-t-il de plus clair, que cela n'a pas été fait de concert? [578]

)8 Que Dieu s'est voulu cacher.

S'il n'y avait qu'une religion, Dieu y serait bien manifeste. S'il n'y avait des martyrs qu'en notre religion, de même.

Dieu étant ainsi caché, toute religion qui ne dit pas que Dieu est caché n'est pas véritable; et toute religion qui n'en rend pas la raison n'est pas instruisante. La nôtre fait tout cela: *Vere tu es Deus absconditus.*[1] [585]

)9 S'il n'y avait point d'obscurité, l'homme ne sentirait point sa corruption; s'il n'y avait point de lumière, l'homme n'espérerait point de remède. Ainsi, il est non seulement juste, mais utile pour nous, que Dieu soit caché en partie, et découvert en partie, puisqu'il est également dangereux à l'homme de connaître Dieu sans connaître sa misère, et de connaître sa misère sans connaître Dieu. [586]

)0 Is. i, 21. Changement de bien en mal et vengeance de Dieu. (Here follows a score of references to Isaiah and Jeremiah.) [682]

)1 Ceux qui ont peine à croire en cherchent un sujet en ce que les Juifs ne croient pas. "Si cela était si clair, dit-on, pourquoi ne croiraient-ils pas?" Et voudraient quasi qu'ils crussent, afin de n'être pas arrêtés par l'exemple de leur refus. Mais c'est leur refus même qui est le fondement de notre créance. Nous y serions bien moins disposés, s'ils étaient des nôtres. Nous aurions alors un bien plus ample prétexte. Cela est admirable, d'avoir rendu les Juifs grands amateurs des choses prédites, et grands ennemis de l'accomplissement. [745]

)2 Figures.

La lettre tue; tout arrivait en figures. Voilà le chiffre que saint

1 Is. xlv, 15.

Paul nous donne. Il fallait que le Christ souffrît.[1] Un Dieu humilié. Circoncision du cœur, vrai jeûne, vrai sacrifice, vrai temple. Les prophètes ont indiqué qu'il fallait que tout cela fût spirituel.

Non la viande qui périt, mais celle qui ne périt point.

"Vous seriez vraiment libres."[2] Donc l'autre liberté n'est qu'une figure de liberté.

"Je suis le vrai pain du ciel."[3] [683]

503

Contradiction.

On ne peut faire une bonne physionomie[4] qu'en accordant toutes nos contrariétés, et il ne suffit pas de suivre une suite de qualités accordantes sans accorder les contraires. Pour entendre le sens d'un auteur, il faut accorder tous les passages contraires.

Ainsi, pour entendre l'Écriture, il faut avoir un sens dans lequel tous les passages contraires s'accordent. Il ne suffit pas d'en avoir un qui convienne à plusieurs passages accordants, mais d'en avoir un qui accorde les passages même contraires.

Tout auteur a un sens auquel tous les passages contraires s'accordent, ou il n'a point de sens du tout. On ne peut pas dire cela de l'Écriture et des prophètes; ils avaient assurément trop bon sens. Il faut donc en chercher un qui accorde toutes les contrariétés.

Le véritable sens n'est donc pas celui des Juifs; mais en Jésus-Christ toutes les contradictions sont accordées.

Les Juifs ne sauraient accorder la cessation de la royauté et principauté, prédite par Osée, avec la prophétie de Jacob.[5]

Si on prend la loi, les sacrifices et le royaume pour réalités, on ne peut accorder tous les passages. Il faut donc par nécessité qu'ils ne soient que figures. On ne saurait pas même accorder les passages d'un même auteur, ni d'un même livre, ni quelquefois d'un même chapitre, ce qui marque trop quel était le sens de l'auteur; comme quand Ézéchiel, chap. xx, dit qu'on vivra dans les commandements de Dieu et qu'on n'y vivra pas. [684]

1 Luke xxiv, 26.
2 John viii, 36.
3 John vi, 35.
4 "physionomie" = literary portrait.
5 Hosea iii, 10; Gen. xiii, 10.

4 Figures.

Un portrait porte absence et présence, plaisir et déplaisir. La réalité exclut absence et déplaisir.

Pour savoir si la loi et les sacrifices sont réalité ou figure, il faut voir si les prophètes, en parlant de ces choses, y arrêtaient leur vue et leur pensée, en sorte qu'ils n'y vissent que cette ancienne alliance, ou s'ils y voient quelque autre chose dont elle fût la peinture; car dans un portrait on voit la chose figurée. Il ne faut pour cela qu'examiner ce qu'ils en disent.

Quand ils disent qu'elle sera éternelle, entendent-ils parler de l'alliance de laquelle ils disent qu'elle sera changée; et de même des sacrifices, etc.?

Le chiffre a deux sens. Quand on surprend une lettre importante où l'on trouve un sens clair, et où il est dit néanmoins que le sens en est voilé et obscurci, qu'il est caché en sorte qu'on verra cette lettre sans la voir et qu'on l'entendra sans l'entendre; que doit-on penser sinon que c'est un chiffre à double sens, et d'autant plus qu'on y trouve des contrariétés manifestes dans le sens littéral? Les prophètes ont dit clairement qu'Israël serait toujours aimé de Dieu, et que la loi serait éternelle, et ils ont dit que l'on n'entendrait point leur sens, et qu'il était voilé.[1]

Combien doit-on donc estimer ceux qui nous découvrent le chiffre et nous apprennent à connaître le sens caché, et principalement quand les principes qu'ils en prennent sont tout à fait naturels et clairs! C'est ce qu'a fait Jésus-Christ, et les apôtres. Ils ont levé le sceau, il a rompu le voile et a découvert l'esprit. Ils nous ont appris pour cela que les ennemis de l'homme sont ses passions; que le Rédempteur serait spirituel et son règne spirituel; qu'il y aurait deux avènements: l'un de misère pour abaisser l'homme superbe, l'autre de gloire, pour élever l'homme humilié; que Jésus-Christ serait Dieu et homme. [678]

5 Figures.

Si la loi et les sacrifices sont la vérité, il faut qu'elle plaise à Dieu, et qu'elle ne lui déplaise point. S'ils sont figures, il faut qu'ils plaisent et déplaisent.

1 Figure porte absence et présence, plaisir et déplaisir.—Chiffre a double sens: Un clair et où il est dit que le sens est caché. [677]

Or dans toute l'Écriture ils plaisent et déplaisent. Il est dit que la loi sera changée, que le sacrifice sera changé, qu'ils seront sans loi, sans prince et sans sacrifice, qu'il sera fait une nouvelle alliance, que la loi sera renouvelée, que les préceptes qu'ils ont reçus ne sont pas bons, que leurs sacrifices sont abominables, que Dieu n'en a point demandé.

Il est dit, au contraire, que la loi durera éternellement, que cette alliance sera éternelle, que le sacrifice sera éternel, que le sceptre ne sortira jamais d'avec eux, puisqu'il ne doit point en sortir que le Roi éternel n'arrive.

Tous ces passages marquent-ils que ce soit réalité? Non. Marquent-ils aussi que ce soit figure? Non: mais que c'est réalité, ou figure. Mais les premiers, excluant la réalité, marquent que ce n'est que figure.

Tous ces passages ensemble ne peuvent être dits de la réalité; tous peuvent être dits de la figure: donc ils ne sont pas dits de la réalité, mais de la figure.

Agnus occisus est ab origine mundi.[1] Juge *sacrificium.*[2] [685]

506 Figures.

Dès qu'une fois on a ouvert ce secret, il est impossible de ne pas le voir. Qu'on lise le vieil Testament en cette vue, et qu'on voie si les sacrifices étaient vrais, si la parenté d'Abraham était la vraie cause de l'amitié de Dieu, si la terre promise était le véritable lieu de repos? Non; donc c'étaient des figures. Qu'on voie de même toutes les cérémonies ordonnées, tous les commandements qui ne sont pas pour la charité, on verra que c'en sont les figures.

Tous ces sacrifices et cérémonies étaient donc figures ou sottises. Or il y a des choses claires trop hautes, pour les estimer des sottises.

Savoir si les prophètes arrêtaient leur vue dans l'Ancien Testament, ou y voyaient d'autres choses.[3] [680]

1 Rev. xiii, 8.
2 Editors read "sacrificateur". T. restores the reading *sacrificium.*
3 Figuratives. Clé du chiffre: *Veri adoratores: ecce agnus Dei qui tollit peccata mundi.* (In margin, "vrais adorateurs".) [681]

God gives light to the elect, and leaves the rest in darkness

7 On n'entend rien aux ouvrages de Dieu si on ne prend pour principe qu'il a voulu aveugler les uns et éclairer les autres. [566]

8 *Objection.* Visiblement l'Écriture pleine de choses non dictées du Saint-Esprit.

Réponse. Elles ne nuisent donc point à la foi.

Objection. Mais l'Église a décidé que tout est du Saint-Esprit.

Réponse. Je réponds deux choses: que l'Église n'a jamais décidé cela; l'autre que, quand elle l'aurait décidé, cela se pourrait soutenir. Les prophéties citées dans l'Évangile, vous croyez qu'elles sont rapportées pour vous faire croire? Non, c'est pour vous éloigner de croire. [568]

9 Raison pourquoi. Figures.

[Ils avaient à entretenir un peuple charnel et à le rendre dépositaire du testament spirituel.] Il fallait que pour donner foi au Messie il y eût eu des prophéties précédentes, et qu'elles fussent portées par des gens non suspects, et d'une diligence et fidélité et d'un zèle extraordinaire, et connu de toute la terre.

Pour faire réussir tout cela, Dieu a choisi ce peuple charnel, auquel il a mis en dépôt les prophéties qui prédisent le Messie comme libérateur et dispensateur des biens charnels que ce peuple aimait. Et ainsi il a eu une ardeur extraordinaire pour ses prophètes, et a porté à la vue de tout le monde ces livres qui prédisent leur Messie, assurant toutes les nations qu'il devait venir, et en la manière prédite dans les livres qu'ils tenaient ouverts à tout le monde. Et ainsi ce peuple, déçu par l'avènement ignominieux et pauvre du Messie, ont été ses plus cruels ennemis. De sorte que voilà le peuple du monde le moins suspect de nous favoriser, et le plus exact et zélé qui se puisse dire pour sa loi et pour ses prophètes, qui les porte incorrompus; de sorte que ceux qui ont rejeté et crucifié Jésus-Christ, qui leur a été en scandale, sont ceux qui portent les livres qui témoignent de lui et qui disent qu'il sera rejeté et en scandale; de sorte qu'ils ont marqué que c'était lui en le refusant, et qu'il a été également prouvé, et par les justes Juifs qui l'ont reçu, et par les injustes qui l'ont rejeté, l'un et l'autre ayant été prédit.

C'est pour cela que les prophéties ont un sens caché, le spirituel dont ce peuple était ennemi, sous le charnel, dont il était ami. Si le sens spirituel eût été découvert, ils n'étaient pas capables de l'aimer; et, ne pouvant le porter, ils n'eussent pas eu le zèle pour la conservation de leurs livres et de leurs cérémonies; et, s'ils [*avaient*] aimé ces promesses spirituelles, et qu'ils les eussent conservées incorrompues jusqu'au Messie, leur témoignage n'eût pas eu de force, puisqu'ils en eussent été amis.

Voilà pourquoi il était bon que le sens spirituel fût couvert; mais, d'un autre côté, si ce sens eût été tellement caché qu'il n'eût point du tout paru, il n'eût pu servir de preuve au Messie. Qu'a-t-il donc été fait? Il a été couvert sous le temporel en la foule des passages, et a été découvert si clairement en quelques-uns; outre que le temps et l'état du monde ont été prédits si clairement qu'il est plus clair que le soleil; et ce sens spirituel est si clairement expliqué en quelques endroits, qu'il fallut un aveuglement pareil à celui que la chair jette dans l'esprit quand il lui est assujetti, pour ne le pas reconnaître.

Voilà donc quelle a été la conduite de Dieu. Ce sens est couvert d'un autre en une infinité d'endroits, et découvert en quelques-uns rarement, mais en telle sorte néanmoins que les lieux où il est caché sont équivoques et peuvent convenir aux deux; au lieu que les lieux où il est découvert sont univoques, et ne peuvent convenir qu'au sens spirituel.

De sorte que cela ne pouvait induire en erreur, et qu'il n'y avait qu'un peuple aussi charnel qui s'y pût méprendre.

Car quand les biens sont promis en abondance, qui les empêchait d'entendre les véritables biens, sinon leur cupidité, qui déterminait ce sens aux biens de la terre? Mais ceux qui n'avaient bien qu'en Dieu les rapportaient uniquement à Dieu. Car il y a deux principes qui partagent les volontés des hommes, la cupidité et la charité. Ce n'est pas que la cupidité ne puisse être avec la foi en Dieu, et que la charité ne soit avec les biens de la terre; mais la cupidité use de Dieu et jouit du monde; et la charité, au contraire.

Or, la dernière fin est ce qui donne le nom aux choses. Tout ce qui nous empêche d'y arriver est appelé ennemi. Ainsi les créatures, quoique bonnes, sont ennemies des justes, quand elles les détournent de Dieu; et Dieu même est l'ennemi de ceux dont il trouble la convoitise.

Ainsi le mot d'ennemi dépendant de la dernière fin, les justes entendaient par là leurs passions, et les charnels entendaient les Babyloniens: et ainsi ces termes n'étaient obscurs que pour les injustes. Et c'est ce que dit Isaïe: *Signa legem in electis meis*, et que Jésus-Christ sera pierre et scandale. Mais "Bienheureux ceux qui ne seront point scandalisés en lui!" Osée *ult.*, le dit parfaitement: "Où est le sage? et il entendra ce que je dis. Les justes l'entendront: car les voies de Dieu sont droites; mais les méchants y trébucheront." [571]

...Et cependant ce Testament, fait pour aveugler les uns et éclairer les autres, marquait, en ceux mêmes qu'il aveuglait, la vérité qui devait être des autres. Car les biens visibles qu'ils recevaient de Dieu étaient si grands et si divins, qu'il paraissait bien qu'il était puissant de leur donner les invisibles, et un Messie.

Car la nature est une image de la grâce, et les miracles visibles sont images des invisibles. *Ut sciatis...tibi dico: Surge.*[1]

Isaïe dit que la rédemption sera comme le passage de la mer Rouge.

Dieu a donc montré en la sortie d'Égypte, de la mer, en la défaite des rois, en la manne, en toute la généalogie d'Abraham, qu'il était capable de sauver, de faire descendre le pain du ciel, etc.; de sorte que le peuple ennemi est la figure et la représentation du même Messie qu'ils ignorent, etc.

Il nous a donc appris enfin que toutes ces choses n'étaient que

1 Mark ii, 10, 11.

figures, et ce que c'est que "vraiment libre", "vrai Israélite", "vraie circoncision", "vrai pain du ciel", etc.

Dans ces promesses-là, chacun trouve ce qu'il a dans le fond de son cœur, les biens temporels ou les biens spirituels, Dieu ou les créatures; mais avec cette différence que ceux qui y cherchent les créatures les y trouvent, mais avec plusieurs contradictions, avec la défense de les aimer, avec l'ordre de n'adorer que Dieu et de n'aimer que lui, ce qui n'est qu'une même chose, et qu'enfin il n'est point venu Messie pour eux; au lieu que ceux qui y cherchent Dieu le trouvent, et sans aucune contradiction, avec commandement de n'aimer que lui, et qu'il est venu un Messie dans le temps prédit pour leur donner les biens qu'ils demandent.

Ainsi les Juifs avaient des miracles, des prophéties qu'ils voyaient accomplir; et la doctrine de leur loi était de n'adorer et de n'aimer qu'un Dieu; elle était aussi perpétuelle. Ainsi elle avait toutes les marques de la vraie religion: aussi elle l'était. Mais il faut distinguer la doctrine des Juifs d'avec la doctrine de la loi des Juifs. Or la doctrine des Juifs n'était pas vraie, quoiqu'elle eût les miracles, les prophéties, et la perpétuité, parce qu'elle n'avait pas cet autre point de n'adorer et de n'aimer que Dieu. [675]

Figures.

511 Dieu voulant priver les siens des biens périssables, pour montrer que ce n'était pas par impuissance, il a fait le peuple juif. [645]

512 Que peut-on avoir, sinon de la vénération, d'un homme qui prédit clairement des choses qui arrivent, et qui déclare son dessein et d'aveugler et d'éclairer, et qui mêle des obscurités parmi des choses claires qui arrivent? [756]

513 Que disent les prophètes de Jésus-Christ? Qu'il sera évidemment Dieu? Non; mais qu'il est un Dieu véritablement caché; qu'il sera méconnu; qu'on ne pensera point que ce soit lui; qu'il sera une pierre d'achoppement, à laquelle plusieurs heurteront, etc. Qu'on ne nous reproche donc plus le manque de clarté, puisque nous en faisons profession.

Mais, dit-on, il y a des obscurités. Et sans cela, on ne serait pas aheurté à Jésus-Christ, et c'est un des desseins formels des prophètes: *Excaeca.*[1] [751]

4 Hérode cru le Messie. Il avait ôté le sceptre de Juda, mais il n'était pas de Juda. Cela fit une secte considérable.[2]

Malédiction des Grecs contre ceux qui comptent trois périodes des temps.

Comment fallait-il qu'il fût le Messie, puisque par lui le sceptre devait être éternellement en Juda, et qu'à son arrivée le sceptre devait être ôté de Juda.[3]

Pour faire qu'en voyant ils ne voient point, et qu'en entendant ils n'entendent point, rien ne pouvait être mieux fait.[4] [753]

5 Les Juifs charnels n'entendaient ni la grandeur ni l'abaissement du Messie prédit dans leurs prophéties. Ils l'ont méconnu dans sa grandeur prédite, comme quand il dit que le Messie sera seigneur de David, quoique son fils, et qu'il est devant qu'Abraham, et qu'il l'a vu; ils ne le croyaient pas si grand, qu'il fût éternel et ils l'ont méconnu de même dans son abaissement et dans sa mort. "Le Messie, disaient-ils, demeure éternellement, et celui-ci dit qu'il mourra." Ils ne le croyaient donc ni mortel, ni éternel: ils ne cherchaient en lui qu'une grandeur charnelle. [662]

Figuratif.

6 Rien n'est si semblable à la charité que la cupidité, et rien n'y est si contraire. Ainsi les Juifs, pleins des biens qui flattaient leur cupidité, étaient très conformes aux Chrétiens, et très contraires. Et par ce moyen, ils avaient les deux qualités qu'il fallait qu'ils eussent, d'être très conformes au Messie pour le figurer, et très contraires pour n'être pas témoins suspects. [663]

1 Is. vi, 10.
2 Et Barcosba, et un autre reçu par les Juifs. Et le bruit qui était partout en ce temps-là. Suétone, Tacite, Josèphe (Margin of 753).
3 Gen. xlix, 10. 4 Is. vi, 3.

517 Figuratif.

Dieu s'est servi de la concupiscence des Juifs pour les faire servir à Jésus-Christ [qui portait le remède à la concupiscence]. [664]

518 La charité n'est pas un précepte figuratif. Dire que Jésus-Christ, qui est venu ôter les figures pour mettre la vérité, ne serait venu que mettre la figure de la charité pour ôter la réalité qui était auparavant, cela est horrible.

"Si la lumière est tenèbres, que seront les ténèbres."[1] [665]

519 Isaïe li. La mer Rouge, image de la Rédemption. *Ut sciatis quod filius hominis habet potestatem remittendi peccata, tibi dico: Surge.*[2] Dieu, voulant faire paraître qu'il pouvait former un peuple saint d'une sainteté invisible et le remplir d'une gloire éternelle, a fait des choses visibles. Comme la nature est une image de la grâce, il a fait dans les biens de la nature ce qu'il devait faire dans ceux de la grâce, afin qu'on jugeât qu'il pouvait faire l'invisible, puisqu'il faisait bien le visible.

Il a donc sauvé ce peuple du déluge; il l'a fait naître d'Abraham, il l'a racheté d'entre ses ennemis, et l'a mis dans le repos.

L'objet de Dieu n'était pas de sauver du déluge, et de faire naître tout un peuple d'Abraham, pour ne l'introduire que dans une terre grasse.

Et même la grâce n'est que la figure de la gloire, car elle n'est pas la dernière fin. Elle a été figurée par la loi et figure elle-même la [*gloire*]: mais elle en est la figure, et le principe ou la cause.

La vie ordinaire des hommes est semblable à celle des saints. Ils recherchent tous leur satisfaction, et ne diffèrent qu'en l'objet où ils la placent; ils appellent leurs ennemis ceux qui les en empêchent, etc. Dieu a donc montré le pouvoir qu'il a de donner les biens invisibles, par celui qu'il a montré qu'il avait sur les visibles. [643]

520 *Fac secundum exemplar quod tibi ostensum est in monte.*[3]

La religion des Juifs a donc été formée sur la ressemblance[4] de la

1 Matth. vi, 22.
2 Mark ii, 10, 11.
3 Ex. xxv, 40.
4 Figuratives. "Fais toutes choses, selon le patron qui t'a été montré sur la montagne." Sur quoi saint Paul dit que les Juifs ont peint les choses célestes. [674]

vérité du Messie; et la vérité du Messie a été reconnue par la religion des Juifs, qui en était la figure.

Dans les Juifs, la vérité n'était que figurée; dans le ciel elle est découverte.

Dans l'Église, elle est couverte, et reconnue par le rapport à la figure.

La figure a été faite sur la vérité, et la vérité a été reconnue sur la figure.

Saint Paul dit lui-même que des gens défendront les mariages, et lui-même en parle aux Corinthiens, d'une manière qui est une ratière. Car si un prophète avait dit l'un, et que saint Paul eût dit ensuite l'autre, on l'eût accusé. [673]

21 Aveuglement de l'Écriture.

"L'Écriture, disaient les Juifs, dit qu'on ne saura d'où le Christ viendra. (Joh. vii, 27 et xii, 34.) L'Écriture dit que le Christ demeure éternellement, et celui-ci dit qu'il mourra."

Ainsi, dit saint Jean, ils ne croyaient point, quoiqu'il eût tant fait de miracles, afin que la parole d'Isaïe fût accomplie: *Il les a aveuglés*, etc. [573]

22 Grandeur.

La religion est une chose si grande, qu'il est juste que ceux qui ne voudraient pas prendre la peine de la chercher, si elle est obscure, en soient privés. De quoi se plaint-on donc, si elle est telle qu'on la puisse trouver en la cherchant? [574]

23 Tout tourne en bien pour les élus, jusqu'aux obscurités de l'Écriture; car ils les honorent, à cause des clartés divines. Et tout tourne en mal pour les autres, jusqu'aux clartés; car ils les blasphèment, à cause des obscurités qu'ils n'entendent pas. [575]

24 Dieu a fait servir l'aveuglement de ce peuple au bien des élus. [577]

25 Par ceux qui sont dans le déplaisir de se voir sans foi, on voit que Dieu ne les éclaire pas; mais les autres, on voit qu'il y a un Dieu qui les aveugle. [202]

(ii) The New Testament

Jesus Christ

The centre of all

(α) *He fulfils type and prophecy*

526 Nous ne connaissons Dieu que par Jésus-Christ. Sans ce Médiateur, est ôtée toute communication avec Dieu; par Jésus-Christ, nous connaissons Dieu. Tous ceux qui ont prétendu connaître Dieu et le prouver sans Jésus-Christ n'avaient que des preuves impuissantes. Mais pour prouver Jésus-Christ, nous avons les prophéties, qui sont des preuves solides et palpables. Et ces prophéties étant accomplies, et prouvées véritables par l'événement, marquent la certitude de ces vérités, et partant, la preuve de la divinité de Jésus-Christ. En lui et par lui, nous connaissons donc Dieu. Hors de là et sans l'Écriture, sans le péché originel, sans Médiateur nécessaire promis et arrivé, on ne peut prouver absolument Dieu, ni enseigner ni bonne doctrine ni bonne morale. Mais par Jésus-Christ et en Jésus-Christ, on prouve Dieu, et on enseigne la morale et la doctrine. Jésus-Christ est donc le véritable Dieu des hommes.

Mais nous connaissons en même temps notre misère, car ce Dieu-là n'est autre chose que le Réparateur de notre misère. Ainsi nous ne pouvons bien connaître Dieu qu'en connaissant nos iniquités. Aussi ceux qui ont connu Dieu sans connaître leur misère ne l'ont pas glorifié, mais s'en sont glorifiés. *Quia...non cognovit per sapientiam...placuit Deo per stultitiam prædicationis salvos facere.*[1] [547]

527 La misère persuade le désespoir, l'orgueil persuade la présomption. L'incarnation montre à l'homme la grandeur de sa misère par la grandeur du remède qu'il a fallu. [526]

1 I Cor. i, 21.

28 La connaissance de Dieu sans celle de sa misère fait l'orgueil. La connaissance de sa misère sans celle de Dieu fait le désespoir. La connaissance de Jésus-Christ fait le milieu, parce que nous y trouvons et Dieu et notre misère. [527]

29 L'évangile ne parle de la virginité de la Vierge que jusques à la naissance de Jésus-Christ. Tout par rapport à Jésus-Christ. [742]

30 Les prophètes ont prédit, et non pas été prédits. Les saints ensuite prédits, non prédisants. Jésus-Christ prédit et prédisant. [739]

31 Jésus-Christ, que les deux Testaments regardent, l'ancien comme son attente, le nouveau comme son modèle, tous deux comme leur centre. [740]

32 Jésus-Christ n'a point voulu du témoignage des démons, ni de ceux qui n'avaient pas vocation: mais de Dieu et de Jean-Baptiste. [784]

33 Jésus-Christ figuré par Joseph: bien-aimé de son père, envoyé du père pour voir ses frères, etc., innocent, vendu par ses frères vingt deniers, et par là devenu leur seigneur, leur sauveur, et le sauveur des étrangers, et le sauveur du monde; ce qui n'eût point été sans le dessein de le perdre, la vente et la réprobation qu'ils en firent.

Dans la prison, Joseph innocent entre deux criminels; Jésus-Christ en la croix entre deux larrons. Il prédit le salut à l'un et la mort à l'autre, sur les mêmes apparences. Jésus-Christ sauve les élus et damne les réprouvés sur les mêmes crimes. Joseph ne fait que prédire; Jésus-Christ fait. Joseph demande à celui qui sera sauvé qu'il se souvienne de lui quand il sera venu en sa gloire; et celui que Jésus-Christ sauve lui demande qu'il se souvienne de lui, quand il sera en son royaume. [768]

Je crois que Josué a le premier du peuple de Dieu ce nom, comme Jésus-Christ le dernier du peuple de Dieu. [627]

34 La victoire sur la mort. Que sert à l'homme de gagner tout le monde, s'il perd son âme? Qui veut garder son âme, la perdra.

"Je ne suis pas venu détruire la loi, mais l'accomplir."

"Les agneaux n'ôtaient point les péchés du monde, mais je suis l'agneau qui ôte les péchés.

"Moïse ne vous a point donné le pain du ciel. Moïse ne vous a point tirés de captivité, et ne vous a pas rendus véritablement libres."[1] [782]

535 Après que bien des gens sont venus devant, il est venu enfin Jésus-Christ dire: "Me voici, et voici le temps. Ce que les prophètes ont dit devoir avenir dans la suite des temps, je vous dis que mes apôtres le vont faire. Les Juifs vont être rebutés. Jérusalem sera bientôt détruite; et les païens vont entrer dans la connaissance de Dieu. Mes apôtres le vont faire après que vous aurez tué l'héritier de la vigne." Et puis les apôtres ont dit aux Juifs: "Vous allez être maudits (*Celsus s'en moquait*)"; et aux païens: "Vous allez entrer dans la connaissance de Dieu." Et cela arrive alors.[2] [770]

536 La conversion des païens n'était réservée qu'à la grâce du Messie. Les Juifs ont été si longtemps à les combattre sans succès: tout ce qu'en ont dit Salomon et les prophètes a été inutile. Les sages comme Platon et Socrate n'ont pu le persuader. [769]

(β) *The Redeemer*

537 Jésus-Christ n'a fait autre chose qu'apprendre aux hommes qu'ils s'aimaient eux-mêmes, qu'ils étaient esclaves, aveugles, malades, malheureux et pécheurs; qu'il fallait qu'il les délivrât, éclairât, béatifiât et guérît; que cela se ferait en se haïssant soi-même, et en le suivant par la misère et la mort de la croix. [545]

538 Sans Jésus-Christ il faut que l'homme soit dans le vice et dans la

1 I Cor. xv, 57; Luke ix, 25; Luke iv, 24; Matth. v, 17; John i, 29; John vi, 32, 26; Ps. ii, 1, 2.

2 Ruine des Juifs et des païens par Jésus-Christ: *Omnes gentes venient et adorabunt eum. Parum est ut* etc. *Postula a me. Adorabunt eum omnes reges. Testes iniqui. Dabit maxillam percutienti. Dederunt fel in escam.* [Ps. xxi, 28; Is. xix, 6; Ps. ii, 8; Ps. lxxi, 11; Ps. xxxiv, 11; Lam. iii, 30; Ps. lxviii, 22.] [773]

misère; avec Jésus-Christ l'homme est exempt de vice et de misère. En lui toute notre vertu et toute notre félicité. Hors de lui il n'y a que vice, misère, erreurs, ténèbres, désespoir. [546]

Figures.

39 Sauveur, père, sacrificateur, hostie, nourriture, roi, sage, législateur, affligé, pauvre, devant produire un peuple qu'il devait conduire et nourrir et introduire dans sa terre.

Jésus-Christ. Offices.

Il devait lui seul produire un grand peuple, élu, saint et choisi; le conduire, le nourrir, l'introduire dans le lieu de repos et de sainteté; le rendre saint à Dieu; en faire le temple de Dieu, le réconcilier à Dieu, le sauver de la colère de Dieu, le délivrer de la servitude du péché, qui règne visiblement dans l'homme; donner des lois à ce peuple, graver ces lois dans leur cœur, s'offrir à Dieu pour eux, se sacrifier pour eux, être une hostie sans tâche, et lui-même sacrificateur: devant s'offrir lui-même, son corps et son sang, et néanmoins offrir pain et vin à Dieu....

Ingrediens mundum. "Pierre sur pierre."

Ce qui a précédé et ce qui a suivi. Tous les Juifs subsistants et vagabonds. [766]

(γ) *The paradox of His Person*

(i) His Life

Source des contrariétés.

540 Un Dieu humilié, et jusqu'à la mort de la croix; un Messie triomphant de la mort par la mort. Deux natures en Jésus-Christ, deux avènements, deux états de la nature de l'homme. [765]

541 Les Juifs, en éprouvant s'il était Dieu, ont montré qu'il était homme. [763]

542 *Non habemus regem nisi Caesarem.*[1] Donc Jésus-Christ était le Messie puisqu'ils n'avaient plus de roi qu'un étranger, et qu'ils ne voulaient point d'autre. [720]

1 Nous n'avons point de roi que César. [721]

543 De tout ce qui est sur la terre il ne prend part qu'aux déplaisirs, non aux plaisirs. Il aime ses proches, mais sa charité ne se renferme dans ces bornes, et se répand sur ses ennemis, et puis sur ceux de Dieu. [767]

544 L'Église a eu autant de peine à montrer que Jésus-Christ était homme, contre ceux qui le niaient, qu'à montrer qu'il était Dieu; et les apparences étaient aussi grandes. [764]

545 Je considère Jésus-Christ en toutes les personnes et en nous-mêmes: Jésus-Christ comme père en son père, Jésus-Christ comme frère en ses frères, Jésus-Christ comme pauvre en les pauvres, Jésus-Christ comme riche en les riches, Jésus-Christ comme docteur et prêtre en les prêtres, Jésus-Christ comme souverain en les princes, etc. Car il est par sa gloire tout ce qu'il y a de grand, étant Dieu, et est par sa vie mortelle tout ce qu'il y a de chétif et d'abject. Pour cela il a pris cette malheureuse condition, pour pouvoir être en toutes les personnes, et modèle de toutes conditions. [785]

546 Jésus-Christ dans une obscurité (selon ce que le monde appelle obscurité) telle que les historiens, n'écrivant que les importantes choses des États, l'ont à peine aperçu. [786]

547 Sur ce que Josèphe, ni Tacite, et les autres historiens n'ont point parlé de Jésus-Christ.

Tant s'en faut que cela fasse contre, qu'au contraire cela fait pour. Car il est certain que Jésus-Christ a été, et que sa religion a fait grand bruit, et que ces gens-là ne l'ignoraient pas, et qu'ainsi il est visible qu'ils ne l'ont celé qu'à dessein; ou bien qu'ils en ont parlé, et qu'on l'a supprimé ou changé. [787]

548 Quel homme eut jamais plus d'éclat? Le peuple juif tout entier le prédit avant sa venue. Le peuple gentil l'adore après sa venue. Les deux peuples, gentil et juif, le regardent comme leur centre.

Et cependant quel homme jouit jamais moins de cet éclat? De trente-trois ans, il en vit trente sans paraître. Dans trois ans, il passe pour un imposteur; les prêtres et les principaux le rejettent; ses amis et ses plus proches le méprisent. Enfin il meurt trahi par un des siens, renié par l'autre et abandonné par tous.

Quel part a-t-il donc à cet éclat? Jamais homme n'a eu tant d'éclat, jamais homme n'a eu plus d'ignominie. Tout cet éclat n'a servi qu'à nous, pour nous le rendre reconnaissable; et il n'en a rien eu pour lui. [792]

49 La distance infinie des corps aux esprits figure la distance infiniment plus infinie des esprits à la charité, car elle est surnaturelle.

Tout l'éclat des grandeurs n'a point de lustre pour les gens qui sont dans les recherches de l'esprit.

La grandeur des gens d'esprit est invisible aux rois, aux riches, aux capitaines, à tous ces grands de chair.

La grandeur de la sagesse, qui n'est nulle sinon de Dieu, est invisible aux charnels et aux gens d'esprit. Ce sont trois ordres différant de genre.

Les grands génies ont leur empire, leur éclat, leur grandeur, leur victoire, leur lustre et n'ont nul besoin des grandeurs charnelles, où elles n'ont pas de rapport. Ils sont vus non des yeux, mais des esprits, c'est assez.

Les saints ont leur empire, leur éclat, leur victoire, leur lustre, et n'ont nul besoin des grandeurs charnelles ou spirituelles, où elles n'ont nul rapport, car elles n'y ajoutent ni ôtent. Ils sont vus de Dieu et des anges, et non des corps ni des esprits curieux: Dieu leur suffit.

Archimède, sans éclat, serait en même vénération. Il n'a pas donné des batailles pour les yeux, mais il a fourni à tous les esprits ses inventions. Oh! qu'il a éclaté aux esprits!

Jésus-Christ, sans biens et sans aucune production au dehors de science, est dans son ordre de sainteté. Il n'a point donné d'invention, il n'a point régné; mais il a été humble, patient, saint, saint à Dieu, terrible aux démons, sans aucun péché. Oh! qu'il est venu en grande pompe et en une prodigieuse magnificence, aux yeux du cœur, qui voient la sagesse!

Il eût été inutile à Archimède de faire le prince dans ses livres de géométrie, quoiqu'il le fût.

Il eût été inutile à Notre Seigneur Jésus-Christ, pour éclater dans son règne de sainteté, de venir en roi; mais il y est bien venu avec l'éclat de son ordre!

Il est bien ridicule de se scandaliser de la bassesse de Jésus-Christ, comme si cette bassesse était du même ordre, duquel est la grandeur qu'il venait faire paraître. Qu'on considère cette grandeur-là dans sa vie, dans sa passion, dans son obscurité, dans sa mort, dans l'élection des siens, dans leur abandon, dans sa secrète résurrection, et dans le reste, on la verra si grande, qu'on n'aura pas sujet de se scandaliser d'une bassesse qui n'y est pas.

Mais il y en a qui ne peuvent admirer que les grandeurs charnelles, comme s'il n'y en avait pas de spirituelles; et d'autres qui n'admirent que les spirituelles, comme s'il n'y en avait pas d'infiniment plus hautes dans la sagesse.

Tous les corps, le firmament, les étoiles, la terre et ses royaumes, ne valent pas le moindre des esprits; car il connaît tout cela, et soi; et les corps, rien.

Tous les corps ensemble, et tous les esprits ensemble, et toutes leurs productions, ne valent pas le moindre mouvement de charité. Cela est d'un ordre infiniment plus élevé.

De tous les corps ensemble, on ne saurait en faire réussir une petite pensée: cela est impossible, et d'un autre ordre. De tous les corps et esprits, on n'en saurait tirer un mouvement de vraie charité, cela est impossible, et d'un autre ordre, surnaturel. [793]

550 Comme Jésus-Christ est demeuré inconnu parmi les hommes, ainsi sa vérité demeure parmi les opinions communes, sans différence à l'extérieur. Ainsi l'Eucharistie parmi le pain commun. [789]

551 Jésus-Christ n'a pas voulu être tué sans les formes de la justice, car il est bien plus ignominieux de mourir par justice que par une sédition injuste. [790]

552 La fausse justice de Pilate ne sert qu'à faire souffrir Jésus-Christ; car il le fait fouetter pour sa fausse justice, et puis le tue. Il vaudrait mieux l'avoir tué d'abord. Ainsi les faux justes: ils font de bonnes œuvres et de méchantes pour plaire au monde et

montrer qu'ils ne sont pas tout à fait à Jésus-Christ, car ils en ont honte. Et enfin, dans les grandes tentations et occasions, ils le tuent. [791]

3 Pourquoi Jésus-Christ n'est-il pas venu d'une manière visible, au lieu de tirer sa preuve des prophéties précédentes? Pourquoi s'est-il fait prédire en figures? [794]

4 Jésus-Christ ne dit pas qu'il n'est pas de Nazareth, pour laisser les méchants dans l'aveuglement, ni qu'il n'est pas fils de Joseph. [796]

5 Si Jésus-Christ n'était venu que pour sanctifier, toute l'Écriture et toutes choses y tendraient, et il serait bien aisé de convaincre les infidèles. Si Jésus-Christ n'était venu que pour aveugler, toute sa conduite serait confuse, et nous n'aurions aucun moyen de convaincre les infidèles. Mais comme il est venu *in sanctificationem et in scandalum*, comme dit Isaïe,[1] nous ne pouvons convaincre les infidèles et ils ne peuvent nous convaincre; mais, par là même, nous les convainquons, puisque nous disons qu'il n'y a point de conviction dans toute sa conduite de part ni d'autre. [795]

56 Jésus-Christ a fait des miracles, et les apôtres ensuite, et les premiers saints, en grand nombre; parce que, les prophéties n'étant pas encore accomplies, et s'accomplissant par eux, rien ne témoignait que les miracles. Il était prédit que le Messie convertirait les nations. Comment cette prophétie se fût-elle accomplie, sans la conversion des nations? Et comment les nations se fussent-elles converties au Messie, ne voyant pas ce dernier effet des prophéties qui le prouvent? Avant donc qu'il ait été mort, ressuscité, et converti les nations, tout n'était pas accompli; et ainsi il a fallu des miracles pendant tout ce temps. Maintenant il n'en faut plus contre les Juifs, car les prophéties accomplies sont un miracle subsistant. [838]

57 Jésus-Christ est venu aveugler ceux qui voyaient clair, et donner la vue aux aveugles; guérir les malades et laisser mourir les sains; appeler à la pénitence et justifier les pécheurs, et laisser les justes dans leurs péchés; remplir les indigents, et laisser les riches vides. [771]

1 Is. viii, 14.

(ii) His Teaching

558 Le christianisme est étrange. Il ordonne à l'homme à reconnaître qu'il est vil, et même abominable, et lui ordonne de vouloir être semblable à Dieu. Sans un tel contrepoids, cette élévation le rendrait horriblement vain, ou cet abaissement le rendrait terriblement abject. [537]

559 Nulle autre religion n'a proposé de se haïr. Nulle autre religion ne peut donc plaire à ceux qui se haïssent, et qui cherchent un être vraiment aimable. Et ceux-là, s'ils n'avaient jamais ouï parler de la religion d'un Dieu humilié, l'embrasseraient incontinent. [468]

560 La vraie et unique vertu est donc de se haïr (car on est haïssable par sa concupiscence), et de chercher un être véritablement aimable, pour l'aimer. Mais, comme nous ne pouvons aimer ce qui est hors de nous, il faut aimer un être qui soit en nous, et qui ne soit pas nous, et cela est vrai d'un chacun de tous les hommes. Or il n'y a que l'être universel qui soit tel. Le royaume de Dieu est en nous: le bien universel est en nous, est nous-même, et n'est pas nous. [485]

561 Qui ne hait en soi son amour-propre, et cet instinct qui le porte à se faire Dieu, est bien aveuglé. Qui ne voit que rien n'est si opposé à la justice et à la vérité? Car il est faux que nous méritions cela; et il est injuste et impossible d'y arriver, puisque tous demandent la même chose. C'est donc une manifeste injustice où nous sommes nés, dont nous ne pouvons nous défaire, et dont il faut nous défaire.

Cependant aucune religion n'a remarqué que ce fût un péché, ni que nous y fussions nés, ni que nous fussions obligés d'y resister, ni n'a pensé à nous en donner les remèdes. [492]

562 Le voile qui est sur ces livres pour les Juifs y est aussi pour les mauvais chrétiens, et pour tous ceux qui ne haïssent pas eux-mêmes.

Mais qu'on est bien disposés à les entendre et à connaître Jésus-Christ, quand on se hait véritablement soi-même! [676]

63 Ce que les hommes, par leurs plus grandes lumières, avaient pu connaître, cette religion l'enseignait à ses enfants. [444]

64 Les philosophes ont consacré les vices, en les mettant en Dieu même; les chrétiens ont consacré les vertus. [503]

65 Jésus-Christ n'a jamais condamné sans ouïr. A Judas: *Amice, ad quid venisti?*[1] A celui qui n'avait pas la robe nuptiale, de même. [780]

(δ) *Mediator between God and Man*

66 Jésus-Christ est un Dieu dont on s'approche sans orgueil et sous lequel on s'abaisse sans désespoir. [528]

67 Non un abaissement qui nous rende incapables de bien, ni une sainteté exempte du mal. [529]

68 Non seulement nous ne connaissons Dieu que par Jésus-Christ, mais nous ne nous connaissons nous-mêmes que par Jésus-Christ. Nous ne connaissons la vie, la mort que par Jésus-Christ. Hors de Jésus-Christ, nous ne savons ce que c'est ni que notre vie, ni que notre mort, ni que Dieu, ni que nous-mêmes.

Ainsi, sans l'Écriture, qui n'a que Jésus-Christ pour objet, nous ne connaissons rien, et ne voyons qu'obscurité et confusion dans la nature de Dieu et dans la propre nature. [548]

69 Il est non seulement impossible, mais inutile de connaître Dieu sans Jésus-Christ. Ils ne s'en sont pas éloignés, mais approchés; ils ne se sont pas abaissés, mais....

Quo quisquam optimus est, pessimus, si hoc ipsum, quod optimus est, adscribat sibi.[2] [549]

1 Matth. xxvi, 50.
2 St Bernard, *In Cantica sermones*, LXXXIV.

(ε) *His true disciples alone are in the Order of Justice and measure all things by that infallible canon*

570 Joh. viii. *Multi crediderunt in eum. Dicebat ergo Jesus:* "*Si manseritis...VERE mei discipuli eritis, et VERITAS LIBERABIT VOS.*"

Responderunt: "*Semen Abrahae sumus et nemini servimus unquam.*" Il y a bien de la différence entre les disciples et les *vrais* disciples. On les reconnaît en leur disant que la vérité les rendra libres: car s'ils répondent qu'ils sont libres et qu'il est en eux de sortir de l'esclavage du diable, ils sont bien disciples, mais non pas de vrais disciples. [519]

571 Il y a peu de vrais chrétiens, je dis même pour la foi. Il y en a bien qui croient, mais par superstition: il y en a bien qui ne croient pas, mais par libertinage: peu sont entre deux. [256]

572 Les vrais chrétiens obéissent aux folies néanmoins; non pas qu'ils respectent les folies, mais l'ordre de Dieu, qui, pour la punition des hommes, les a asservis à ces folies: *Omnis creatura subjecta est vanitati.*[1] *Liberabitur.*[2] Ainsi saint Thomas[3] explique le lieu de saint Jacques sur la préférence des riches, que, s'ils ne le font pas dans la vue de Dieu, ils sortent de l'ordre de la religion. [338]

573 *Comminutum cor* (Saint Paul), voilà le caractère chrétien. "Albe vous a nommé, je vous ne connais plus" (Corneille),[4] voilà le caractère inhumain. Le caractère humain est le contraire. [533]

574 Il n'y a que deux sortes d'hommes: les uns justes, qui se croient pécheurs; les autres pécheurs, qui se croient justes. [534]

575 Avec combien peu d'orgueil un chrétien se croit-il uni à Dieu! Avec combien peu d'abjection s'égale-t-il aux vers de la terre!

La belle manière de recevoir la vie et la mort, les biens et les maux! [538]

1 Eccl. iii, 19. 2 Rom. viii, 20.
3 James ii, 1-4. Cf. Div. Thom. *Comm. in B. Iacobi Epist. ad loc.*
4 *comminutum cor.* The exact expression is not Pauline, but the sense is. Cf. Phil. ii; Eph. iv, 2; Col. iii, 12. "Albe, etc." *Horace* II, 3.

76 Nul n'est heureux comme un vrai chrétien, ni raisonnable, ni vertueux, ni aimable. [541]

77 Il n'y a que la religion chrétienne qui rende l'homme *aimable et heureux* tout ensemble. Dans l'honnêteté on ne peut être aimable et heureux ensemble. [542]

78 Il n'y a rien sur la terre qui ne montre, ou la misère de l'homme, ou la miséricorde de Dieu; ou l'impuissance de l'homme sans Dieu, ou la puissance de l'homme avec Dieu. [562]

The Apostles and the Church

The Apostles, Historians and Witnesses

Neither knaves nor dupes

79 Preuve de Jésus-Christ.

L'hypothèse des apôtres fourbes est bien absurde.[1] Qu'on la suive tout au long; qu'on s'imagine ces douze hommes assemblés après la mort de Jésus-Christ, faisant le complot de dire qu'il est ressuscité. Ils attaquent par là toutes les puissances. Le cœur des hommes est étrangement penchant à la légèreté, au changement, aux promesses, aux biens. Si peu qu'un de ceux-là se fût démenti par tous ces attraits, et, qui plus est, par les prisons, par les tortures et par la mort, ils étaient perdus. Qu'on suive cela. [801]

80 Les apôtres ont été trompés, ou trompeurs; l'un ou l'autre est difficile, car il n'est pas possible de prendre un homme pour être ressuscité....

Tandis que Jésus-Christ était avec eux, il les pouvait soutenir; mais après cela, s'il ne leur est apparu, qui les a fait agir? [802]

1 Hypothèse des apôtres fourbes. Le temps clairement, la manière obscurément. Cinq preuves des Figuratifs.

2000 { 1600 Prophètes.
400 Épars. [572]

Their style

581 Preuves de Jésus-Christ.

Jésus-Christ a dit les choses grandes si simplement qu'il semble qu'il ne les a pas pensées, et si nettement néanmoins qu'on voit bien ce qu'il en pensait. Cette clarté jointe à cette naïveté est admirable. [797]

582 Le style de l'Évangile est admirable en tant de manières, et entre autres en ne mettant jamais aucune invective contre les bourreaux et ennemis de Jésus-Christ. Car il n'y en a aucune des historiens contre Judas, Pilate ni aucun des Juifs.

Si cette modestie des historiens évangéliques avait été affectée, aussi bien que tant d'autres traits d'un si beau caractère, et qu'ils ne l'eussent affecté que pour le faire remarquer, s'ils n'avaient osé le remarquer eux-mêmes, ils n'auraient pas manqué de se procurer des amis, qui eussent fait ces remarques à leur avantage. Mais comme ils ont agi de la sorte sans affectation, et par un mouvement tout désintéressé, ils ne l'ont fait remarquer par personne; et je crois que plusieurs de ces choses n'ont point été remarquées jusqu'ici, et c'est ce qui témoigne la froideur avec laquelle la chose a été faite. [798]

583 Un artisan qui parle des richesses, un procureur qui parle de la guerre, de la royauté, etc.; mais le riche parle bien des richesses, le roi parle froidement d'un grand don qu'il vient de faire, et Dieu parle bien de Dieu. [799]

584 Qui a appris aux évangélistes les qualités d'une âme parfaitement héroïque, pour la peindre si parfaitement en Jésus-Christ? Pourquoi le font-ils faible dans son agonie? Ne savent-ils pas peindre une mort constante? Oui, car le même saint Luc peint celle de saint Étienne plus forte que celle de Jésus-Christ.

Ils le font donc capable de crainte, avant que la nécessité de mourir soit arrivée, et ensuite tout fort.

Mais quand ils le font si troublé, c'est quand il se trouble lui-même: et quand les hommes le troublent, il est tout fort. [800]

35 Quoique les personnes n'aient point d'intérêt à ce qu'elles disent, il ne faut pas conclure de là absolument qu'ils ne mentent point; car il y a des gens qui mentent simplement pour mentir. [108]

36 Figures.

Jésus-Christ leur ouvrit l'esprit pour entendre les Écritures.

Deux grandes ouvertures sont celles-là: 1° Toutes choses arrivaient en figures: *vere Israelitae, vere liberi*, vrai pain du ciel; 2° un Dieu humilié jusqu'à la Croix: il a fallu que le Christ ait souffert pour entrer dans sa gloire: "qu'il vaincrait la mort par sa mort". Deux avènements. [679]

The Church: its past history and present state

87 Clarté, obscurité.

Il y aurait trop d'obscurité si la vérité n'avait pas des marques visibles. C'en est une admirable d'être toujours conservée dans une église et assemblée visible. Il y aurait trop de clarté s'il n'y avait qu'un sentiment dans cette église; celui qui a toujours été est le vrai; car le vrai a toujours été et aucun faux n'y a toujours été. [857]

88 L'histoire de l'église doit être proprement appelée l'histoire de la vérité. [858]

89 ...Alors Jésus-Christ vient dire aux hommes qu'ils n'ont point d'autres ennemis qu'eux-mêmes, que ce sont leurs passions qui les séparent de Dieu, qu'il vient pour les détruire, et pour leur donner sa grâce, afin de faire d'eux tous une Église sainte, qu'il vient ramener dans cette Église les païens et les Juifs, qu'il vient détruire les idoles des uns et la superstition des autres. A cela s'opposent tous les hommes, non seulement par l'opposition naturelle de la concupiscence; mais, par-dessus tous, les rois de la terre s'unissent pour abolir cette religion naissante, comme cela avait été prédit (*Proph.*: *Quare fremuerunt gentes...reges terræ...adversus Christum*).[1]

1 Ps. ii, 1, 2.

Tout ce qu'il y a de grand sur la terre s'unit, les savants, les sages, les rois. Les uns écrivent, les autres condamnent, les autres tuent. Et nonobstant toutes ces oppositions, ces gens simples et sans force résistent à toutes ces puissances et se soumettent même ces rois, ces savants, ces sages, et ôtent l'idolâtrie de toute la terre. Et tout cela se fait par la force qui l'avait prédit. [783]

590 Point formaliste.

Quand saint Pierre et les apôtres délibèrent d'abolir la circoncision, où il s'agissait d'agir contre la loi de Dieu, ils ne consultent point les prophètes, mais simplement la réception du Saint-Esprit en la personne des incirconcis.

Ils jugent plus sûr que Dieu approuve ceux qu'il remplit de son Esprit, que non pas qu'il faille observer la loi. Ils savaient que la fin de la loi n'était que le Saint-Esprit; et qu'ainsi, puisqu'on l'avait bien sans circoncision, elle n'était pas nécessaire. [672]

Members of Christ's Body

591 Membres. Commencer par là.

Pour régler l'amour qu'on se doit à soi-même, il faut s'imaginer un corps plein de membres pensants,[1] car nous sommes membres du tout, et voir comment chaque membre devrait s'aimer, etc. [474]

592 Si les pieds et les mains avaient une volonté particulière, jamais ils ne seraient dans leur ordre qu'en soumettant cette volonté particulière à la volonté première qui gouverne le corps entier. Hors de là, ils sont dans le désordre et dans le malheur; mais en ne voulant que le bien du corps, ils font leur propre bien. [475]

593 Pour faire que les membres soient heureux il faut qu'ils aient une volonté, et qu'ils conforment au corps. [480]

594 Les exemples des morts généreuses de Lacédémoniens et autres ne nous touchent guère. Car qu'est-ce que cela nous apporte? Mais l'exemple de la mort des martyrs nous touche; car ce sont "nos

1 Qu'on s'imagine un corps plein de membres pensants. [473]

membres". Nous avons un lien commun avec eux: leur résolution peut former la nôtre, non seulement par l'exemple, mais parce qu'elle a peut-être mérité la nôtre. Il n'est rien de cela aux exemples des païens: nous n'avons point de liaison à eux; comme on ne devient pas riche pour voir un étranger qui l'est, mais bien pour voir son père ou son mari qui le soient. [481]

95 Morale.

Dieu ayant fait le ciel et la terre, qui ne sentent point le bonheur de leur être, il a voulu faire des êtres qui le connussent, et qui composassent un corps de membres pensants. Car nos membres ne sentent point le bonheur de leur union, de leur admirable intelligence, du soin que la nature a d'y influer les esprits, et de les faire croître et durer. Qu'ils seraient heureux s'ils le sentaient, s'ils le voyaient! Mais il faudrait pour cela qu'ils eussent intelligence pour le connaître, et bonne volonté pour consentir à celle de l'âme universelle. Que si, ayant reçu l'intelligence, ils s'en servaient à retenir en eux-mêmes la nourriture, sans la laisser passer aux autres membres, ils seraient non seulement injustes, mais encore misérables, et se haïraient plutôt que de s'aimer; leur béatitude, aussi bien que leur devoir, consistant à consentir à la conduite de l'âme entière à qui ils appartiennent, qui les aime mieux qu'ils ne s'aiment eux-mêmes. [482]

96 Être membre, est n'avoir de vie, d'être et de mouvement que par l'esprit du corps et pour le corps.

Le membre séparé, ne voyant plus le corps auquel il appartient, n'a plus qu'un être périssant et mourant. Cependant il croit être un tout, et ne se voyant point de corps dont il dépende, il croit ne dépendre que de soi, et veut se faire centre et corps lui-même. Mais n'ayant point en soi de principe de vie, il ne fait que s'égarer, et s'étonne dans l'incertitude de son être, sentant bien qu'il n'est pas corps, et cependant ne voyant point qu'il soit membre d'un corps. Enfin, quand il vient à se connaître, il est comme revenu chez soi, et ne s'aime plus que pour le corps. Il plaint ses égarements passés.

Il ne pourrait pas par sa nature aimer une autre chose, sinon pour soi-même et pour se l'asservir, parce que chaque chose s'aime plus que tout. Mais en aimant le corps, il s'aime soi-même, parce qu'il n'a d'être qu'en lui, par lui et pour lui: *qui adhæret Deo unus spiritus est.*[1]

Le corps aime la main; et la main, si elle avait une volonté, devrait s'aimer de la même sorte que l'âme l'aime. Tout amour qui va au delà est injuste.

Adhærens Deo unus spiritus est. On s'aime, parce qu'on est membre de Jésus-Christ. On aime Jésus-Christ, parce qu'il est le corps dont on est membre. Tout est un, l'un est en l'autre, comme les trois Personnes. [483]

597 Qu'est-ce que le *moi*?

Un homme qui se met à la fenêtre pour voir les passants, si je passe par là, puis-je dire qu'il s'est mis là pour me voir? Non; car il ne pense pas à moi en particulier; mais celui qui aime quelqu'un à cause de sa beauté, l'aime-t-il? Non: car la petite vérole, qui tuera la beauté sans tuer la personne, fera qu'il ne l'aimera plus.

Et si on m'aime pour mon jugement, pour ma mémoire, m'aime-t-on, *moi*? Non, car je puis perdre ces qualités sans me perdre moi-même. Où est donc ce *moi*, s'il n'est ni dans le corps, ni dans l'âme? et comment aimer le corps ou l'âme, sinon pour ces qualités, qui ne sont point ce qui fait le moi, puisqu'elles sont périssables? car aimerait-on la substance de l'âme d'une personne abstraitement, et quelques qualités qui y fussent? Cela ne se peut, et serait injuste. On n'aime donc jamais personne, mais seulement des qualités.

Qu'on ne se moque donc plus de ceux qui se font honorer pour des charges et des offices, car on n'aime personne que pour des qualités empruntées. [323]

598 Il faut n'aimer que Dieu et ne haïr que soi.

Si le pied avait toujours ignoré qu'il appartînt au corps, et qu'il y eût un corps dont il dépendît, s'il n'avait eu que la connaissance et l'amour de soi, et qu'il vînt à connaître qu'il appartient à un corps duquel il dépend, quel regret, quelle confusion de sa vie passée, d'avoir été inutile au corps qui lui a influé la vie, qui l'eût

1 I Cor. vi, 17.

anéanti s'il l'eût rejeté et séparé de soi, comme il se séparait de lui! Quelles prières d'y être conservé! et avec quelle soumission se laisserait-il gouverner à la volonté qui régit le corps, jusqu'à consentir à être retranché s'il le faut! ou il perdrait sa qualité de membre; car il faut que tout membre veuille bien périr pour le corps, qui est le seul pour qui tout est. [476]

9 Tous errent d'autant plus dangereusement qu'ils suivent chacun une vérité; leur faute n'est pas de suivre une fausseté, mais de ne pas suivre une autre vérité. [863]

0 Les deux raisons contraires. Il faut commencer par là: sans cela on n'entend rien, et tout est hérétique; et même à la fin de chaque vérité, il faut ajouter qu'on se souvient de la vérité opposée. [567]

1 Dieu (et les apôtres), prévoyant que les semences d'orgueil feraient naître les hérésies, et ne voulant pas leur donner occasion de naître par des termes propres, a mis dans l'Écriture et les prières de l'Église des mots et des sentences contraires pour produire leurs fruits dans le temps.

De même qu'il donne dans la morale la charité, qui produit des fruits contre la concupiscence. [579]

2 Contrariétés

Le sceptre jusqu'au Messie—sans roi ni prince.
Loi éternelle—changée.
Alliance éternelle—alliance nouvelle.
Lois bonnes—préceptes mauvais. Ézéch. xx. [686]

3 CC. homo existens [te facis Deum]
Scriptum est Dii estis et non [potest solvi scriptura]
CC. Haec infirmitas non est ad v[itam]
et est ad mortem.
Lazarus dormit, et deinde dixit, Lazarus mortuus [est].[1]
[754]

1 Paper cut at [ ]. *Homo existens* is of interest showing that Pascal does not follow Vg. "quia tu homo cum sis", but translates literally the Gk. *σὺ ἄνθρωπος ὤν*.... CC. = *contraria* or *contrarietates*.

CONCLUSION OF THE WHOLE MATTER

All this is the work of God to which it is impossible to offer resistance

604 On a beau dire. Il faut avouer que la religion chrétienne a quelque chose d'étonnant. "C'est parce que vous y êtes né", dira-t-on. Tant s'en faut; je me raidis contre, pour cette raison-là même, de peur que cette prévention ne me suborne; mais quoique j'y sois né, je ne laisse pas de le trouver ainsi. [615]

605 Sans ces divines connaissances, qu'ont pu faire les hommes, sinon ou s'élever dans le sentiment intérieur qui leur reste de leur grandeur passée, ou s'abattre dans la vue de leur faiblesse présente? Car, ne voyant pas la vérité entière, ils n'ont pu arriver à une parfaite vertu. Les uns considérant la nature comme incorrompue, les autres comme irréparable, ils n'ont pu fuir ou l'orgueil, ou la paresse, qui sont les deux sources de tous les vices; puisqu'[*ils*] ne [*peuvent*] sinon ou s'y abandonner par lâcheté, ou en sortir par l'orgueil. Car, s'ils connaissaient l'excellence de l'homme, ils en ignoraient la corruption; de sorte qu'ils évitaient bien la paresse, mais ils se perdaient dans la superbe; et s'ils reconnaissaient l'infirmité de la nature, ils en ignoraient la dignité: de sorte qu'ils pouvaient bien éviter la vanité, mais c'était en se précipitant dans le désespoir. De là viennent les diverses sectes des stoïques et des épicuriens; des dogmatistes et des académiciens, etc.

La seule religion chrétienne a pu guérir ces deux vices, non pas en chassant l'un par l'autre, par la sagesse de la terre, mais en chassant l'un et l'autre, par la simplicité de l'Évangile. Car elle apprend aux justes qu'elle élève jusqu'à la participation de la divinité même, qu'en ce sublime état ils portent encore la source de toute la corruption, qui les rend durant toute la vie sujets à l'erreur, à la misère, à la mort, au péché; et elle crie aux plus impies qu'ils sont capables de la grâce de leur Rédempteur. Ainsi, donnant à trembler [*à*] ceux qu'elle justifie, et consolant ceux qu'elle condamne, elle tempère avec tant de justesse la crainte avec l'espérance, par cette double capacité qui est commune à tous et de la grâce et du péché, qu'elle abaisse infiniment plus que la seule raison ne peut faire, mais sans désespérer; et qu'elle élève infiniment plus que l'orgueil de la nature, mais sans enfler: faisant bien voir par là qu'étant seule exempte d'erreur et de vice, il n'appartient qu'à elle et d'instruire et de corriger les hommes.

Qui peut donc refuser à ces célestes lumières de les croire et de les adorer? Car n'est-il pas plus clair que le jour que nous sentons en nous-mêmes des caractères ineffaçables d'excellence? Et n'est-il pas aussi véritable que nous éprouvons à toute heure les effets de notre déplorable condition? Que nous crie donc ce chaos et cette confusion monstrueuse, sinon la vérité de ces deux états, avec une voix si puissante, qu'il est impossible de résister? [435]

6 ...Dès là je refuse toutes les autres religions. Par là je trouve réponse à toutes les objections. Il est juste qu'un Dieu si pur ne se découvre qu'à ceux dont le cœur est purifié. Dès là cette religion m'est aimable, et je la trouve déjà assez autorisée par une si divine morale; mais j'y trouve de plus.

Je trouve d'effectif que, depuis que la mémoire des hommes dure, il est annoncé constamment aux hommes qu'ils sont dans une corruption universelle, mais qu'il viendra un Réparateur; que ce n'est pas un homme qui le dit, mais une infinité d'hommes, et un peuple entier prophétisant et fait exprès durant quatre mille ans. Voici un peuple qui subsiste plus ancien que tout autre peuple. Leurs livres dispersés durant 400 ans.

Plus je les examine, plus j'y trouve de vérités: un peuple entier le prédit avant sa venue, un peuple entier l'adore après sa venue; ce qui a précédé et ce qui a suivi; enfin eux sans idoles ni rois, et cette synagogue qui est prédite, et ces misérables qui la suivent, et qui, étant nos ennemis, sont d'admirables témoins de la vérité de ces prophéties, où leur misère et leur aveuglement même est prédit.

Je trouve cet enchaînement, cette religion toute divine dans son autorité, dans sa durée, dans sa perpétuité, dans sa morale, dans sa conduite, dans sa doctrine, dans ses effets; les ténèbres des Juifs effroyables et prédites: *Eris palpans in meridie.*[1] *Dabitur liber scienti litteras, et dicet: "non possum legere"*,[2] le sceptre étant encore

1 Deut. xxviii, 29. 2 Is. xxix, 12.

entre les mains du premier usurpateur étranger, le bruit de la venue de Jésus-Christ.

Ainsi je tends les bras à mon *Libérateur*, qui ayant été prédit durant quatre mille ans, est venu souffrir et mourir pour moi sur la terre, dans les temps et dans toutes les circonstances qui en ont été prédites; et, par sa grâce, j'attends la mort en paix, dans l'espérance de lui être éternellement uni; et je vis cependant avec joie, soit dans les biens qu'il lui plaît de me donner, soit dans les maux qu'il m'envoie pour mon bien, et qu'il m'a appris à souffrir par son exemple. [737]

Use the heart in this as in other things

607 Le cœur a ses raisons que la raison ne connaît point: on le sait en mille choses. Je dis que le cœur aime l'être universel naturellement, et soi-même naturellement, selon qu'il s'y adonne; et il se durcit contre l'un ou l'autre, à son choix. Vous avez rejeté l'un et conservé l'autre; est-ce par raison que vous aimez? [277]

608 C'est le cœur qui sent Dieu, et non la raison. Voilà ce que c'est que la foi: Dieu sensible au cœur, non à la raison.[1] [278]

609 La foi est un don de Dieu; ne croyez pas que nous disions que c'est un don de raisonnement. Les autres religions ne disent pas cela de leur foi; elles ne donnaient que le raisonnement pour y arriver, qui n'y mène pas néanmoins. [279]

610 Nous connaissons la vérité, non seulement par la raison, mais encore par le cœur; c'est de cette dernière sorte que nous connaissons les premiers principes,[1] et c'est en vain que le raisonnement qui n'y a point de part, essaie de les combattre. Les pyrrhoniens, qui n'ont que cela pour objet, y travaillent inutilement. Nous savons que nous ne rêvons point; quelque impuissance où nous soyons de le prouver par raison, cette impuissance ne conclut autre que la faiblesse de notre raison, mais non pas l'incertitude de toutes nos connaissances, comme ils le prétendent. Car la connaissance des premiers principes, comme qu'il y a espace, temps,

1 Cœur, instinct, principes. [281]

mouvement, nombres, [*est*] aussi ferme qu'aucune de celles que nos raisonnements nous donnent. Et c'est sur ces connaissances du cœur et de l'instinct qu'il faut que la raison s'appuie, et qu'elle y fonde tout son discours. (Le cœur sent qu'il y a trois dimensions dans l'espace, et que les nombres sont infinis; et la raison démontre ensuite qu'il n'y a point deux nombres carrés dont l'un soit double de l'autre. Les principes se sentent, les propositions se concluent; et le tout avec certitude, quoique par différentes voies.)[1] Et il est aussi inutile et aussi ridicule que la raison demande au cœur des preuves de ses premiers principes, pour vouloir y consentir, qu'il serait ridicule que le cœur demandât à la raison un sentiment de toutes les propositions qu'elle démontre, pour vouloir les recevoir.

Cette impuissance ne doit donc servir qu'à humilier la raison, qui voudrait juger de tout, mais non pas à combattre notre certitude, comme s'il n'y avait que la raison capable de nous instruire. Plût à Dieu que nous n'en eussions au contraire jamais besoin, et que nous connussions toutes choses par instinct et par sentiment! Mais la nature nous a refusé ce bien; elle ne nous a au contraire donné que très peu de connaissances de cette sorte; toutes les autres ne peuvent être acquises que par raisonnement.

Et c'est pourquoi ceux à qui Dieu a donné la religion par sentiment du cœur sont bien heureux et bien légitimement persuadés. Mais ceux qui ne l'ont pas, nous ne pouvons la [*leur*] donner que par raisonnement, en attendant que Dieu la leur donne par sentiment de cœur, sans quoi la foi n'est qu'humaine, et inutile pour le salut. [282]

1 Ne vous étonnez pas de voir des personnes simples croire sans raisonner. Dieu leur donne l'amour de soi et la haine d'eux-mêmes. Il incline leur cœur à croire. On ne croira jamais d'une créance utile et de foi, si Dieu n'incline le cœur; et on croira dès qu'il l'inclinera. Et c'est ce que David connaissait bien: *Inclina cor meum, Deus, in....*[2] [284]

2 Ceux qui croient sans avoir lu les Testaments, c'est parce qu'ils ont une disposition intérieure toute sainte, et que ce qu'ils entendent dire de notre religion y est conforme. Ils sentent qu'un Dieu les

1 In margin. 2 Ps. cxviii, 36.

a faits; ils ne veulent aimer que Dieu; ils ne veulent haïr qu'eux-mêmes. Ils sentent qu'ils n'en ont pas la force d'eux-mêmes; qu'ils sont incapables d'aller à Dieu; et que, si Dieu ne vient à eux, ils ne peuvent avoir aucune communication avec lui. Et ils entendent dire dans notre religion qu'il ne faut aimer que Dieu, et ne haïr que soi-même: mais qu'étant tous corrompus, et incapables de Dieu, Dieu s'est fait homme pour s'unir à nous. Il n'en faut pas davantage pour persuader des hommes qui ont cette disposition dans le cœur, et qui ont cette connaissance de leur devoir et de leur incapacité. [286]

613 Ceux que nous voyons Chrétiens sans la connaissance des prophéties et des preuves ne laissent pas d'en juger aussi bien que ceux qui ont cette connaissance. Ils en jugent par le cœur, comme les autres en jugent par l'esprit. C'est Dieu lui-même qui les incline à croire; et ainsi ils sont très efficacement persuadés.

J'avoue bien qu'un de ces Chrétiens qui croient sans preuves n'aura peut-être pas de quoi convaincre un infidèle qui en dira autant de soi. Mais ceux qui savent les preuves de la religion prouveront sans difficulté que ce fidèle est véritablement inspiré de Dieu, quoiqu'il ne pût le prouver lui-même.

Car Dieu ayant dit dans ses prophéties (qui sont indubitablement prophéties) que dans le règne de Jésus-Christ il répandrait son esprit sur les nations, et que les fils, les filles et les enfants de l'Église prophétiseraient, il est sans doute que l'esprit de Dieu est sur ceux-là, et qu'il n'est point sur les autres. [287]

Lay aside prejudice; repent, quell the passions

614 Ceux qui n'aiment pas la vérité prennent le prétexte de la contestation, de la multitude de ceux qui la nient. Et ainsi leur erreur ne vient de ce qu'ils n'aiment pas la vérité ou la charité; et ainsi ils ne s'en sont pas excusés. [261]

615 La pénitence, seule de tous les mystères, a été déclarée manifestement aux Juifs, et par Saint Jean, précurseur; et puis les autres

mystères; pour marquer qu'en chaque homme comme au monde entier cet ordre doit être observé. [661]

6 Abraham ne prit rien pour lui, mais seulement pour ses serviteurs; ainsi le juste ne prend rien pour soi du monde, ni des applaudissements du monde; mais seulement pour ses passions, desquelles il se sert comme maître, en disant à l'une: *Va*, et: *Viens. Sub te erit appetitus tuus.*[1] Ses passions ainsi dominées sont vertus: l'avarice, la jalousie, la colère, Dieu même se les attribue, et ce sont aussi bien vertus que la clémence, la pitié, la constance, qui sont aussi des passions. Il faut s'en servir comme d'esclaves, et, leur laissant leur aliment, empêcher que l'âme n'y en prenne; car quand les passions sont les maîtresses, elles sont vices, et alors elles donnent à l'âme de leur aliment, et l'âme s'en nourrit et s'en empoisonne. [502]

Accept your condition

7 La religion est proportionnée à toutes sortes d'esprits. Les premiers s'arrêtent au seul établissement; et cette religion est telle, que son seul établissement est suffisant pour en prouver la vérité. Les autres vont jusques aux apôtres. Les plus instruits vont jusqu'au commencement du monde. Les anges la voient encore mieux, et de plus loin. [285]

8 La Sagesse nous envoie à l'enfance: *Nisi efficiamini sicut parvuli.*[2] [271]

9 Celui qui sait la volonté de son maître sera battu de plus de coups, à cause du pouvoir qu'il a par la connaissance. *Qui justus est, justificetur adhuc*,[3] à cause du pouvoir qu'il a par la justice. A celui qui a le plus reçu sera le plus grand compte demandé, à cause du pouvoir qu'il a par le secours. [531]

20 L'Écriture a pourvu de passages pour consoler toutes les conditions, et pour intimider toutes les conditions.

1 Gen. iv, 7.
2 Matth. xviii, 3. 3 Rev. xxii, 11.

La nature semble avoir fait la même chose par ses deux infinis, naturels et moraux: car nous aurons toujours du dessus et du dessous, de plus habiles et de moins habiles, de plus élevés et de plus misérables, pour abaisser notre orgueil et relever notre objection. [532]

621 Toute condition et même les martyrs ont à craindre, par l'Écriture.

La peine du purgatoire la plus grande est l'incertitude du jugement. *Deus absconditus.* [518]

Be content with a spark of light

622 Au lieu de vous plaindre, de ce que Dieu s'est caché, vous lui rendrez grâces de ce qu'il s'est tant découvert; et vous lui rendrez grâces encore de ce qu'il ne s'est pas découvert aux sages superbes, indignes de connaître un Dieu si saint.

Deux sortes de personnes connaissent: ceux qui ont le cœur humilié, et qui aiment la bassesse, quelque degré d'esprit qu'ils aient, haut ou bas; ou ceux qui ont assez d'esprit pour voir la vérité, quelque opposition qu'ils y aient. [288]

623 Les prophéties, les miracles mêmes et les preuves de notre religion ne sont pas de telle nature qu'on puisse dire qu'ils sont absolument convaincants. Mais ils le sont aussi de telle sorte qu'on ne peut dire que ce soit être sans raison que de les croire. Ainsi il y a de l'évidence[1] et de l'obscurité, pour éclairer les uns et obscurcir les autres. Mais l'évidence est telle, qu'elle surpasse, ou égale pour le moins, l'évidence du contraire; de sorte que ce n'est pas la raison qui puisse déterminer à ne la pas suivre; et ainsi ce ne peut être que la concupiscence et la malice du cœur. Et par ce moyen il y a assez d'évidence pour condamner et non assez pour convaincre; afin qu'il paraisse qu'en ceux qui la suivent, c'est la grâce, et non la raison, qui fait suivre; et qu'en ceux qui la fuient, c'est la concupiscence, et non la raison, qui fait fuir.

Vere discipuli, vere Israëlita, vere liberi, vere cibus.[2] [564]

1 "évidence" = light.
2 John vi, 32; i, 47; viii, 36; xi, 56.

24 Reconnaissez donc la vérité de la religion dans l'obscurité même de la religion, dans le peu de lumière que nous en avons, dans l'indifférence que nous avons de la connaître. [565]

25 Tout tourne en bien pour les élus, jusqu'aux obscurités de l'Écriture; car ils les honorent, à cause des clartés divines. Et tout tourne en mal pour les autres, jusqu'aux clartés; car ils les blasphèment, à cause des obscurités qu'ils n'entendent pas. [575]

26 On se fait une idole de la vérité même; car la vérité hors de la charité n'est pas Dieu, et est son image et une idole, qu'il ne faut point aimer, ni adorer; et encore moins faut-il aimer ou adorer son contraire, qui est le mensonge.

Je puis bien aimer l'obscurité totale; mais, si Dieu m'engage dans un état à demi obscur, ce peu d'obscurité qui y est me déplaît, et, parce que je n'y vois pas le mérite d'une entière obscurité, il ne me plaît pas. C'est un défaut, et une marque que je me fais une idole de l'obscurité, séparée de l'ordre de Dieu. Or il ne faut adorer que son ordre. [582]

27 Les malingres[1] sont gens qui connaissent la vérité, mais qui ne la soutiennent qu'autant que leur intérêt s'y rencontre; mais, hors de là, ils l'abandonnent. [583]

28 Le monde subsiste pour exercer miséricorde et jugement, non pas comme si les hommes y étaient sortant des mains de Dieu, mais comme les ennemis de Dieu, auxquels il donne, par grâce, assez de lumière pour revenir, s'ils le veulent chercher et le suivre, mais pour les punir, s'ils refusent de le chercher ou de le suivre. [584]

29 Que si la miséricorde de Dieu est si grande qu'il nous instruit salutairement même lorsqu'il se cache, quelle lumière n'en devons-nous pas attendre, lorsqu'il se découvre? [848]

1 "malingres" = luke-warm. I find no need to suppose that the amanuensis wrote "malingnes", echoing Pascal's Auvergnat accent, as T. suggests, II, p. 161.

Do not ask for a miracle

630 "Un miracle, dit-on, affermirait ma créance." On le dit quand on ne le voit pas. Les raisons qui, étant vues de loin, paraissent borner notre vue, mais quand on y est arrivé, on commence à voir encore au delà. Rien n'arrête la volubilité de notre esprit. Il n'y a point, dit-on, de règle qui n'ait quelques exceptions, ni de vérité si générale qui n'ait quelque face par où elle manque. Il suffit qu'elle ne soit pas absolument universelle, pour nous donner sujet d'appliquer l'exception au sujet présent, et de dire: "Cela n'est pas toujours vrai; donc il y a des cas où cela n'est pas." Il ne reste plus qu'à montrer que celui-ci en est; et c'est à quoi on est bien maladroit ou bien malheureux si on ne trouve quelque jour. [263]

631 "Si j'avais vu un miracle, disent-ils, je me convertirais." Comment assurent-ils qu'ils feraient ce qu'ils ignorent? Ils s'imaginent que cette conversion consiste en une adoration qui se fait de Dieu comme un commerce et une conversation telle qu'ils se la figurent. La conversion véritable consiste à s'anéantir devant cet être universel qu'on a irrité tant de fois, et qui peut vous perdre légitimement à toute heure; à reconnaître qu'on ne peut rien sans lui, et qu'on n'a mérité rien de lui que sa disgrâce. Elle consiste à connaître qu'il y a une opposition invincible entre Dieu et nous, et que, sans un médiateur, il ne peut y avoir de commerce. [470]

632 C'est une chose si visible qu'il faut aimer un seul Dieu qu'il ne faut pas de miracles pour le prouver. [837]

Think only of God: love Him alone

633 Quand nous voulons penser à Dieu, n'y a-t-il rien qui nous détourne, nous tente de penser ailleurs? Tout cela est mauvais et né avec nous. [478]

634 Le juste agit par foi dans les moindres choses: quand il reprend ses serviteurs, il souhaite leur correction par l'esprit de Dieu, et prie Dieu de les corriger, et attend autant de Dieu que de ses

répréhensions, et prie Dieu de bénir ses corrections. Et ainsi aux autres actions.... [504]

35 L'homme est ainsi fait, qu'à force de lui dire qu'il est un sot, il le croit; et, à force de se le dire à soi-même, on se le fait croire. Car l'homme fait lui seul une conversation intérieure, qu'il importe de bien régler: *Corrumpunt mores bonos colloquia prava.*[1] Il faut se tenir en silence autant qu'on peut, et ne s'entretenir que de Dieu, qu'on sait être la vérité; et ainsi on se la persuade à soi-même. [536]

36 S'il y a un seul principe de tout, une seule fin de tout, tout par lui, tout pour lui. Il faut donc que la vraie religion nous enseigne à n'adorer que lui et à n'aimer que lui. Mais, comme nous nous trouvons dans l'impuissance d'adorer ce que nous ne connaissons pas, et d'aimer autre chose que nous, il faut que la religion qui instruit de ces devoirs nous instruise aussi de ces impuissances, et qu'elle nous apprenne aussi les remèdes. Elle nous apprend que, par un homme, tout a été perdu, et la liaison rompue entre Dieu et nous, et que, par un homme, la liaison est réparée.

Nous naissons si contraires à cet amour de Dieu, et il est si nécessaire, qu'il faut que nous naissions coupables, ou Dieu serait injuste. [489]

37 Deux lois[2] suffisent pour régler toute la république chrétienne, mieux que toutes les lois politiques. [484]

38 S'il y a un Dieu, il ne faut aimer que lui, et non les créatures passagères. Le raisonnement des impies, dans *la Sagesse*, n'est fondé que sur ce qu'il n'y a point de Dieu. "Cela posé, dit-il, jouissons donc des créatures."[3] C'est le pis aller. Mais s'il y avait un Dieu à aimer, ils n'auraient pas conclu cela, mais bien le contraire. Et c'est la conclusion des sages: "Il y a un Dieu, ne jouissons donc pas des créatures."

Donc tout ce qui nous incite à nous attacher aux créatures est mauvais, puisque cela nous empêche, ou de servir Dieu, si nous

1 I Cor. xv, 33.
2 Viz. love of God, love of man.
3 Wisdom ii, 6.

le connaissons, ou de le chercher, si nous l'ignorons. Or nous sommes pleins de concupiscence; donc nous sommes pleins de mal; donc nous devons nous haïr nous-mêmes, et tout ce qui nous excite à autre attache que Dieu seul. [479]

639 La vraie religion doit avoir pour marque d'obliger à aimer son Dieu. Cela est bien juste, et cependant aucune ne l'a ordonné; la nôtre l'a fait. Elle doit encore avoir connu la concupiscence et l'impuissance; la nôtre l'a fait. Elle doit y avoir apporté les remèdes; l'un est la prière. Nulle religion n'a demandé à Dieu de l'aimer et de le suivre. [491]

640 République.

La république chrétienne, et même judaïque, n'a eu que Dieu pour maître, comme remarque Philon juif, *De la monarchie.*

Quand ils combattaient, ce n'était que pour Dieu; [*ils*] n'espéraient principalement que de Dieu; ils ne considéraient leurs villes que comme étant à Dieu, et les conservaient pour Dieu. I Paralip. xix, 13. [611]

641 Il y a trois moyens de croire: la raison, la coutume, l'inspiration. La religion chrétienne, qui seule a la raison, n'admet pas pour ses vrais enfants ceux qui croient sans inspiration; ce n'est pas qu'elle exclue la raison et la coutume, au contraire; mais il faut ouvrir son esprit aux preuves, s'y confirmer par la coutume, mais s'offrir par les humiliations aux inspirations, qui seules peuvent faire le vrai et salutaire effet: *Ne evacuetur crux Christi.*[1] [245]

Keep the mean

642 Deux excès: exclure la raison, n'admettre que la raison. [253]

643 Si nous rêvions toutes les nuits la même chose, elle nous affecterait autant que les objets que nous voyons tous les jours. Et si un artisan était sûr de rêver toutes les nuits, douze heures durant, qu'il est roi, je crois qu'il serait presque aussi heureux qu'un roi qui rêverait toutes les nuits, douze heures durant, qu'il serait artisan.

1 I Cor. i, 17.

Si nous rêvions toutes les nuits que nous sommes poursuivis par des ennemis, et agités par ces fantômes pénibles, et qu'on passât tous les jours en diverses occupations, comme quand on fait voyage, on souffrirait presque autant que si cela était véritable, et on appréhenderait le dormir, comme on appréhende le réveil quand on craint d'entrer dans de tels malheurs en effet. Et en effet il ferait à peu près les mêmes maux que la réalité.

Mais parce que les songes sont tous différents, et qu'un même se diversifie, ce qu'on y voit affecte bien moins que ce qu'on voit en veillant, à cause de la continuité, qui n'est pourtant pas si continue et égale qu'elle ne change aussi, mais moins brusquement, si ce n'est rarement, comme quand on voyage; et alors on dit: "Il me semble que je rêve"; car la vie est un songe un peu moins inconstant. [386]

44 Le bon sens.

Ils sont contraints de dire: "Vous n'agissez pas de bonne foi; nous ne dormons pas, etc." Que j'aime à voir cette superbe raison humiliée et suppliante! Car ce n'est pas là le langage d'un homme à qui on dispute son droit, et qui le défend les armes et la force à la main. Il ne s'amuse pas à dire qu'on n'agit pas de bonne foi, mais il punit cette mauvaise foi par la force. [388]

Submit the will and mind

45 Soumission.

Il faut savoir douter où il faut, assurer où il faut, en se soumettant où il faut. Qui ne fait ainsi n'entend pas la force de la raison. Il y [*en*] a qui faillent contre ces trois principes, ou en assurant tout comme démonstratif, manque de se connaître en démonstration; ou en doutant de tout, manque de savoir où il faut se soumettre; ou en se soumettant en tout, manque de savoir où il faut juger. [268]

46 Soumission est usage de la raison, en quoi consiste le vrai christianisme. [269]

647 Saint Augustin.[1] La raison ne se soumettrait jamais, si elle ne jugeait qu'il y a des occasions où elle se doit soumettre. Il est donc juste qu'elle se soumette, quand elle juge qu'elle se doit soumettre. [270]

648 Il n'y a rien de si conforme à la raison que ce désaveu de la raison. [272]

649 Si on soumet tout à la raison, notre religion n'aura rien de mystérieux et de surnaturel. Si on choque les principes de la raison, notre religion sera absurde et ridicule. [273]

Wait patiently for the gift of Grace

650 Pour faire d'un homme un saint, il faut bien que ce soit la grâce, et qui en doute ne sait ce que c'est que saint et qu'homme. [508]

651 Consolez-vous: ce n'est pas de vous que vous devez l'attendre, mais au contraire, en n'attendant rien de vous, que vous devez l'attendre. [517]

652 Rom. iii, 27. Gloire exclue: par quelle loi? des œuvres? non, mais par la foi. Donc la foi n'est pas en notre puissance comme les œuvres de la loi, et elle nous est donnée d'une autre manière. [516]

653 La loi n'a pas détruit la nature; mais elle l'a instruite; la grâce n'a pas détruit la loi; mais elle l'a fait exercer. La foi reçue au baptême est la source de toute la vie des chrétiens et des convertis. [520]

654 La loi obligeait à ce qu'elle ne donnait pas. La grâce donne ce à quoi elle oblige. [522]

655 Il n'y a point de doctrine plus propre à l'homme que celle-là, qui l'instruit de sa double capacité de recevoir et de perdre la grâce, à cause du double péril où il est toujours exposé de désespoir ou d'orgueil. [524]

1 *Ep.* cxx, 5.

556 Toute la foi consiste en Jésus-Christ et en Adam, et toute la morale en la concupiscence et en la grâce. [523]

557 Les mouvements de grâce, la dureté de cœur; les circonstances extérieures. [507]

* * * * *

558 Qu'on ne dise pas que je n'ai rien dit de nouveau: la disposition des matières est nouvelle; quand on joue à la paume, c'est une même balle dont joue l'un et l'autre, mais l'un la place mieux.

J'aimerais autant qu'on me dit que je me suis servi des mots anciens. Et comme si les mêmes pensées ne formaient pas un autre corps de discours, par une disposition différente, aussi bien que les mêmes mots forment d'autres pensées par leur différente disposition! [22]

559 La dernière chose qu'on trouve en faisant un ouvrage, est de savoir celle qu'il faut mettre la première. [19]

APPENDIX

The *Discours sur les Pensées de M. Pascal* by Filleau de la Chaise compared with the Preface to the Port Royal edition by Étienne Périer.

Note. The Port Royal editors of Pascal's remains entrusted their friend M. Filleau de la Chaise with the composition, to serve as preface, of an account of the lecture which Pascal delivered before them in 1658. He produced the *Discours*. This was not to the liking of Mme Périer, Pascal's sister, who found it too long (here she was right), wanting in things they wished to be said, and full of things they did not wish said, *aliter* too full of himself. Accordingly it was not used in the edition of 1670. It appeared separately in 1672 and was at last admitted to the company of the *Pensées*, as an appendix to the edition of 1688.

That Étienne, son of Mme Périer, who was commissioned to replace the *Discours*, made use of it seems clear from a comparison of relevant passages. If however he did not borrow from it but wrote independently, that confirms the genuineness of the double record.

(*a*) Il se rencontra néanmoins une occasion, il y a environ dix ou douze ans, en laquelle on l'obligea, non pas d'écrire ce qu'il avait dans l'esprit sur ce sujet-là, mais d'en dire quelque chose de vive voix. Il le fit donc en présence et à la prière de plusieurs personnes très considérables de ses amis. Il leur développa en peu de mots le plan de tout son ouvrage; il leur représenta ce qui en devait faire le sujet et la matière; il leur en rapporta en abrégé les raisons et les principes, et il leur expliqua l'ordre et la suite des choses qu'il y voulait traiter. Et ces personnes, qui sont aussi capables qu'on le puisse être de juger de ces sortes de choses, avouent qu'elles n'ont jamais rien entendu de plus beau, de plus fort, de plus touchant, ni de plus convaincant; qu'elles en furent charmées; et que ce qu'elles virent de ce projet et de ce dessein dans un discours de deux ou trois heures fait ainsi sur-le-champ, et sans avoir été prémédité ni travaillé, leur fit juger ce que ce pourrait être un jour, s'il était jamais exécuté et conduit à sa perfection par une personne dont elles connaissaient la force et la capacité; qui avait accoutumé de travailler tellement tous ses ouvrages, qu'il ne se contentait presque jamais de ses premières pensées, quelque bonnes qu'elles parussent aux autres; et qui a refait souvent, jusqu'à huit ou dix fois, des pièces que tout autre lui trouvait admirables dès la première....

(*b*) Après qu'il leur eut fait voir quelles sont les preuves qui font le plus d'impression sur l'esprit des hommes, et qui sont les plus propres à les persuader, il entreprit de montrer que la religion chrétienne avait autant de marques de certitude et d'évidence que les choses qui sont reçues dans le monde pour les plus indubitables....

(*c*) Il commença d'abord par une peinture de l'homme, où il n'oublia rien de tout ce qui le pouvait faire connaître et au dedans et au dehors de lui-même, et jusqu'aux plus secrets mouvements de son cœur. Il supposa ensuite un homme qui, ayant toujours vécu dans une ignorance générale, et

Voilà proprement quel était le dessein de M. Pascal: il voulait rappeler les hommes à leur cœur, et leur faire commencer par se bien connaître eux-mêmes. Toute autre voie, quoique bonne en soi, ne convenait point, selon lui, à la manière dont ils sont faits; au lieu que celle-ci lui paraissait... d'autant plus propre à les rendre capables de connaître Dieu, et d'y croire, qu'elle les porte à souhaiter qu'il soit, et à faire consister tout leur bien et toute leur consolation à n'en pouvoir douter.

a) C'est ce qui paraît par tout ce qu'on voit dans ces fragments....Mais, outre cela, on le fait encore par un discours qu'il fit un jour en présence de quelques-uns de ses amis, et qui fut comme le plan de l'ouvrage qu'il méditait. Il parla pour le moins deux heures; et quoique ceux qui s'y trouvaient, fussent des gens d'un esprit à admirer peu de choses...ils reconnaissent encore présentement qu'ils en furent transportés; que cette ébauche, toute légère qu'elle était, leur donna l'idée du plus grand ouvrage dont un homme puisse être capable; et que l'éloquence, la profondeur, l'intelligence de ce qu'il y a de plus caché dans l'Écriture, la découverte de quantité de choses qui avaient jusques-ici échappé à tout le monde, et tout ce qu'ils virent dans l'esprit de M. Pascal dans ce peu de temps, ne leur permit pas de douter qu'il ne fût propre à exécuter un si grand dessein, et leur persuada de plus, que, s'il ne l'achevait, il demeurerait longtemps imparfait.

Soit qu'à ce qu'il y avait d'effectif, et de sa part, et de la leur, il s'y joignît encore quelque chose de cette union d'esprit et de sentiments qui échauffe et donne de nouvelles forces, ou que ce fût un de ces moments heureux où les plus habiles se surpassent eux-mêmes, et où les impressions se font si vives et si profondes; tout ce que dit alors M. Pascal leur est encore présent, et c'est d'un d'eux que plus de huit ans après on a appris ce qu'on en va dire.

b) Après donc qu'il leur eut exposé ce qu'il pensait des preuves dont on se sert d'ordinaire, et fait voir combien celles qu'on tire des ouvrages de Dieu sont peu proportionnées à l'état naturel du cœur humain; et combien les hommes ont la tête peu propre aux raisonnements métaphysiques, il montra clairement qu'il n'y a que les preuves morales et historiques, et de certains sentiments qui viennent de la nature et de l'expérience qui soient de leur portée; et il fit voir que ce n'est que sur des preuves de cette sorte, que sont fondées les choses qui sont reconnues dans le monde pour les plus certaines....

c) Monsieur Pascal entreprit donc de faire voir que la Religion Chrétienne était en aussi forts termes que ce qu'on reçoit de plus indubitablement entre les hommes; et suivant son dessein de leur apprendre à se connaître, il commença par une peinture de l'homme.... Jamais ceux qui ont le plus méprisé dans l'indifférence à l'égard de toutes choses, et surtout à l'égard de soi-même, vient enfin à se considérer dans ce tableau, et à examiner ce qu'il est. Il est surpris d'y découvrir une infinité de choses auxquelles il n'a jamais pensé; et il ne saurait remarquer, sans étonnement et sans admiration, tout ce que Pascal lui fait sentir de sa grandeur et de sa bassesse, de ses avantages et de ses faiblesses, du peu de lumières qui lui reste, et des ténèbres qui l'environnent presque de toutes parts, et enfin de toutes les contrariétés étonnantes qui se trouvent dans sa nature. Il ne peut plus après cela demeurer dans l'indifférence, s'il a tant soit peu de raison; et quelque insensible qu'il ait été jusqu'alors, il doit souhaiter, après avoir ainsi connu ce qu'il est, de connaître aussi d'où il vient et ce qu'il doit devenir.

Pascal, l'ayant mis dans cette disposition de chercher à s'instruire sur un doute si important, l'adresse premièrement aux philosophes, et c'est là qu'après lui avoir tout ce que les plus grands philosophes de toutes les sectes ont dit sur le sujet de l'homme, il lui fait observer tant de défauts, tant de faiblesses, tant de contradictions, et tant de faussetés dans tout ce qu'ils en ont avancé, qu'il n'est pas difficile à cet homme de juger que ce n'est pas là où il doit s'en tenir.

Il lui fait ensuite parcourir tout l'univers et tous les âges, pour lui faire remarquer une infinité de religions qui s'y rencontrent; mais il lui fait voir en même temps, par des raisons si fortes et si convaincantes, que toutes ces religions ne sont remplies que de vanité, de folies, d'erreurs, d'égarements et d'extravagances, qu'il n'y trouve rien encore qui le puisse satisfaire.

l'homme, n'ont poussé si loin son imbécillité, sa corruption, ses ténèbres; et jamais sa grandeur et ses avantages n'ont été portes si haut par ceux qui l'ont le plus relevé. Tout ce qu'on voit dans ces fragments touchant les illusions de l'imagination, la vanité, l'ennui, l'orgueil, l'amour-propre, l'égarement des Païens, l'aveuglement des Athées; et de l'autre côté, ce qu'on y trouve de la pensée de l'homme, de la recherche du vrai bien, du sentiment de sa misère, de l'amour de la vérité; tout cela fait assez voir à quel point il avait étudié et connu l'homme....

Qu'on se mette à la place d'un homme que Monsieur Pascal supposait avoir du sens, et qu'il se proposait en idée de pousser à bout, et d'arrêter, pour le mener ensuite pied à pied à la connaissance de la vérité: on verra sans doute qu'il n'est pas possible qu'il ne vienne ensuite à s'effrayer de ce qu'il découvrira en lui, et à se regarder comme un assemblage monstrueux de parties incompatibles; que cet amour pour la vérité, qui ne peut s'effacer de son cœur, joint à une si grande incapacité de la bien connaître, ne le surprenne; et que cet orgueil né avec lui, et qui trouve à se nourrir dans le fond même de la misère et de la bassesse, ne l'étonne; que ce sentiment sourd, au milieu des plus grands biens, qu'il lui manque quelque chose, quoiqu'il ne lui manque rien de ce qu'il connaît, ne l'attriste; et qu'enfin ces mouvements involontaires du cœur qu'il condamne, et qu'il a la peine de combattre lors même qu'il se croit sans défauts, et ceux qui lui causent toujours quelque trouble, s'il veut bien s'observer, quelque abandonné qu'il soit au crime, ne le démontent, et ne lui fassent douter qu'une nature si pleine de contrariétés, et double et unique tout ensemble, comme il sent la sienne, puisse être une simple production du hasard, ou être sortie telle des mains de son auteur....

Après avoir supposé qu'un homme raisonnable n'y pouvait demeurer, non plus que dans l'ignorance de son véritable état présent et à venir, il lui fit chercher tout ce qui lui pouvait donner quelque lumière, et examina premièrement ce qu'en avaient dit ceux qu'on appelle Philosophes.

Mais il n'eut guères de peine à montrer qu'il fallait être peu difficile, pour s'en contenter; qu'ils n'avaient fait autre chose que se contredire les uns les autres, et se contredire eux-mêmes; qu'ils avaient trouvé tant de sortes de vrais biens, qu'il était impossible qu'aucun d'eux eût rencontré.... Que si quelques-uns d'eux avaient connu que les hommes naissent méchants, aucun ne s'était avisé d'en dire la raison...que les uns avaient fait l'homme tout grand, malgré ce qu'il sent en lui de bassesse; et les autres tout méprisable, malgré l'instinct qui l'élève; les uns maître de la félicité, les autres misérable sans ressource; les uns capable de tout, les autres de rien; enfin, qu'il n'y avait point de secte qui en parlât si raisonnablement, que chacun ne sentît en soi de quoi la démentir.

Cet homme ne pouvant donc se satisfaire de cela...Monsieur Pascal lui fit venir à l'esprit, que peut-être lui et ses semblables avaient-ils un auteur qui aurait pu se communiquer à eux, et leur donner des marques de leur origine, et du dessein qu'il aurait eu en leur donnant l'être. Et là-dessus (*d*) Enfin il lui fait jeter les yeux sur le peuple juif; et il lui en fait observer des circonstances si extraordinaires, qu'il attire facilement son attention. Après lui avoir représenté tout ce que ce peuple a de singulier, il s'arrête particulièrement à lui faire remarquer un livre unique par lequel il se gouverne, et qui comprend tout ensemble son histoire, sa loi et sa religion.

(*e*) A peine a-t-il ouvert ce livre, qu'il y apprend que le monde est l'ouvrage d'un Dieu, et que c'est ce même Dieu qui a créé l'homme à son image, et qui l'a doué de tous les avantages du corps et de l'esprit qui convenaient à (*f*) cet état. Quoiqu'il n'ait rien encore qui le convainque de cette vérité, elle ne laisse pas de lui plaire; et la raison seule suffit pour lui faire trouver plus de vraisemblance dans cette supposition, qu'un Dieu est l'auteur des hommes et de tout ce qu'il y a dans l'univers, que dans tout ce que ces mêmes hommes se sont imaginé par leurs propres lumières. Ce qui l'arrête en cet endroit est de voir, par la peinture qu'on lui a faite de l'homme, qu'il est bien éloigné de posséder tous ces avantages qu'il a dû avoir lorsqu'il est sorti des mains de son auteur; mais il ne demeure pas longtemps dans ce (*g*) doute; car dès qu'il poursuit la lecture de ce même livre, il y trouve qu'après que l'homme eut été créé de Dieu dans l'état d'innocence, et avec toute sorte de perfections, sa première action fut de se révolter contre son créateur, et d'employer à l'offenser tous les avantages qu'il en avait reçus.

Pascal lui fait alors comprendre que ce crime ayant été le plus grand de tous les crimes en toutes ces circonstances, il avait été puni non seulement dans ce premier homme, qui, étant déchu par là de son état, tomba tout d'un coup dans la misère, dans la faiblesse, dans l'erreur et dans l'aveuglement, mais encore dans tous ses descendants à qui ce même homme a communiqué et communiquera encore sa corruption dans toute la suite des temps.

parcourant tout l'Univers et tous les âges, il rencontre une infinité de Religions; mais dont aucune n'est capable de le toucher.... Que trouve-t-il dans cette recherche? Des Religions qui commencent avec de certains peuples, et finissent avec eux; des Religions où l'on adore plusieurs dieux, et des dieux plus ridicules que les hommes; des Religions qui n'ont rien de spirituel, ni d'élevé, qui autorisent le vice, qui s'établissent tantôt par la force, et tantôt par la fourberie; qui sont sans autorité, sans preuve, sans rien de surnaturel; qui n'ont qu'un culte grossier et charnel, où tout est extérieur, tout sentant l'homme, tout indigne de Dieu....

Enfin, plutôt que d'en choisir aucune, et d'y établir son repos, il prendrait le parti de se donner lui-même la mort...lorsque, près de tomber dans le désespoir, il découvre un certain peuple, qui d'abord attire son attention par quantité de circonstances merveilleuses et uniques.

C'est le peuple juif....Ce sont des gens tout sortis d'un même homme, et qui ayant toujours eu un soin extraordinaire de ne point s'allier avec les autres nations, et de conserver leurs généalogies, peuvent donner au monde ...une histoire digne de créance; puisque enfin ce n'est proprement que l'histoire d'une seule famille, qui ne peut être sujette à confusion; mais pourtant d'une famille si nombreuse, que s'il s'était mêlé de l'imposture, il serait impossible...que quelqu'un d'eux ne l'eût découverte et publiée; outre que cette histoire étant la plus ancienne de toutes, elle n'a pu rien emprunter des autres, et que par cela seul elle mérite une vénération particulière....

Mais...il n'a pas ouvert ce Livre, qu'avec l'histoire de ce Peuple, il y trouve aussi celle de la naissance du monde; que le ciel et la terre sont l'ouvrage d'un Dieu; que l'homme a été créé, et que son Auteur s'est fait connaître à lui...qu'il l'a fait à son image, et par conséquent doué d'intelligence et de lumière, et capable de bien et de vérité; libre dans ses jugements et dans ses actions, et dans une parfaite conformité des mouvements de son cœur à la justice et à la droite raison....

Voilà, à vrai dire, bien des doutes levés, et par un moyen bien facile. L'éternité du monde où l'on se perd, et cette rencontre fortuite de quelques atomes, ne sont assurément pas si aisés à concevoir; et lorsqu'il s'agit d'expliquer cet ordre admirable de l'Univers, la génération des plantes et des animaux, l'artifice du corps humain, et ce qu'on entend surtout par les noms d'âme et de pensée; qu'il s'en faut que cette éternité et ces atômes ne paraissent aussi-bien imaginés, et que l'esprit n'ait autant d'envie de s'y rendre.

Que cet homme s'estimerait donc heureux, s'il pouvait trouver que ce fût-là une vérité....Mais comme il ne voudrait point d'un repos où il lui restât quelque doute, et qu'il craint autant de se tromper, que de demeurer dans l'incertitude où il est, il veut voir le fond de la chose et l'examiner avec la dernière exactitude.

Il remarque premièrement...que celui qui a écrit cela ait compris tant de choses, et des choses si considérables dans un seul chapitre, et encore bien court. Et au lieu que tous les hommes sont naturellement portés à agrandir (*h*) Il lui montre ensuite divers endroits de ce livre où il a découvert cette vérité. Il lui fait prendre garde qu'il n'y est plus parlé de l'homme que par rapport à cet état de faiblesse et de désordre; qu'il y est dit souvent que toute chair est corrompue, que les hommes sont abandonnés à leurs sens, et qu'ils ont une pente au mal dès leur naissance. Il lui fait voir encore que cette première chute est la source, non seulement de tout ce qu'il y a de plus incompréhensible dans la nature de l'homme, mais aussi d'une infinité d'effets qui sont hors de lui, et dont la cause lui est inconnue. Enfin il lui représente l'homme si bien dépeint dans tout ce livre, qu'il ne lui paraît plus différent de la première image qu'il lui en a tracée.

les moindres choses, et que tout autre peut-être aurait cru déshonorer un si grand sujet, en le touchant si légèrement, il admire que celui-ci en ait pu parler d'une manière si simple; et qu'étant, ou voulant qu'on le crût choisi pour l'annoncer aux hommes, il ait si peu songé à se fait valoir, à prévenir l'esprit de ses lecteurs, à donner du lustre à ce qu'il disait, ou à le prouver....

Mais cependant il se présente d'abord une difficulté qui paraît insurmontable; et au même temps qu'on voit clairement que si c'est un Dieu qui a créé les hommes, et qu'il ait lui-même rendu témoignage de la bonté de ses ouvrages, il faut que l'homme ait été dans l'état que j'ai dit: on se sent si éloigné de cet état, que l'on ne sait plus où l'on en est. Bien loin qu'on puisse se prendre pour une image de Dieu, on ne trouve pas en soi le moindre trait de ce qu'on se figure en lui, et plus on se connaît, moins se trouve-t-on disposé à révérer un Dieu à qui on ressemblerait....

(g) Car ce qu'il voit incontinent après, c'est que ce même homme, que nous avons peint si éclairé, si maître de lui, eut à peine connu son Auteur, qu'il l'offensa.... Au lieu de demeurer une image de la sainteté et de la justice de son Auteur, comme il le pouvait, et de lui devenir égal, comme il l'avait prétendu; il perdit en ce moment tous les avantages dont il n'avait pas voulu bien user; son esprit se remplit de nuages; Dieu se cacha pour lui dans une nuit impénétrable; il devint le jouet de la concupiscence et l'esclave du péché; de tout ce qu'il avait de lumière et de connaissance, il n'en conserva qu'un désir impuissant de connaître, qui ne servit plus qu'à le tourmenter; il ne lui resta d'usage de sa liberté que pour le péché, et il se trouva sans force pour le bien. Enfin il devint ce monstre incompréhensible, qu'on appelle l'homme; et communiquant de plus sa corruption à tout ce qui sortit de lui, il peupla l'univers de misérables, d'aveugles et de criminels comme lui.

(h) C'est ce que cet homme rencontre bientôt après et dans tout le reste de ce livre: car M. Pascal...lui fit voir que c'était le seul livre du monde où la nature de l'homme fût parfaitement peinte, et dans ses grandeurs, et dans ses misères, et lui montra le portrait de son cœur en une infinité d'endroits....

Il admire ensuite...qu'il soit le seul au monde qui ait dignement parlé de l'Être souverain...qu'il est l'unique, qui l'obligeant de connaître un Dieu, ait parlé de l'aimer et de ne rien faire que pour lui; il est l'unique qui mérite qu'on s'y arrête. Car enfin...toutes nos actions ne sont bonnes, ou mauvaises, que selon qu'elles tendent à ce but, ou qu'elles s'en écartent. Je ne parle pas de celles qui sont purement corporelles, et où notre volonté n'a point de part: celles-là ne sont pas proprement nôtres, et ne sont que partie des mouvements de ce grand corps de l'univers, qui glorifient Dieu à leur manière. Mais pour celles que nous faisons, parce que nous voulons les faire, il n'y en a point dont nous ne devions lui rendre compte, et qui ne doive lui marquer que nous ne voulons que ce qu'il veut, afin que tous les êtres créés, et ceux qui pensent, et ceux qui ne pensent point, soient dans une continuelle soumission à la volonté de leur Auteur, qui ne peut avoir eu d'autre dessein en les créant....

(*i*) Ce n'est pas assez d'avoir fait connaître à cet homme son état plein de misère; Pascal lui apprend encore qu'il trouvera dans ce même livre de quoi se consoler. Et en effet, il lui fait remarquer qu'il y est dit que le remède est entre les mains de Dieu; que c'est à lui que nous devons recourir pour avoir les forces qui nous manquent; qu'il se laissera fléchir, et qu'il enverra même aux hommes un libérateur, qui satisfera pour eux, et qui suppléera à leur impuissance.

(*j*) Après qu'il lui a expliqué un grand nombre de remarques très particulière sur le livre de ce peuple, il lui fait encore considérer que c'est le seul qui ait parlé dignement de l'Être souverain, et qui ait donné l'idée d'une véritable religion. Il lui en fait concevoir les marques les plus sensibles qu'il applique à celles que ce livre a enseignées; et il lui fait faire une attention particulière sur ce qu'elle fait consister l'essence de son culte dans l'amour de Dieu qu'elle adore; ce qui est un caractère tout singulier, et qui la distingue visiblement de toutes les autres religions, dont la fausseté paraît par le défaut de cette marque si essentielle.

C'est en peu de mots l'idée d'une Religion véritable.... Quelle autre Religion que la Chrétienne a jamais mis dans cet amour l'essence de son culte?...

(i) Ce serait peu encore que ce livre fît voir clair à l'homme dans lui-même, s'il ne lui faisait voir clair dans l'ordre du monde, et s'il ne démêlait ces questions impénétrables qui ont tant tourmenté les plus grands esprits du Paganisme. Pourquoi, par exemple, cette étrange diversité entre les hommes qui sont tous de même nature?...Et cela avec tant de différence...qu'il n'y a pas deux hommes au monde qui se ressemblent, ni même un homme qui ne soit dissemblable à lui-même d'un moment à l'autre?...D'où peut encore venir cette diversité? Pourquoi un habile homme en produit-il un sans esprit? Comment un scélérat peut-il venir d'un honnête homme? Comment les enfants d'un même père peuvent-ils naître avec des inclinations différentes? Toutes ces difficultés ne cessent-elles pas par cette chute de la nature de l'homme, que ce Livre dit être tombé de son premier état? et ne sont-ce pas des suites nécessaires de l'assujettissement de l'âme au corps, que l'on ne saurait concevoir que comme un châtiment, et qui la fait dépendre de la naissance, du pays, du tempérament, de l'éducation, de la coutume et d'une infinité de choses de cette nature, qui n'y devraient faire aucune impression?

D'où vient aussi cette confusion qu'on voit dans le monde....Pourquoi ce mélange monstrueux de pauvres et de riches, de sains et de malades, de tyrans et d'opprimés?...Tout cela est encore éclairci par un petit nombre de principes qui se trouvent dans ce Livre, et par ceux-ci entre autres: Que ce n'est pas ici le lieu où Dieu veut que se fasse le discernement des bons et des méchants...que ce n'est pas ici non plus le lieu de la récompense: que ce jour viendra: que cependant Dieu veut que les choses demeurent dans l'obscurité:...qu'il ne veut se découvrir qu'à un petit nombre de gens, qu'il en rendra lui-même dignes, et capables d'une véritable vertu.

(j) N'est-ce pas encore ici en quoi ce Livre est aimable et digne qu'on s'y attache? Non-seulement il est le seul qui a bien connu la misère des hommes; mais il est aussi le seul qui leur ait proposé l'idée d'un vrai bien, et promis des remèdes apparents à leurs maux....Il nous flatte peut-être; mais la chose vaut bien la peine de l'expérimenter....Qui n'admirera encore que ceux qui ont travaillé à ce Livre, aient pris des voies si particulières, et qu'ils se soient si fort éloignés des autres dans les remèdes qu'ils promettent aux hommes?...C'est à Dieu que nous devons demander ces forces qui nous manquent, qu'il ne nous les refusera pas, et qu'il enverra même un Libérateur aux hommes, qui satisfaisant pour eux à la colère de Dieu, réparera cette impuissance, et les rendra capables de tout ce qu'il demande d'eux.

Que ce système est beau, quoi qu'on en puisse dire, et qu'il est conforme aux apparences et à la raison même, autant qu'elle y peut avoir de part! Considérons-le tout à la fois, pour en mieux comprendre la grandeur et la majesté. Toutes choses sont créées par un Dieu à qui rien n'est impossible.

Quoique Pascal, après avoir conduit si avant cet homme qu'il s'était proposé de persuader insensiblement, ne lui ait encore rien dit qui le puisse convaincre des vérités qu'il lui a fait découvrir, il l'a mis néanmoins dans la disposition de les recevoir avec plaisir, pourvu qu'on puisse lui faire voir qu'il doit s'y rendre, et de souhaiter même de tout son cœur qu'elles soient solides et bien fondées, puisqu'il y trouve de si grands avantages pour son repos et pour l'éclaircissement de ses doutes. C'est aussi l'état où devrait (*k*) être tout homme raisonnable, s'il était une fois bien entré dans la suite de toutes les choses que Pascal vient de représenter : il y a sujet de croire qu'après cela il se rendrait facilement à toutes les preuves que l'auteur apportera ensuite pour confirmer la certitude et l'évidence de toutes ces vérités importantes dont il avait parlé, et qui font le fondement de la religion chrétienne, qu'il avait dessein de persuader.

L'homme sort de ses mains en un état digne de la sagesse de son Auteur. Il se révolte contre lui, et perd tous les avantages de son origine. Le crime et le châtiment passent dans tous les hommes, et par-là ils doivent naître injustes et corrompus, comme on voit qu'ils le sont. Il leur reste un sentiment obscur de leur première grandeur; et il leur est dit qu'ils peuvent y être rétablis. Ils ne sentent en eux aucune force pour cela, et il leur est dit qu'ils n'en ont point en effet, mais qu'ils en doivent demander à Dieu. Ils se trouvent dans un éloignement de Dieu si terrible, qu'ils ne voient aucun moyen de s'en approcher; et on leur promet un Médiateur qui fera cette grande réconciliation.

k) Que peut faire là-dessus un homme de sens et de bonne foi, sinon de reconnaître que jamais on n'a rien dit d'approchant, et que ceux qui ont ainsi parlé, pour peu qu'ils aient de preuves, méritent assurément qu'on les croie? Il y a même bien des gens pour qui c'en serait déjà une grande, que d'avoir pu le dire; car en effet, cela ne paraîtra pas aisé à inventer à qui l'examinera de près; et il ne faut que voir ce qu'ont dit les plus habiles de ceux qui ont voulu discourir sur ce sujet, ou d'eux-mêmes, ou après avoir vu les livres de Moïse, pour juger que cela n'est pas marqué au coin des hommes. En vérité, ce ne sont pas là leurs voies, et il est étrange qu'ils ne s'en aperçoivent pas, et qu'ils ne se servent pas en cela d'une certaine finesse de discernement, dont ils usent dans toutes les autres choses. Car il n'y a personne qui ne convienne qu'à l'égard des choses qui tombent sous nos sens, nous avons en nous un certain sentiment, qui nous fait juger à l'air seulement, si ce qui se présente à nos yeux est l'ouvrage de la nature, ou des hommes. Que nous l'apportions en naissant, ou qu'il vienne de la coutume, il n'importe; jamais il ne nous trompe. Toutes les fois, par exemple, que dans une montagne d'une île inhabitée nous trouverons des degrés taillés avec quelque régularité, ou quelques caractères intelligibles gravés sur un rocher, nous ne craindrons point d'assurer qu'il y a passé des hommes avant nous, et que cela ne saurait être naturel. Cependant, avons-nous examiné ces deux infinis différents, ce que peuvent l'art et la nature, pour savoir qu'ils n'ont rien de commun? Et si nous en jugeons si bien sans cela, pourquoi ne pas étendre plus loin le principe qui nous y conduit, et ne pas discerner par ce que nous sentons en nous, et par ce que nous avons d'expérience, que ces grandes idées sont d'un caractère tout différent de ce que l'esprit humain est capable de produire?

Mais parce que les hommes sont faits de telle sorte, que dès qu'ils sont accoutumés aux choses, ils ne peuvent presque plus juger s'ils étaient capables ou non de les imaginer, on ne prétend point qu'ils se rendent à cela. On leur permet de compter pour rien qu'il n'est point naturel que dans le dessein d'imposer aux hommes, on ait pris à tâche d'assembler ce qu'il y a de plus choquant pour la raison et pour la nature. Qu'ils croient, s'ils le peuvent, qu'il n'y a nulle impossibilité que Moïse et ceux qui l'ont suivi, ces gens si sages et si habiles d'ailleurs, aient pu avancer de leur tête une chose aussi incompréhensible que le péché originel, et qui paraît si contraire à la justice de Dieu, dont ils disent tant de merveilles; et pour comble, qu'ils aient osé leur attribuer un expédient aussi étrange pour en purifier les (*l*) Pour dire en peu de mots quelque chose de ces preuves, après qu'il eut montré en général que les vérités dont il s'agissait étaient contenues dans un livre de la certitude duquel tout homme de bon sens ne pouvait douter, il s'arrêta principalement au livre de Moïse, où ces vérités sont particulièrement répandues, et il fit voir, par un très grand nombre de circonstances indubitables, qu'il était également impossible que Moïse eût laissé par écrit des choses fausses, ou que le peuple à qui il les avait laissées s'y fût laissé tromper, quand même Moïse aurait été capable d'être fourbe.

Il parla aussi des grands miracles qui sont rapportés dans ce livre; et comme ils sont d'une grande conséquence pour la religion qui y est enseignée, il prouva qu'il n'était pas possible qu'ils ne fussent vrais, non seulement par l'autorité du livre où ils sont contenus, mais encore par toutes les circonstances qui les accompagnent et qui les rendent indubitables.

Il fit voir encore de quelle manière toute la loi de Moïse était figurative; que tout ce qui était arrivé aux Juifs n'avait été que la figure des vérités accomplies à la venue du Messie, et que, le voile qui couvrait ces figures ayant été levé, il était aisé d'en voir l'accomplissement et la consommation parfaite en faveur de ceux qui ont reçu Jésus-Christ.

hommes, que celui d'envoyer son Fils unique sur la terre, et de lui faire souffrir la mort. Mais au moins qu'ils se fassent justice; et que par le peu d'assurance qu'ils trouvent en eux pour juger les moindres choses, ils se reconnaissent incapables de décider par eux-mêmes si cette transmission du péché où tout consiste est injuste et impossible; et qu'enfin ils s'estiment heureux de ce qu'en une chose qui les touche de si près; au lieu d'être à la merci de cette pauvre raison, à qui il est si aisé d'imposer, ils n'ont à examiner, pour toutes preuves, que des faits et des histoires, c'est-à-dire, des choses pour lesquelles ils ont des principes infaillibles.

Car convenant une fois (comme il n'est pas besoin de le prouver) que s'il y a un Dieu, il ne faut pas tant dire qu'il ne saurait faire ce qui est injuste. ...Il serait inutile de répondre qu'on a des preuves que ces choses-là sont injustes et impossibles, pour montrer qu'elles ne peuvent être, comme on dit qu'on en a qu'elles sont effectivement, pour montrer qu'elles ne sont, ni injustes, ni impossibles.... Les idées que nous avons de ce qui est juste ou injuste, sont étrangement bornées, puisqu'enfin il ne s'agit entre nous que d'une justice d'homme à homme,...et qu'il s'agit ici d'une justice de Créateur à créature, où les droits sont d'une disproportion infinie. Mais après tout, comme ils n'oseraient se vanter de connaître assez à fond jusqu'où va le pouvoir de Dieu, et ce que c'est que la justice à son égard, pour dire que leurs preuves sont démonstratives, elles ne peuvent être tout au plus que des raisonnements de nature métaphysique, fondés sur des principes inventés par des hommes, et par conséquent suspects; au lieu que ce qu'on leur donne pour preuves, étant de la nature des faits,...la raison et le bon sens les obligent de commencer par celles-ci, et de conclure, si elles se trouvent convainquantes, qu'ils se trompaient dans les leurs.

Or, on ne saurait douter que la plus grande de toutes les autorités, pour attirer la créance des hommes, ne soit celle des miracles et des prophéties....

Premièrement, pour ce qui est de Moïse en particulier...si ce qu'il a dit des premiers hommes,...était faux, il n'y avait rien de si aisé que de l'en convaincre: car il met si peu de générations depuis la création jusqu'au déluge, et delà jusqu'à la sortie de l'Égypte, que l'histoire de nos derniers Rois ne nous est pas plus présente que celle-là devait l'être aux Israélites: et comme il pouvait y avoir de son temps des gens qui devaient avoir vu Joseph, dont le père avait vu Sem, et que Sem avait pu vivre cent ans avec Mathusalem, qui devait avoir vu Adam; il fallait qu'il eût perdu le sens, pour oser conter à ce peuple, si soigneux de l'histoire de ses ancêtres, des événements de cette importance, si c'étaient autant de faussetés. Eussent-ils été d'assez bonne volonté pour croire que leurs aïeux vivaient sept ou huit cents ans, si effectivement ils n'en passaient pas, non plus qu'eux, cent ou six vingts, et pour recevoir sur sa foi des choses aussi extraordinaires que la création et le déluge, dont il n'y aurait eu parmi eux ni traces, ni vestiges, et dont pourtant, à son compte, la mémoire devait leur être encore toute récente. Il eût fallu qu'il eût été bien simple pour prendre un parti si bizarre dans le grand champ où il était d'inventer et de mentir, et pour croire gagner quelque chose par le nombre des années, et ne pas voir ce qu'il per-

dait en faisant si peu de générations; puisqu'il ne faut qu'un sens médiocre, pour juger s'il serait bien aisé de persuader aujourd'hui à un peuple qui sait tant soit peu l'histoire de ses pères, que le cinquième ou sixième en remontant a été créé avec le monde, et qu'il y a de cela deux mille ans. Ce serait leur dire deux mensonges ridicules pour un; et le plus court serait sans doute de proportionner les générations au nombre des années, pour se cacher dans l'obscurité.

D'ailleurs, Moïse ne savait-il point à qui il avoit à faire, lui qui connaissait si bien les hommes et les Juifs en particulier, cette nation si légère, si capricieuse, si difficile à gouverner? Et est-il croyable que parmi six cents mille hommes qu'il accuse de tant de défauts et de tant d'ingratitudes, qu'il traitait en Souverain, et si rigoureusement, qu'il en faisait mourir vingt mille à la fois, il ne s'en fût pas trouvé un seul qui se fût récrié contre ses impostures et ses faux miracles?...

Enfin, qu'on examine quelle est la loi qu'il a donnée aux Juifs, combien elle est sage et divine; qu'on considère que tout ce qu'ont de bon toutes les lois du monde en a été tiré....

Qu'ils nous fassent voir par quel hasard cette loi, inventée par un homme, se trouve en même temps la seule digne d'un Dieu, la seule contraire aux inclinations de la nature, et la seule qui ait toujours été. Comment se peut-il faire qu'elle ait été composée avec tant d'artifice, qu'elle subsiste et soit abolie, et que, comme s'il y avait eu du concert entre Moïse et Jésus-Christ, le dernier venu pour abolir la religion de l'autre, se fonde presque uniquement sur ce qu'elle porte, et en tire ses principales preuves; en sorte qu'il semble qu'elle ne fût qu'une figure de la sienne, et qu'il n'y eût qu'à lever un certain voile pour l'y trouver? D'où vient que depuis que l'on dit que ces nuages sont dissipés, et que l'écorce, qui n'était rien, a laissé à découvert l'intérieur qui était tout, il se rencontre justement que les bénédictions promises à ceux qui garderaient véritablement cette loi, semblent n'être que pour les Chrétiens qui ont embrassé cet intérieur, et qu'il n'y a que misère et malédiction pour les Juifs qui demeurent attachés à cette écorce, et qui sont plus exacts et plus fidèles que jamais dans tous leur devoirs?...Quelle peut être cette force invisible, qui depuis seize siècles, conservant ce peuple, sans chef, sans armes, sans pays, les oblige en même temps de garder avec tant d'exactitude les livres qui les déclarent rebelles à Dieu, et qui sont des preuves incontestables pour les Chrétiens, qu'ils regardent comme leurs plus grands ennemis?

En vérité, il n'y a guères de têtes que le dessein d'ajuster tant de hasards ne fît tourner; et pour en épargner la peine à ceux qui voudraient l'essayer, on veut bien les avertir, que quand ils seraient venus à bout d'aplanir cet abîme de difficultés, ils n'auraient encore rien fait, et les preuves de notre Religion n'auraient pas reçu la moindre atteinte: car il faudrait qu'ils nous montrassent de plus, que tout cela a été bien aisé à prédire, et qu'il a été très-facile à Moïse, et aux Prophètes qui ont marché sur ses traces, de deviner, si longtemps avant qu'elles arrivassent, tant de choses générales et particulières....

(*m*) Il entreprit ensuite de prouver la vérité de la religion par les prophéties; et ce fut sur ce sujet qu'il s'étendit beaucoup plus que sur les autres. Comme il avait beaucoup travaillé là-dessus, et qu'il y avait des vues qui lui étaient toutes particulières, il les expliqua d'une manière fort intelligible: il en fit voir le sens et la suite avec une facilité merveilleuse, et il les mit dans tout leur jour et dans toute leur force.

Les hommes ne sont point Prophètes par des voies naturelles; et comme la nature ne leur est point soumise pour faire des miracles, l'avenir ne leur est point ouvert pour en faire une histoire par avance, comme on pouvait voir dans Daniel, dès le temps de Nabuchodonosor, celle du changement de Monarchie, celle des successeurs d'Alexandre, et les années qui restaient jusqu'à la naissance du Messie.

Ce n'est point non plus par un art humain, ni par hasard, que plusieurs Prophètes, et surtout Isaïe, ont parlé de Jésus-Christ si clairement, et décrit tant de circonstances particulières de sa naissance, de sa vie et de sa mort, qu'ils ne sont pas moins ses historiens que les Évangélistes; et que seul entre les hommes, il a l'avantage que son histoire n'ayant été écrite après sa mort que par ses disciples, elle se trouve faite et répandue dans le monde plusieurs siècles avant qu'il y vînt, afin qu'il n'en restât pas le moindre soupçon. Qui a aussi dicté à Moïse ce qu'il dit aux Juifs, en les quittant, de leurs aventures et de leurs infidélités, de la captivité de Babylone et de leur retour, du dernier siège de Jérusalem, où ils se verraient réduits à manger leurs propres enfants, et de leur dispersion qui arriverait quand le temps serait venu, et que le pied leur aurait glissé; mais dans laquelle Dieu les ferait toujours subsister, de peur que leurs ennemis ne vinssent à le méconnaître, et à s'attribuer leur ruine? Enfin, cette foule d'hommes qui se succèdent pendant deux mille ans les uns aux autres, pour avertir le peuple Juif que la venue de celui qu'ils attendent, approche; qui leur marquent précisément quel sera alors l'état du monde; qui leur prédisent qu'ils le feront mourir au lieu de le recevoir, et que pour cela ils tomberont dans des malheurs sans ressource; qui leur déclarent que les Gentils, à qui il a été promis aussi bien qu'à eux, le recevront à leur défaut; qui ont dit si assurément que de tous les endroits de la terre, les peuples viendraient se soumettre à sa loi, et qui dans tout cela n'ont rien dit qui ne soit ponctuellement arrivé; où l'ont-ils pris, et comment l'ont-ils pu prévoir?

Si ce qui a été dit jusqu'ici peut donner quelque regret de la mort de M. Pascal, combien doit-il redoubler en cet endroit et surtout pour ses amis, qui sachant seuls à quel point il entendait les Prophéties, comment il en savait faire voir le sens et la suite, et avec quelle facilité il les rendait intelligibles, et les mettait dans tout leur jour et toute leur force, savent seuls aussi ce qu'on a perdu en le perdant! Je sais bien que ces lambeaux détachés, qu'on en trouvera dans le recueil de ses pensées, ne donneront qu'une idée imparfaite du corps qu'il en aurait fait, et que peu de gens me croiront. Mais enfin ceux qui le savent, doivent ce témoignage à la vérité et à sa mémoire. Je dirai donc hardiment que ceux qui l'écoutaient si attentivement dans l'occasion que j'ai dite, furent comme transportés, quand il vint à ce qu'il avait recueilli des Prophéties. Il commença par faire voir que l'obscurité qui s'y trouve y a été mise exprès, que nous en avons même été avertis, et qu'il est dit en plusieurs endroits qu'elles seront inintelligibles aux méchants, et claires à ceux qui auront le cœur droit; que l'Écriture a deux sens; qu'elle est faite pour éclairer les uns, et pour aveugler les autres; que ce but y paraît presque partout, et qu'il y est même marqué en termes formels.

(*n*) Enfin, après avoir parcouru les livres de l'Ancien Testament et fait encore plusieurs observations convaincantes pour servir de fondements et de preuves à la vérité de la religion, il entreprit encore de parler du Nouveau Testament, et de tirer ses preuves de la vérité même de l'Évangile.

(*o*) Il commença par Jésus-Christ; et quoiqu'il l'eût déjà prouvé invinciblement par les prophètes et par toutes les figures de la loi, dont on voyait en lui l'accomplissement parfait, il apporta encore beaucoup de preuves tirées de sa personne même, de ses miracles, de sa doctrine et des circonstances de sa vie.

Aussi est-ce, à dire vrai, le fondement de ce grand ouvrage de l'Écriture; et qui l'a bien compris ne trouve plus de difficulté à quoi que ce soit: au contraire, cela même lui fait reconnaître cet esprit supérieur, dont tous ceux qui peuvent y avoir quelque part ont été conduits; puisque quand ils auraient tous concerté ensemble, et qu'ensuite ils seraient revenus chacun en leur temps pour y travailler, il ne leur eût pas été possible de rien imaginer de mieux dans le dessein de n'y faire trouver que de l'obscurité à ceux qui n'y cherchaient qu'à s'aveugler, et qu'elle fût pleine de lumière pour ceux qui seraient dans les dispositions qui y conduisent.

S'il avait plu à Dieu de créér tous les hommes dans la gloire, comme il le pouvait, cela n'eût pas été nécessaire; mais il ne l'a pas voulu. C'est à nous à prendre ce qu'il lui a plu de nous donner; et d'autant plus que n'ayant rien mérité de lui que sa colère, ce n'est pas à des condamnés à se plaindre des conditions de leur grâce. Mais ce qui nous rend bien coupables, et sauve admirablement la justice de Dieu, c'est que ce sens grossier et charnel, où les Juifs se sont abusés, est inexplicable en tant de lieux, et s'entretient si peu, qu'il faut déjà être aveugle pour en être aveuglé; et qu'au contraire toutes les parties du véritable sens ont un tel rapport, et se tiennent par une liaison si indissoluble, qu'il faut encore être aveugle pour ne le pas apercevoir. Il y a bien plus; car cette obscurité, quelle qu'elle soit en quelques endroits, ne saurait empêcher qu'avec un esprit médiocre et un peu de bonne foi, on ne trouve plus de clarté qu'il n'en faut. Imaginons-nous cet homme que M. Pascal menait, pour ainsi dire, par la main; et nous verrons sans doute qu'il sent dissiper ses nuages à mesure qu'il avance dans l'étude de l'ancien Testament....

Il trouve là-dedans comme les premiers traits et une promesse encore obscure de ce Libérateur attendu par les Juifs. Il remarque dans la suite, que cette même chose qu'il avait à peine aperçue, va toujours en s'éclaircissant, jusque-là qu'elle prend enfin le dessus, et devient le centre où tout aboutit.... Puis il rencontre toute la nation juive imbue de cette espérance, et attendant de la race de Juda ce grand Roi qui devait les combler de biens, et les rendre maîtres de tous leurs ennemis. David vient ensuite, qui compose tous ses Psaumes, cet ouvrage admirable, en vue de ce Messie, et soupire sans cesse après lui. Enfin arrivent les Prophètes, qui tous unanimement publient que Dieu va accomplir ce qu'il a promis, que son peuple va être délivré de ses péchés, et que ceux qui languissaient dans les ténèbres vont sortir à la lumière.... Il remarque même que les conquêtes de Cyrus, d'Alexandre, des Romains, et tout ce qui se passe de grand dans le monde, ne sert qu'à mettre l'univers dans l'état où il est dit qu'il sera à sa venue.... Que peut-il donc conclure de tout cela, sinon que ce Libérateur promis ne saurait être ce conquérant attendu par les Juifs, qui n'aurait été que pour eux.

Mais lorsqu'après une attente de quatre mille ans, le ciel s'ouvre pour donner Jésus-Christ à la terre, et qu'il vient dire lui-même aux hommes: C'est pour moi que tout cela a été fait, et c'est moi que vous attendez: qu'il paraît digne de tout cet appareil; et que, pour peu qu'il y en eût moins, on le trouverait indigne de lui! Il naît véritablement dans l'obscurité, il vit dans

l'indigence, il meurt avec ignominie: mais s'il a caché par-là sa divinité, qu'il l'a bien prouvée par ailleurs! et que l'aveuglement des Juifs et de tant d'autres a dû être grand, pour le méconnaître, et pour croire qu'il y eût d'autre grandeur devant Dieu que celle de la sainteté! Quand il n'y aurait point de Prophéties pour JÉSUS-CHRIST, et qu'il serait sans miracles, il y a quelque chose de si divin dans sa doctrine et dans sa vie, qu'il en faut au moins être charmé; et que, comme il n'y a ni véritable vertu, ni droiture de cœur sans l'amour de JÉSUS-CHRIST, il n'y a non plus, ni hauteur d'intelligence, ni délicatesse de sentiment sans l'admiration de JÉSUS-CHRIST.... Que Socrate et Épictète paraissent, et qu'au même temps que tous les hommes du monde leur céderont pour les mœurs, ils reconnaissent eux-mêmes, que toute leur justice et toute leur vertu s'évanouit comme une ombre, et s'anéantit devant celle de JÉSUS-CHRIST....

Toute l'honnêteté humaine, à le bien prendre, n'est qu'une fausse imitation de la charité, cette divine vertu que JÉSUS-CHRIST est venu nous enseigner, et jamais elle n'en approche....Il n'y a que les disciples de JÉSUS-CHRIST qui sont dans l'ordre de la justice véritablement universelle, et qui, portant leur vue dans l'infini, jugent de toutes choses par une règle infaillible, c'est-à-dire, par la justice de Dieu....À en juger sainement, il n'est pas moins au-dessus de l'homme de vivre comme il a vécu, et comme il veut que nous vivions, que de ressusciter les morts et de transporter les montagnes...

Que ceux qui sentiront quelque doute là-dessus, et que cette vie divine ne touchera pas, s'examinent à la rigueur; ils trouveront assurément que la difficulté qu'ils ont à croire ne vient que de celle qu'ils auraient à obéir; et que si JÉSUS-CHRIST s'était contenté de vivre comme il a fait, sans vouloir qu'on l'imitât, ils n'auraient nulle peine à le regarder comme un objet digne de leurs adorations. Mais au moins que cela leur rende leurs doutes suspects; et s'ils connaissent bien le pouvoir du cœur, et de quelle sorte l'esprit en est toujours entraîné, qu'ils se regardent comme juges et parties; et que, pour en juger équitablement, ils essaient d'oublier pour un temps le malheureux intérêt qu'ils peuvent y avoir. Autrement il ne faut pas qu'ils s'attendent de trouver jamais de lumière: la dureté de leur cœur résistera toujours aux preuves de sentiment, et jamais les autres ne pourront rien sur les nuages de leur esprit.

Cela est étrange; mais cependant il n'est que trop vrai: non-seulement les choses qu'il faut sentir dépendent du cœur, mais encore celles qui appartiennent à l'esprit, lorsque le cœur peut y avoir quelque part. En sorte qu'avec plus de lumière et de vérité qu'il n'en faut pour convaincre, elles ne le font pourtant jamais, et ne portent jamais à agir, que le cœur ne se soit rendu; aussi ne le feraient-elles qu'inutilement sans cela: et c'est ce qui fait le mérite des bonnes actions, et la malice des mauvaises. Car tant qu'il n'y a que l'esprit qui agit, ou il juge bien; et ce n'est que voir ce qui est, à quoi il n'y a point de mérite; ou s'il juge mal, il croit voir ce qu'il ne voit pas; ce qui n'est qu'une erreur de fait, qui ne saurait être criminelle. Mais dès que le cœur s'y mêle, et qu'il fait que l'esprit juge bien ou mal, selon qu'il aime, (*p*) Il s'arrêta ensuite sur les Apôtres; et pour faire voir la vérité de la foi qu'ils ont publiée hautement partout, après avoir établi qu'on ne pouvait les accuser de fausseté qu'en supposant ou qu'ils avaient été des fourbes, ou qu'ils avaient été trompés eux-mêmes, il fit voir clairement que l'une et l'autre de ces suppositions était également impossible.

ou qu'il hait; il arrive, ou qu'il satisfait à la loi en aimant ce qu'il doit aimer, ce qui ne peut être sans mérite; ou qu'en aimant ce qu'il doit haïr, il viole la loi, ce qui n'est jamais excusable. C'est ce qui fait encore que Dieu ne voulant pas qu'on arrivât à le connaître, comme on arrive aux vérités de géométrie, où le cœur n'a point de part; ni que les bons n'eussent aucun avantage sur les méchants dans cette recherche, il lui a plu de cacher sa conduite, et de mêler tellement les obscurités et la clarté, qu'il dépendît de la disposition du cœur, de voir, ou de demeurer dans les ténèbres. En sorte que ceux à qui il se cache ne doivent jamais rien espérer, qu'ils ne se soient mis, autant qu'ils le peuvent, dans l'état de ceux qui l'ont trouvé. Mais à peine auront-ils cessé de compter pour quelque chose ces misérables biens qu'on veut leur ôter, à peine commenceront-ils à croire que la pauvreté peut n'être pas un mal, qu'on peut aimer les outrages et les mépris, qu'il n'y a rien à fuir que d'être désagréable à Dieu, et rien à chercher que de lui plaire; que tout leur sera clair; ou que, s'il leur reste quelque obscurité, il leur sera clair au moins qu'elle n'est que pour ceux qui voudront s'y arrêter....

Car en un mot, et sans entrer dans ce champ, infini, si elle n'est pas véritable, il faut que les Apôtres aient été trompés, ou qu'ils aient été des fourbes; et l'un et l'autre sont également insoutenables. Comment se pourrait-il qu'ils eussent été abusés, eux qui non-seulement se disent témoins de tous les prodiges de la vie de Jésus-Christ, mais qui croyaient même avoir reçu le don d'en faire de semblables?...

On serait tout aussi mal fondé à dire que les Apôtres aient été des trompeurs, et qu'après la mort de leur Maître ils aient concerté entre eux de dire qu'il était ressuscité, et prétendu que tout l'univers les en crût sur leur parole: car, quoiqu'on dise que les hommes sont naturellement menteurs, cela n'est pas vrai dans le sens où on le prend d'ordinaire. Ils naissent tels véritablement, en ce qu'ils naissent ennemis de Dieu, qui est la souveraine vérité, et que leur cœur les porte à des choses vaines et fausses qu'ils regardent comme très-réelles. Mais hors delà il est certain qu'ils aiment naturellement à dire vrai, et cela ne saurait être autrement: la pente naturelle allant à dire ce que l'on sait, ou du moins ce que l'on croit; c'est-à-dire, ce qui est vrai en soi, ou à l'égard de celui qui le dit. Au lieu que pour le mensonge, il faut de la délibération et du dessein, il faut se donner la peine d'inventer. Aussi voit-on qu'ils ne mentent jamais que pour l'intérêt, ou pour la gloire; encore faut-il qu'ils n'y puissent arriver autrement; et ils prennent même bien garde que ce qu'ils disent soit vraisemblable, et qu'on n'en puisse découvrir la fausseté, surtout si les conséquences en sont dangereuses: et quand il s'en trouverait qui prendraient plaisir à mentir pour mentir, ils ne songent qu'à en jouir dans le moment, et non pas à établir rien de solide sur leur mensonge. Ainsi il est sans doute que les Apôtres n'ont pu avoir dessein d'imposer dans ce qu'ils ont dit de la résurrection de Jésus-Christ....

(q) Enfin il n'oublia rien de tout ce qui pouvait servir à la vérité de l'histoire évangélique, faisant de très belles remarques sur l'Évangile même, sur le style des évangélistes, et sur leurs personnes; sur les Apôtres en particulier, et sur leurs écrits; sur le nombre prodigieux de miracles; sur les martyrs; sur les saints; en un mot sur toutes les voies par lesquelles la religion chrétienne s'est entièrement établie.

Et quoiqu'il n'eût pas le loisir, dans un simple discours, de traiter au long une si vaste matière, comme il avait dessein de faire dans son ouvrage, il en dit néanmoins assez pour convaincre que tout cela ne pouvait être l'ouvrage des hommes et qu'il n'y avait que Dieu seul qui eût pu conduire l'événement de tant d'effets différents qui concourent tous également à prouver d'une manière invincible la religion qu'il est venu lui-même établir parmi les hommes.

Que n'eût-il point dit du style des Évangélistes et de leurs personnes; des Apôtres en particulier et de leurs écrits; des voies par où cette Religion s'est établie, et de l'état où elle est; de cette étrange quantité de miracles, de Martyrs et de Saints; et enfin de tant de choses qui marquent qu'il est impossible que les hommes seuls s'en soient mêlés!

Quand je serais aussi capable que je le suis peu, de suppléer à son défaut, ce n'en est pas ici le lieu; ce serait achever son ouvrage, dont je n'ai voulu que montrer le plan. Mais quoique je m'en sois mal acquitté, et quelque imparfait que nous l'ayons, c'est toujours assez pour faire voir quel il eût été, et même plus qu'il n'en faut, pour produire l'effet qu'il souhaitait dans l'esprit de ceux qui voudront bien se servir de leur raison. Car enfin, il n'a pas prétendu donner la foi aux hommes, ni leur changer le cœur. Son but était de prouver qu'il n'y avait point de vérité mieux appuyée dans le monde que celle de la Religion Chrétienne; et que ceux qui sont assez malheureux pour en douter, sont visiblement coupables d'un aveuglement volontaire, et ne sauraient se plaindre que d'eux-mêmes. Et c'est ce qui paraîtra clairement à quiconque voudra prendre la chose d'aussi loin que lui, et envisager tout à la fois, et sans prévention, cette longue suite de miracles et de prophéties; cette histoire si suivie, et plus ancienne que tout ce qu'on connaît dans le monde, et tout ce qu'il trouvera dans ce recueil. Je dis, sans prévention, parce qu'il en faut au moins quitter une, à laquelle il est bien aisé de renoncer, quand on se fait justice, c'est-à-dire, à ne vouloir croire que ce qu'on voit sans la moindre difficulté. Car, quand nous ne serions pas avertis de la part de Dieu même de ce mélange de l'obscurité aux clartés, nous sommes faits de manière que cela ne doit point nous arrêter.

Il est sans doute que toutes les vérités sont éternelles, qu'elles sont liées et dépendantes les unes des autres; et cet enchaînement n'est pas seulement pour les vérités naturelles et morales; mais encore pour les vérités de fait, qu'on peut dire aussi en quelque façon éternelles; puisque étant toutes assignées à de certains points de l'éternité et de l'espace, elles composent un corps qui subsiste tout à la fois pour Dieu. Ainsi, si les hommes n'avaient point l'esprit borné et plein de nuages, et que ce grand pays de la vérité leur fût ouvert, et exposé tout entier à leurs yeux, comme une province dans une carte géographique, ils auraient raison de ne vouloir rien recevoir qui ne fût de la dernière évidence, et dont ils ne vissent tous les principes et toutes les suites. Mais puisqu'il n'a pas plu à Dieu de les traiter si avantageusement, et qu'il n'y a point été obligé, il faut qu'ils s'accommodent à leur condition et à la nécessité, et qu'ils agissent au moins raisonnablement dans l'étendue de leur capacité bornée, sans se réduire à l'impossible, et se rendre malheureux et ridicules tout ensemble.

S'ils peuvent une fois se résoudre à cela; bien loin de résister, comme ils font souvent, à l'éclat lumineux que certaines preuves répandent dans l'esprit, ils reconnaîtront sans peine, qu'ils se doivent contenter en toutes choses d'un rayon de lumière, quelque médiocre qu'il leur paraisse, pourvu que ce soit une véritable lumière; que les preuves qui concluent sont quelque chose de réel et de positif, et les difficultés de simples négations, qui viennent de ne pas tout voir; et que, comme il y a des preuves lumineuses qui ne

laissent aucune obscurité, il y en a aussi qui éclairent assez pour voir sûrement quelque chose: après quoi, quelque difficulté qu'il reste, elle ne saurait plus empêcher que ce qu'on voit ne soit, et ce n'est plus que le défaut, ou de celui qui montre, et qui ne peut tout éclaircir, ou de celui qui veut voir, et qui n'a pas la vue assez bonne. Car enfin, il y a une infinité de choses qui ne laissent pas d'être, pour être incompréhensibles; et il serait ridicule, par exemple, de vouloir revenir contre des démonstrations, parce qu'elles auraient des conséquences dont on ne verrait pas bien clairement la liaison.

S'il n'y avait rien d'incompréhensible que dans la Religion, peut-être y aurait-il quelque chose à dire. Mais ce qu'il y a de plus connu dans la nature, c'est que presque tout ce que nous savons qui est, nous est inconnu, passé de certaines bornes, quoique nous l'ayons comme sous nos yeux, et entre nos mains. Au lieu que la Religion a cet avantage, que ce que nous n'en comprenons pas se trouve fondé sur la nature de Dieu, et sur sa justice, dont il est bien certain, quelqu'il soit, que nous n'en saurions connaître que ce qu'il lui plaira de nous en découvrir. Tenons-nous-en donc là, et lui rendons grâces de nous en avoir assez montré pour marcher en assurance: et que ceux qui sont si choqués de notre soumission à des choses qu'on ne saurait comprendre, reconnaissent quelle est leur injustice; puisqu'on ne la leur demande, qu'après avoir montré par une infinité de preuves, qu'il faut être sans raison pour ne pas s'y soumettre. Car, après tout, y a-t-il quelqu'un assez hardi entre les hommes pour soutenir que Dieu ait dû faire quelque chose de plus que ce qu'il a fait, et pour se croire en droit, plutôt qu'un autre, de lui demander un miracle en son particulier, au moindre doute que son cœur lui suggérera?...

La vérité est que ce n'est point le manque de preuve qui les arrête; ce n'est que leur négligence à s'éclaircir, et la dureté de leur cœur.